| PREMIUM LABEL op. 010

더 캐슬

A.TEMPO MEDIA Inc

이 도서의 국립중앙도서관 출판시도서목록은 서지정보유통지원시스템 홈페이지(http://seoji.nl.go.kr)와 국가자료공동목록시스템(www.nl.go.kr/kolisnet)에서 이용하실 수 있습니다.

1

더 캐슬

THE CASTLE

진소예 장편소설

| **PREMIUM** LABEL. op. **010**

CONTENTS

Illustration | DELTA

더 캐슬

Romance Fantasy
crescendo

더 캐슬

VOL. 1 The Castle

CHAPTER 1

신부의 조건

1

신부의 조건

커다란 창문 너머, 도심의 밤물결이 출렁인다.

허릴 감싸 안은 남자의 손은 강인했으며, 품은 지나치게 넓고 단단했다. 뿌리칠 수도, 뿌리쳐서도 안 되는 상황이었다. 그녀는 긴장한 표정으로 사태 해결을 위해 머리를 굴렸다. 하지만 아무리 머릴 굴려도 도통 이 품에서 도망칠 방법이 떠오르지 않았다.

"저……."

남자의 품에서 조금이라도 떨어져 보려 몸을 뒤로 빼자 차가운 유리 벽이 등에 닿는다. 그녀를 품에 가둔 채 한 손으로 벽을 짚은 그가 사납게 미간을 좁혔다.

"왕실 모독."

"아닙니다, 그런 거."

유연은 끔찍한 소릴 들은 사람처럼 고개를 저었다. 그러자 코웃음 친 남자가 다갈색 눈동자를 노려보며 이내 엄하게 말했다.

"아니. 내게 거짓을 고하는 건, 엄연히 왕실 모독이야."

"거짓이 아닙니다! 설마, 저를 협박하시는 겁니까?"

협박이란 단어가 마음에 들지 않았는지 남자의 두 눈이 가늘어졌다.

"협박? 우리 사기꾼께서 내게 할 말은 아닐 텐데."

그의 가슴팍을 밀어내는 그녀의 손이 부들부들 떨린다. 색이 연한 눈동자엔 수치스러움과 치욕이 들러붙어 있는 듯도 했다.

어떻게든 숨기려 했고, 자신 있었다. 들키지 않을 거라고 자만한 탓일까? 유연은 아주 오랜만에 울고 싶은 기분을 느꼈다.

당혹스러움에 젖은 그녀의 얼굴을 내려다보던 그의 턱 근육이 경직된다.

"유연. 설마, 이름도 가짜는 아니겠지?"

"거짓말하지 않았습니다, 저는."

유연은 애써 고개를 저어 보았지만, 그는 조금도 그녀의 말을 믿어 주지 않았다.

"내가 준 술은 한 모금도 입에 대지 않더니……."

낮은 음성으로 읊조린 남자가 립스틱이 칠해진 그녀의 입술을 엄지로 눌러 문지른다. 그에 입가로 번져 버린 선정적인 붉음.

"오늘은 제대로 취했는데?"

비꼬는 말에 유연은 제 입가에 닿은 그의 손을 쳐냈다.

"아뇨. 하나도 안 취했……."

"취했어."

목소릴 낮춰 대꾸하던 그녀의 입술이 삼켜지는 건 순식간이었다. 더운 열을 품은 남자의 입술이 그녀를 덮쳤다. 푹신하면서도 부드럽게 뭉개지는 감촉에 이어, 그의 숨결이 파고든다. 갑작스러운 키스에 그녀의 속눈썹이 떨렸다. 마치 사탕이 되어 녹아 버리는 것 같았다. 고압적인 말투와 다른 다정한 입맞춤.

유연은 두 눈을 질끈 감았다. 긴장과 두려움에 억눌린 취기가 오르는지 전신이 뜨겁다. 결국, 가슴팍을 밀어내던 그녀의 손힘이 풀렸다.

쾅!

순간 무언가 두 사람이 들어선 벽을 들이받았다. 흡사 덤프트럭이 덤빈 것 같은 소리에 놀란 유연이 비명을 질렀다.

천장 조명이 흔들리고, 집기 쓰러지는 소리가 요란하게 울렸다. 그러자 그녀의 입을 막은 그가 진동이 울리는 문 너머를 서슬 퍼렇게 노려보며 속삭인다.

"저게 바로 이매(魑魅)의 목소리야. 너도 들리지?"

들리지 않는다. 들리지 않아야 했다. 하지만 너무도 생생한 소리에 그녀의 몸이 부들부들 떨렸다.

유연은 끝끝내 고개를 저었다. 그러자 드물게 기분 좋은 표정으로 실소한 그가 그녀의 턱을 잡아채 붉게 번진 입술을 엄지로 덧그리며 읊조렸다.

"거짓말이 수준급인 걸 보니, 궁금해."

"저하."

"지금까지 무엇을 보고, 들었는지. 그리고 숨겼는지."

그 선득한 음성에 가슴이 터질 듯이 뛰어 댄다. 마치 자각하지 못하는 병을 앓는 것처럼 가슴이 뜨거웠다.

어느덧 지축을 울리는 진동이 거세진다. 정말로 목숨이 위험해질 상황이었다. 서서히 금빛으로 변해 가는 남자의 눈동자.

"왕실 역사상 처음이야, 사기 결혼이라니. 대화는 잠시 후에 다시 하지."

남자는 그녀의 이마에 입 맞추곤 소리의 방향으로 돌아섰다. 유연은 자리에 주저앉아 무릎 사이에 얼굴을 묻었다. 양손으로 귀를 가리고 눈을 감으면, 끝날 것이다. 지금까지 항상 그래 왔으니까. 하지만 찾아온 공포에 몸이 떨리는 건 본능적이었다.

'들킨 거…… 맞지?'

되돌릴 수만 있다면, 되돌리고 싶다. 단 하루만이라도. 아니, 한 시간만이라도…….

그러니까 6개월 전.

나는 대한민국에서 가장 유명한 남자에게 결혼 사기를 쳤다.

정확히 말하자면, 대한민국 제30대 왕이 될.

세자 이건에게.

7개월 전.

[의전실입니다. 경회루에 모두 모이셨습니다. 세자 저하는요?]

수화기 너머 들려오는 신경질적인 말에 우혁은 고개를 들어 건물 꼭대기를 올려다보았다.

"연회 시작하세요. 저하께선 지금 T2 상황이십니다."

[이 실장님, 대통령부터 장관, 국회의원까지 모두 모이셨다니까요? 5년에 한 번이에요. 오늘까지 늦으시면…….]

“이봐요, 김 실장님. 지금 대한민국 국민의 밤잠이 달린 거 모릅니까?”

[제 밤잠도 생각 좀 해 달라고요!]

“여기 파주 서화제약 연구소입니다. 한 시간은 더 걸릴 테니, 기다리지 마세요.”

[파주요? 굳이, 지금 거기까지……!]

“헬기 도착했네요. 전화 끊겠습니다.”

밤하늘과 하나 된 검은 헬기가 건물 꼭대기 헬리포트에 착륙을 시도한다. 어둠에 몸을 숨긴 헬기의 꼬리에 적힌 건 RSA(Royal Special Affairs Department).

건물 밖에서 대기 중이던 RSA의 요원들이 무전을 확인하고 건물 안으로 뛰어 들어가기 시작했다. 우혁은 손목시계의 시간을 확인한 뒤, 자신의 귀에 꽂힌 이어 마이크의 버튼을 눌렀다.

“접니다, 이우혁. 지금 2분 7초 남았습니다, 저하.”

그러자 이어폰 너머로 강한 바람 소리와 함께 딱딱한 남자의 목소리가 흘러나왔다.

[지금 내려가. 상태는?]

“환동(幻動) 상태입니다. 지하 4층에서 차량 두 대가 파손되었고, RSA 팀장급 두 명이 대기 중입니다.”

[환동? 그럼 아직 몸을 얻기 전이니 힘만 뻗대고 있겠군. 너도 내려와.]

우혁은 여전히 여유로운 자신의 상관이자 대한민국 왕세자인 남자를 떠올렸다. 지금쯤이면 헬기에서 내려 건물 안으로 들어왔을 터. 그는 곧장 승강기에 오를 것이다. 꼭대기에서 지하 4층에 다다르는 시간은 52초.

우혁은 통화를 마치자마자 건물 안으로 뛰어 들어갔다. 하지만 승강기는 이미 로비를 막 스쳐 내려간 상황. 몇 초의 계산 오류가 있었다.

욕지거릴 내뱉은 우혁은 답답한 넥타이를 느슨하게 만들곤 비상계단을 통해 지하 4층까지 전속력으로 뛰었다. 숨이 턱까지 차오르도록 뛴 우혁이 지하 4층 방화문의 손잡이를 돌렸을 때였다.

쾅! 콰과광!

엄청난 폭음과 함께 수십 대의 차량 경보음이 요란하게 울린다.

먼지가 걷힌 자리엔 무언가에 짓눌린 듯 납작해진 차들이 한 남자의 주위로 몰려 있었다. 그가 바로 지금껏 우혁이 기다렸던 자신의 상관이었다.

대한민국 왕실 서열 2위, 왕세자 이건. 평균치를 훌쩍 뛰어넘는 커다란 키와 너른 어깨는 즐겨 입는 브랜드의 슈트를 완벽하게 소화했고, 깎아지른 듯 완벽한 이목구비는 그를 왕실의 걸작이라 표현하게 했다.

반듯하게 서서 주머니에 손을 꽂아 넣은 이건의 눈동자 색이 변해간다. 짐승의 그것처럼 황금색으로 변하는 걸 보며, 우혁은 오싹한 소름이 돋는 것을 느꼈다. 자신의 눈에는 보이지 않았지만, 그의 눈엔 보일 것이다.

"현신(現身)했습니까? 젠장……."

"그래. 그런데 욕도 하나? 많이 컸어, 이우혁."

"조심하십시오, 저하."

본디 눈에 보이지 않는 것이 더 두려운 법. 지금 이건이 상대하는 건, 인간이 아니었다. 그것은 이매(魑魅). '네발 달린 도깨비'라 불리는 모든 괴물을 총칭하는 이름이었다.

왕실의 피를 이어받은 이들은 귀멸(鬼滅)의 힘을 갖고 태어났다. 그들은 수천 년 전부터 이 땅에 기생하는 이매를 소멸시킬 수 있었으며, 황가가 귀멸을 행하는 건 물 흐르듯 당연한 운명이오, 거스를 수 없는 숙명이었다. 역사상 이름을 남긴 위대한 장군과 왕들이 모두 귀멸을 행하였듯, 현재까지도 왕실의 숙명은 끊어지지 않았다.

"너는 도철의 모습을 하고 있구나."

이건은 두 대의 차량을 밟고 선 푸르스름한 이매를 보며 고개를 주억였다. 도철이라 불리는 그것은 사람 얼굴에 양의 몸. 범의 이빨을 가진, 탐욕이 만들어 낸 괴물이었다.

-그르릉…….

범상치 않은 이건의 정체를 알아본 것인지, 흉포하게 날뛰던 괴물이 그를 경계하며 몸을 낮춘다.

-네가…… 탐스럽다. 그런데 무섭다. 두렵다. 나를 소멸시킬 것이다.

"괴물 주제에 제법, 대화를 시도해 볼 요량인가?"

-너를…… 먹을 것이다.

"그건 좀……. 더러우니 사양하지."

침을 뚝뚝 흘리던 도철의 갈기가 바짝 곤두선다. 괴물이 튀어 오르는 건 순간이었다.

번개처럼 튀어 오른 푸른빛의 도철이 아가리를 쩍 벌린 채 몸을 날렸다. 천장에 닿을 만큼 높게 점프한 도철은 날카로운 송곳니를 이용해 이건을 찍어 내리려 했다.

그때까지도 무심하게 괴물을 바라보던 이건이 주머니에 꽂아 둔 손을 뺐다. 그러곤 자신을 향해 찍어 내려오는 괴물에게로 손을 뻗었다. 이어, 어디선가 날아든 붉은 오랏줄이 도철의 다리를 휘감는다. 양쪽으로 흩어진 RSA의 박상철과 윤형근이었다.

균형을 잃은 도철이 희번덕거리며 안광을 뿜을 때였다. 순식간에 이건의 손에서 뻗어 나온 붉은 기운이 가차 없이 도철의 아가리를 꿰뚫었다.

–크가각!

검의 형상을 한 붉은 힘이 괴물의 뒷머릴 뚫고 나와 타오르는 듯 이글거린다.

쾅!

괴물의 푸른빛과 이건이 만들어 낸 붉은빛은 한동안 지하 4층을 모두 밝힐 만큼 환하게 타올랐다. 눈부신 빛무리가 사라진 자리, 은백색의 재가 꽃잎처럼 떨어진다. 하늘하늘, 바람에 흩날리듯 바닥으로 떨어져 이내 공기 중으로 소멸하였다.

'하!'

이우혁은 그 말도 안 되는 광경을 보며 소름이 돋은 양팔을 쓸어내렸다. 눈부신 꽃비가 내리는 그 중심에 반듯하게 서 있던 이건이 무언가를 발견한 듯 두 눈을 가늘게 떴다.

"이우혁."

"예."

이건이 손가락을 까닥여 우혁을 불렀다. 이건이 부르는 곳으로 뛰어간 우혁은 먼지를 뒤집어쓴 채 쓰러져 있는 여자를 발견했다. 여자는 10호 액자 크기의 수묵화 한 점을 보물처럼 끌어안고 있었다.

단정한 비즈니스 정장에, 귀를 살짝 가리는 길이의 머리카락. 키도 제법 크고 순해 보이는 이목구비를 가진 여자가 천천히 눈을 뜨는가 싶더니, 픽 정신을 잃는다.

"일단 병원으로 이송하겠습니다."

우혁의 말에, 이건은 대답 대신 여자가 안고 있는 그림을 발로 당겼다. 먹의 농담을 이용한 산수화. 제법 진경산수화를 닮은 듯하지만, 엄연히 가짜다. 한마디로 위작.

"Made in China였군. 어쩐지."

"그럼, 여기서 이매가 나온 겁니까?"

"맞아. 이매는 그림 속에 기생하니까."

이건은 피해 상황을 기록 중인 박상철을 불렀다. 그러자 산보하듯 뛰어온 상철이 자연스럽게 그림을 회수해 지하를 빠져나갔다. 조금 전의 소란을 겪은 사람 같지 않게 RSA의 요원들은 일사불란하게 움직였다.

"연구소 사람인가?"

"현재 직원 대부분이 퇴근했습니다. 남은 건 당직 직원들과 경비들뿐이라 확신할 수 없습니다."

건은 여자를 가만히 응시하다 바닥에 무릎을 대며 맥을 짚고 호흡을 확인했다.

"목숨은 붙어 있네."

손을 털고 일어난 이건이 고개를 끄덕이며 우혁을 빤히 바라보았다. 피할 수 없는 빤한 눈빛에 의미를 가늠하던 우혁은, 여자와 이건을 번갈아 보며 말을 더듬었다.

"저, 저더러 안으라는 겁니까?"

"그럼 누가 안아."

"아, 그게……."

"여자는 그림의 주인이야. 소유권 양도는 제대로 받아야지."

건은 도움을 청하려는 듯 주위를 두리번거리는 우혁을 보며 재차 고개를 까딱였다. 그에 이를 간 우혁이 눈을 질끈 감더니 먼지 덩어리로 보이는 여자를 등에 업었다. 그러자 팔을 축 늘어트린 여자의 소매가 올라가며 손목시계가 드러났다.

씩씩대며 여자를 업고 걷는 우혁을 멈춰 세운 이건은 한 줌짜리 손목을 잡아 올렸다.

「서화제약 창립 25주년 기념」

'창립기념품?'

부잣집 딸이라고 해도 믿을 만큼 도회적인 얼굴과 옷차림을 하곤, 시계는 창립기념품이라…….

"왜, 왜 그러십니까? 으, 힘듭니다."

"딱 봐도 가벼워 보이는데 엄살이 심해. 이 실장."

"저는 평범한 사람이란 말입니다, 저하. 예?"

이건은 유쾌하게 웃으며 우혁과 함께 지하를 빠져나왔다. 그가 무사히 나오는 걸 확인한 헬기가 허공을 선회하다 구름 너머로 사라진다. 이어 검정 세단 세 대가 이건의 앞에 멈춰 섰다.

대한민국 왕실의 상징인 황룡이 그려진 차 문이 열리고, 일제히 내려선 이들이 동시에 고개를 숙였다. 우렁한 외침이 한 사람의 목소리처럼 묵직하게 내리깔린다.

"세자 저하를 뵙습니다."

더 캐슬

VOL. 1　　　　The Castle

CHAPTER 2

왕실의 걸작

2

왕실의 걸작

제중원 응급실을 지키던 당직 의사는 잔뜩 긴장한 얼굴로 환자의 병상 옆에 서 있었다. 평소였다면 적절한 치료와 처방을 내린 뒤 1분이라도 더 휴식하기 위해 숙직실을 찾아갔을 것이다. 하지만 오늘은 그럴 만한 상황이 아니었다.

'아니, 대체 왜 저러고……'

틈틈이 맥을 짚거나, 수액을 조절하며 흘끔대는 시선 끝엔 보호자용 의자에 앉아 눈을 감은 이건이 있었다.

왕실 협력병원인 탓에 경복궁의 사람들을 종종 보아 온 의사였지만, 세자의 모습을 이렇게 가까이서 본 건 처음이었다. 같은 남자가 보아도 침이 꼴깍 넘어갈 만큼 숨 막히게 근사한 모습.

"왜 안 깨어납니까."

이건에게 넋을 놓고 있던 의사는 나직한 중저음에 놀라 딱딱하게 대답했다.

"깊게 잠드신 것으로 보입니다. 뚜렷한 외상도 없고, 피검사 상으로는 과로일 가능성이 크게 보입니다."

"과로……?"

"예. 현대인의 고질병, 과로와 스트레스는 만병의 근원 아닙니까? 하하……."

건은 팔걸이에 팔꿈치를 괴곤 관자놀이를 느리게 문질렀다. 그러며 잠든 것으로 추정되는 여자를 가만히 응시했다.

묘하게 낯이 익은 듯, 낯선 듯 이상한 여자다. 건은 그 이유가 무엇인지 계속 생각했다. 그러자 곁을 지키던 우혁이 시간을 확인하더니 건을 재촉했다.

"경회루로 가셔야 합니다. 더는 지체할 수 없습니다."

"아니, 그림의 출처를 확인하는 게 우선이야."

"그런 건 박 팀장님이 해도 되잖습니까."

"쯧, 나는 유능한 박 팀장이 업무 과다로 쓰러지는 걸 보고 싶진 않아서."

"박 팀장님이 업무 과다로 쓰러지실 정도면 이미 저는 중환자실에서 영양제 맞고 있을 겁니다!"

우혁은 차마 큰소리를 내지 못한 채 주먹만 쥐락펴락했다. 답답한 마음에 복식호흡이 튀어나오려던 순간, 이건이 어깨높이로 손을 든다.

"깼군."

그의 말대로 조금 전까지 천장 방향으로 누워 있던 여자가 스르륵 몸을 뒤척였다.

건은 잠에 취한 듯 두 눈을 깜빡이며 자신을 바라보는 여자와 시선을 맞췄다. 역시 예상했던 대로 여자의 눈동자 색은 머리카락 색을 닮았다. 가을볕에 탈색된 것처럼 색이 연한 눈동자에 서서히 초점이 잡힌다.

그에 제일 바빠진 건 의료진이었다. 의사는 멍하니 눈을 뜬 환자의 GCS(Glasgow Coma Scale)를 체크했다.

"눈 떠 보세요. 이름이 뭡니까?"

"조…… 유연입니다. 여기 어디……."

"통증이 느껴지는 곳 있어요?"

"딱히……. 다리가 좀 불편하긴 한데, 여기 병원인가요?"

"천천히 일어나서 앉아 보세요."

유연은 무겁게 느껴지는 몸을 천천히 일으켰다. 시트를 짚은 팔이 아파 시선을 내리자, 링거 바늘로 보이는 것이 꽂혀 있었다.

"저기, 선생님. 여기 어디죠? 병원 이름이……."

그녀는 정신을 차리자마자 시트를 더듬으며 무언가를 찾아 헤맸다.

"여기는, 파주 제중원입니다. 이제 정신 차리셨으니 간호사 선생님이 하나씩 퇴원 절차를 도와드릴 거예요."

"제중원이요? 제가 왜 여기 있나요?"

"그거야…… 실려 오셨죠? 쓰러지셔서."

당연한 걸 묻냐는 듯 대답한 의사가 옆으로 비켜섰다. 그제야 유연은 의자에 앉아 자신을 응시하는 남자를 발견했다. 남자의 뒤로 한 명이 더 있었지만, 시선을 사로잡은 건 한 명뿐이었다.

어두운 색상의 정장에 선이 짙은 이목구비. 선명한 빛이 서린 암흑 같은 눈동자가 그녀를 향해 있었다. 유연은 순간 사고가 정지하는 것만 같았다. 눈이 마주치자마자 불안하게 가슴이 뛰고, 두근거렸다. 중요한 무언가를 놓치고 있는 것처럼 쉽게 입술이 떨어지지 앉았다. 그러자 미간을 좁힌 그가 고개를 기울이며 먼저 말문을 열었다.

"구해 주셔서 감사하다든가, 생명의 은인이세요, 같은 멘트. 나한테 해야 할 것 같습니다만."

정중함을 가장한 고압적인 말투에, 유연의 미간이 확 구겨졌다.

"저를…… 구해 주셨다고요?"

"그랬죠?"

남자의 입 끝이 유려하게 호선을 그린다. 솜씨 좋은 조각가의 손에서 만들어진 듯한 미소는 그가 세자, 이건이라는 사실을 증명하고 있었다.

"감사합니다. 그런데 제가 입고 있던 재킷은 어디 있나요? 아, 그리고 그림이 있었……."

말끝을 흐린 그녀의 눈이 커다래지더니, 눈에 띄게 당황하며 주위를 두리번거렸다.

"혹시, 그림은 없었나요? 분명, 제가 옮기던 중이었는데."

"아아, 그거……."

고개를 주억인 이건이 상체를 등받이에 기대어 태연하게 말을 이었다.

"서화제약 연구소 지하 4층에서 폭발사고가 있었습니다. 파손이 심해 제 직원들이 잠시 보관 중이고요."

"보관이요? 그걸 왜 보관해요?"

그녀는 다급히 간호사에게 링거 바늘을 빼 달라고 부탁했다. 새파랗게 질린 모습에 지켜보고 있던 우혁이 나섰다.

"소지품은 옆에 있는 간이 수납장 안에 있습니다. 조유연 씨라고 했습니까?"

말 끝나기 무섭게 그녀는 키 낮은 수납장을 열어 안에 든 재킷을 꺼냈다. 그러곤 곧장 휴대 전화부터 확인하며 입술을 잘근잘근 깨문다.

"이봐요, 조유연 씨."

우혁은 불쾌함을 숨기지 않은 채 다가갔다. 그러자 휴대 전화에서 시선을 뗀 여자가 고개를 치켜든다.

"아무리 저를 도와주신 분이 세자 저하라고 해도, 제가 당장 해결해야 할 일이 있습니다. 그쪽은 누구십니까?"

경계심으로 똘똘 뭉친, 도전적인 눈빛은 순해 보이는 외모에 어울리지 않았다. 그에 우혁은 자신의 명함을 꺼내 내밀었다.

"저는 왕실 RSA 소속 이우혁 실장입니다. 일단 기본적인 질문에 대한 답을 좀 해 주셔야겠습니다만."

딱딱하고 고집스러운 말투 때문인지, 소속 때문인지 여자의 입술이 벌어졌다. 그러곤 어울리지 않는 탄식을 흘렸다.

"왜 지하 4층에 계셨습니까. 그쪽이 폭발 직전 그곳에 있던 유일한 사람이라 묻는 겁니다."

우혁은 귀찮은 기색을 숨기지 않았다. 반면 이건은 매끄러운 턱을 매만지며 그녀가 어떤 대답을 하는지 지켜보았다.

당장 경회루로 출발해야 할 시각이었지만, 어차피 그곳에 가 봤자 듣게 될 말은 정해져 있었다. 그러니 이곳에서 좀 더 시간을 보내는 편이 좋겠지, 라고 되뇌는 그였다.

그 집요한 눈빛에 여자의 시선 역시 짙어졌다.

"서화제약 비서실 조유연 과장입니다. 지하 4층에 간 이유는, 소각장을 이용하려고 한 거고요."

그렇게 말하며 유연은 분한 사람처럼 입술을 질끈 깨물었다.

건은 여자의 반응이 재밌고, 즐거웠다. 마치 무언가를 알고 있는 사람 같아서…….

건의 눈길이 그녀에게 들러붙었다.

“품에 안고 있던 그림은 뭐였습니까.”

자리에서 일어난 이건은 그녀에게 다가가 상체를 기울였다. 휴대전화를 꽉 움켜쥔 그녀가 정수릴 누르는 중압감에 시선을 피하며 대답했다.

“중국 바이오 업체 임원에게 선물 받은 겁니다. 하지만 위작인 데다가 작품 가치도 없는 듯해 조용히 처리하려 했습니다.”

“위작인 걸 알아봤다?”

“자격증이 있어서요.”

“조유연 씨라고 했습니까?”

그는 시선을 맞추려는 사람처럼 좀 더 상체를 숙였다.

유연은 프레임을 짚은 남자의 커다란 손에서 시작해, 팽팽하게 당겨진 셔츠와 목울대 방향으로 천천히 시선을 들었다. 왕실의 걸작이라 불리는 남자의 선득한 눈동자가 그녀를 직시했다. 꿰뚫어 보는 것처럼 날카로운 시선에 그녀는 숨을 멈추었다.

뻣뻣하게 굳어 버린 그녀를 빤히 응시하던 이건이 근사한 눈매를 가늘게 접었다.

“그 눈.”

유연은 흠칫 놀라 시선을 내렸다. 그러자 이번엔 붉은 입술이 비스듬히 호선을 그린다.

“낯이 익은데…….”

긴 속눈썹이 만들어낸 음영 아래 갈색 눈동자가 서서히 겁에 질려 떨렸다.

고작 낯이 익다는 상투적인 질문에 왜 긴장하는 건지. 재밌네.

건은 피식 웃으며 상체를 세우곤, 벗어둔 재킷을 입었다. 그때까지도 여자는 고개를 들지 않았다. 끝까지 눈을 맞추지 않겠다는 심산에 건은 즐거운 표정으로 물러섰다.

"조유연 씨."

"네."

더 오래 관찰하고 싶었으나, 이우혁이 폭주하는 걸 막으려면 지금이라도 움직여야 했다.

"그림 돌려받고 싶으면, 나 있는 곳으로 와요. 왜 낯이 익은지는, 그때 보면 알겠지. 알겠습니까?"

유연은 재킷과 가방, 굽이 부러진 구두를 손가락에 걸고 병상에서 내려섰다. 맨발인 그녀를 본 간호사가 안쓰러운 표정으로 어느 보호자가 두고 간 슬리퍼를 가져와 내민다.

"이거라도 신고 가세요."

"고맙습니다."

유연은 특유의 단정한 미소를 지어 보였지만, 복잡한 머릿속은 조금도 나아지지 않았다.

'대체 어떻게 된 일일까? 정말 정신을 잃었던 걸까?'

정신을 잃기 직전 마지막으로 본 건, 푸르스름한 형체였다. 툭 튀어나온 눈과 이빨을 가진 짐승 같은 형체. 놀랄 틈 없이, 무언가 폭발하는 소리와 함께 정신을 잃었고 눈을 뜬 곳이 바로 제중원이었다.

'뭐가 뭔지…….'

응급실을 나선 그녀가 진료비 계산을 위해 창구로 향할 때였다. 막 계산을 마치고 카드를 받아드는 남자를 발견한 그녀가 당황한 채 그를 불렀다.

"전무님."

유연은 서둘러 자신의 상관에게 다가갔다. 그녀가 모셔야 할 보스이자 서화제약의 하나뿐인 후계자, 최준일. 그녀를 발견한 준일이 작게 인상을 찌푸리더니, 한숨을 쉬며 다가왔다.

"몸은."

"다친 곳은 없습니다. 연구소 상황은 어떤가요? 그러잖아도 연락드릴 참이었는데."

"지하 4층에 주차된 차들이 파손되고, 땅이 좀 파인 것뿐이야. 폭발이 일어난 것 치고 피해가 크지 않아서, 조용히 내사 지시했고."

"아……."

그녀는 왜, 어떤 이유로 폭발사고가 일어났는지 알고 있었다. 하지만 누구에게도 말할 수 없었다.

그녀는 아주 옛날부터 남들이 보지 못하는 것들을 보아왔다. 그녀가 보는 건 어른 엄지손가락 크기의 작은 괴물이었다.

처음 괴물을 본 건, 여섯 살 때 유치원에서 그린 그림에서였다. 두 개의 머리를 가진 새가 크레파스로 그린 그림 속에 숨어 자신을 빤히 쳐다보는 모습에 선생님께 달려가 엉엉 울었다.

상상력이 풍부한 아이, 혹은 유아기에 이따금 나타나는 증상이라고 의사는 진단했다. 하지만 시간이 지나도 증상은 사라지지 않았고, 유연은 성인이 된 지금까지도 그림 속 괴물들을 맞닥뜨려야 했다.

그들이 두려운 건 아니다. 그들은 힘이 없었고, 그림 속에서 튀어나오는 일도 없었으니까. 하지만 예고 없이 눈에 띄는 것 자체가 불쾌하고 소름 끼쳤다. 그리고 오늘, 선물 받은 그림 속에 숨어 있던 괴물이 밖으로 튀어나왔다. 그것도 그림 속에 숨어 있던 형체의 100배가 되어.

유연은 비서실에서 쏟아지는 질문에 답장하며 걸음을 내디뎠다. 하지만 이내, 최준일에게 팔이 잡히며 멈춰 섰다. 의아한 마음에 고개를 든 그녀는 준일의 시선이 시퍼렇게 멍든 자신의 팔에 닿아 있다는 걸 알아챘다.

"아, 이거……."

"치료 다시 받아."

화난 표정이 된 그는 다시 응급실 쪽으로 그녀를 이끌려고 했다. 하지만 그녀는 버텨선 채 움직이지 않았다.

"오늘 다친 거 아닙니다. 3일 전, 전무님 보좌하다가 회의실 문에 찧은 자국이에요."

"그럼, 그때 왜 치료하지 않았어."

"고작, 멍든 거로 유난 떨지 마세요."

비서실의 다른 직원들이 보았다면 기겁할 태도였지만, 그녀는 차분하게 준일의 손을 떼어 냈다.

"가시죠. 저는 연구소로 돌아갈 테니, 전무님은 댁으로 가셔서 쉬세요."

"조유연."

짜증이 듬뿍 섞인 말투에, 유연은 생긋 웃으며 고개를 들었다.

“네.”

“너 폭발 현장에서 구조된 사람이야. 나랑 병원 가서 정밀검사 다시 받아.”

“멀쩡합니다.”

“그건 네 생각이고.”

준일은 그녀의 팔을 다시 잡아채 확 들어 올렸다. 순간, 어깨가 빠지는 듯한 통증에 놀란 그녀의 두 눈이 크게 뜨인다. 준일은 파르르 떨리는 갈색 눈동자를 집요하게 응시하며 서늘하게 명령했다.

“내 말대로 해. 몸에 상처 자국 하나 없게 만들어. 확인할 테니까.”

북악산과 인왕산 그림자가 연못 위에 우뚝 솟은 경회루의 뒤편으로 병풍처럼 드리웠다. 사시사철 푸른 소나무가 연못에 검은 그림자를 만들고, 환하게 밝힌 불빛은 건물의 웅장함에 아름다움을 더했다.

하늘로 휘어 오른 처마와 단청의 조화로움 아래, 다소 경직된 분위기의 연회가 이어지고 있었다.

“세자 저하께선 아직인가 봅니다.”

말을 꺼낸 자는 종1품 국방부 장관 임동헌이었다. 군인 출신답게 꼿꼿한 자세로 술잔을 든 그가 상석에 앉은 왕의 눈치를 살핀다.

“이만 자리를 파해야 할 것 같습니다. 세자의 사냥이 길어지나 봅니다.”

사냥이란 왕의 말에 사람들은 그제야 너도나도 고개를 끄덕였다.

2021년 대한민국은 왕실의 계보가 이어지는 중이었다.

1940년대, 만주에서 독립운동을 하던 젊은 왕 이묵은 대한민국 임시정부 수립 후 고국으로 돌아왔다. 해방 이후 왕실은 민주공화국을 인정하고 힘을 축소했다. 스스로 살아 있는 역사가 되어 보존되는 것을 택했다.

그리하여 현재는 문화 외교 및 국보와 보물을 수호. 세계대전 중 타국에 약탈당한 문화재를 환수하고 관리하는 역할에 집중하는 중이었다. 하지만 아무리 힘이 축소되었다고 한들, 왕실을 향한 판타지는 존재했다. 그리고 그 중심엔 세자 이건이 있었다.

'이놈은 아직인가? 꼭 이런 날.'

이숙은 그들과 술잔을 나누며 차 내관에게 눈짓했다.

"세자는?"

왕의 질문에 동그란 안경을 쓴 차 내관이 다가와 상체를 숙여 답한다.

"한 시간은 족히 걸리실 듯합니다."

이숙은 쓴웃음을 지으며, 도자기 잔에 든 술을 삼켰다.

"자자, 오늘은 여기까지 하시지요. 귀한 시간 내시느라, 다들 수고하셨습니다."

연회의 끝을 알린 이숙은 아쉬워하는 사람들이 모두 돌아갈 때까지 경회루를 지켰다. 시끌벅적했던 경복궁 전체가 순식간에 적요에 휩싸인다. 어둠과 빛, 묵직한 중압감이 내려앉은 궁은 숨 쉬는 예술품과도 같았다.

'고얀.'

왕실은 5년마다 연회를 열어 야당과 여당, 국가를 이끌어나가는 재계 인물들을 초대했다.

경회루에 초대되는 이들은 보통의 자격 이상을 가졌다는 뜻으로, 일반 기업인들 사이에선 엄청난 의미를 지니었다. 이런 귀한 자리에 참석하지 않은 세자가 마뜩잖으면서도, 힘든 길을 걷는 아들이 걱정되었다.

"세자 저하께서 도착하셨습니다."

차 내관은 평소처럼 온화하게 보고했다.

이숙은 고개를 끄덕이며 이건이 올라올 서쪽 계단을 돌아보았다. 이미 경회루 1층엔 우혁을 비롯하여 세자를 보위하는 경호원들이 각자의 위치에 서 있었다. 이어 느긋한 걸음의 이건이 서쪽 계단을 통해 모습을 드러냈다.

"늦었구나."

"죄송합니다. 문제가 조금 있었습니다."

조금 전 사냥을 마친 사람치고, 구김 한 점 없는 재킷의 단추를 푼 그가 단정하게 미소 지으며 다가왔다.

"연회는 즐거우셨습니까?"

얄미우리만치 능청스러운 질문에 이숙은 자리로 돌아가 건에게 술병을 내밀었다. 건은 술병을 받아 아버지의 잔을 채웠다.

"자랑할 아들놈이 없으니, 즐거울 리 있나."

"다음에는 꼭 참석하겠습니다."

"쯧, 5년 뒤에?"

생글생글 웃으며 말없이 자신의 잔을 채운 이건이 상체를 틀어 술을 삼켰다.

소매가 들리며 드러난 상처를 발견한 이숙의 가슴이 쓰려 왔다.

아직 핏기가 가시지 않은 것으로 보아, 사냥 중 입은 상처일 터. 세자의 귀한 몸엔 남들이 모르는 상처들이 가득했다.

"건아."

"예."

"이제 슬슬, 세자빈을 들여야지 않겠냐."

벌써 5년째, 귀에 딱지가 앉도록 들은 제안에 이건은 코끝을 찡그리며 아버지의 빈 잔을 다시 채웠다.

"그건 걱정하지 마십시오. 눈을 가진 신부가 나타난다면, 저는 당장에라도 결혼할 생각이 있습니다."

"찾았다면."

이숙의 말에 술잔을 들던 이건의 눈썹 끝이 삐뚜름히 치솟았다.

"귀안(貴眼)을 가진 아이를, 내 찾았다면. 정말로 당장에 혼인하겠느냐?"

이숙은 아들의 반응을 기다렸다. 지금껏 귀안을 가진 여인을 찾기 위해 그토록 애를 써도 찾지 못하였다. 그런데 오늘 연회에 초대된 서화제약 총수 최우식이 몹시도 흥미로운 소릴 했다.

'세자께서도 이제 빈을 들이셔야 하지 않겠습니까?'

그러잖아도 세자빈의 문제로 골머릴 썩던 터라, 이숙은 착잡한 얼굴로 최 회장에게 물었다.

'그래야 하지요. 하지만 왕실에 사람을 들이는 건 쉬운 일이 아닙니다.'

'그렇다고 들었습니다. 남들이 보지 못하는 것을 볼 줄 아는 눈을 가져야 한다고요.'

생각보다 정확한 정보에 이숙은 눈을 가늘게 뜨곤 최우식의 질문에 답했다.

'세자가 태어난 해부터 5년. 그 안에 최 회장님이 말씀하신 귀안(貴眼)을 가진 여자아이가 태어납니다. 이제 곧, 찾을 때가 되었지요.'

그 말에 최 회장의 눈빛이 티 나지 않게 번뜩였다.

'그럼, 제 딸아이에게도 기회를 주시겠습니까?'

최 회장의 말에 연회의 분위기가 삽시간에 경직됐다. 태연히 식사에 열중한 사람은 그뿐.

이숙의 눈빛이 험악해지고, 이어 몇몇이 티 나지 않게 코웃음을 친다. 세자빈의 조건을 알기나 하는 거냐며 훈수 두는 이도 있었다. 그러자 가슴을 편 최 회장이 자신만만한 표정으로 입매를 끌어올렸다.

'제 딸아이가, 귀안(貴眼)을 가진 것 같습니다. 저하.'

그러니 어찌 혹하지 않을 수 있으랴.

"왜 답이 없누."

이숙은 세자가 술잔을 기울이는 시간이 억겁처럼 길게 느껴졌다. 태연하게 정과까지 한입 베어 문 세자가 고개를 주억인다.

"좋습니다. 그런데 누굽니까, 제 아내가 될 여자는."

이우혁이 굳게 닫혀 있던 문에 출입증을 가져다 댔다. 그러자 두꺼운 방호벽이 열리며 지하로 내려가는 계단이 나왔다. 우혁이 비켜서자, 주머니에 손을 넣은 건이 계단을 내려간다.

"모두 대기."

뒤따르던 경호원들에게 지시한 우혁은 수장고로 사용 중인 수정전을 둘러보곤 세자를 따랐다.

계단 아래는 마치 잘 꾸며진 신축 갤러리 내부를 떠오르게 하는 공간이었다. 독특한 점이라면, 천장과 벽이 조금 전 지나쳐 온 수정전의 내부와 똑 닮아 있다는 것. 그리고 긴 터널처럼 이어진 지하의 끝은 종묘에 닿아 있다는 점이었다.

“어떻게 생각해, 넌.”

어둠 속에서 이건이 물었다. 걸음을 옮길 때마다 천장에 설치된 조명이 켜지고 이건이 걸친 비단 도포가 흔들렸다. 이우혁은 긴 복도를 가득 채운 액자들을 보며 등골이 오싹해지는 걸 느꼈다.

“최 회장의 말을 믿으시는 겁니까?”

“귀안에 대해 알고 있잖아.”

“왕실에 관심 있는 자라면, 얼마든지 알 수 있을 겁니다.”

“최 회장의 딸이 누구인지는 알고?”

“피아니스트입니다. 독일에서 입국했다고 되어 있고요.”

“피아니스트라…….”

이건은 고개를 끄덕이며 정면에 보이는 병풍 앞에 섰다.

벽 하나를 가득 채울 만큼 커다란 그것은 일월오악도. 다섯 개의 산봉우리와 붉은 태양. 그리고 노란 달이 그려진 것으로, 40년 전까지만 해도 근정전의 옥좌 뒤에 세워져 있던 것이었다. 하지만 지금은 푸르스름한 오랏줄에 묶여 지하 수장고에 보관되어 있었다.

이매는 그림에서 태어난다. 염원이 깃든 그림에 숨어 힘이 생길 때까지 몸을 사리다가, 형체 없는 도깨비가 되어 사람들을 괴롭혔다. 가령 갑작스러운 싱크홀을 만든다든지, 건물을 붕괴시키거나 물건을 떨어트려 사람들을 다치게 만들기도 했다.

그렇게 누군가에게 해를 끼쳐 원한을 흡수하고 나면 진정한 이매의 형태가 되어 형상을 드러내는데, 그것이 잠신(潛身), 환동(幻動), 그리고 현신(現身)의 단계였다. 그래서 왕실은 대대로 귀안을 가진 여인을 비로 맞아 왔다.

사내는 귀안을 가질 수 없고, 여인은 귀멸을 행할 수 없으니. 음양오행의 조화에 따라 둘은 부부가 되었다. 하지만 이 사실을 아는 사람은 극히 드물었다. 정·재계의 고위급 관료, 또는 비정상적으로 신력이 발달하여 보지 말아야 할 것을 보는 귀인 몇몇만이 왕실이 숨긴 은밀한 비밀을 알고 있었다.

"그 여자가, 이 안에 든 놈들을 본다는 소리인가?"

이건은 일월오악도를 지나 빼곡하게 걸린 액자들을 천천히 훑었다. 그런 건을 따라 걸음을 내디디며, 우혁이 대꾸했다.

"최 회장의 거짓말일 수도 있습니다. 왕실과 사돈을 맺으려 달려들던 집안이 한둘이었습니까?"

"거짓말이면 나야 좋지. 거절의 이유가 명확하니."

"직접 찾아보시는 건……."

"귀찮아. 일 잘하는 너희가 있는데, 내가 왜."

세자의 태평한 대답에 머릿속이 터질 것 같은 건 우혁이었다.

귀안을 가진 대비 윤 씨가 사망한 지 5년. 그림에 숨어 있던 이매들을 제때 봉인하지 못해 현신하는 일들이 기하급수적으로 늘어났다. 덩달아 세자 이건의 업무가 늘어났고, 휘하의 RSA 비서실은 24시간 상황실로 변해 버렸다.

이우혁은 몇 년째 이어지는 야근에서 자신들을 해방해 줄 사람은 귀안을 가진 세자빈밖에 없음을 직감했다.

"최설아가 아니더라도, 이참에 정식으로 세자빈을 맞으시는 게 어떻습니까?"

"왜, 대신 일해 주셨던 할머님 돌아가시니 일에 치여 사는 기분이야?"

정곡을 찔린 우혁이 괜스레 안경을 벗어 알을 닦으며 대꾸했다.

"중전마마가 계셨다면, 이런 고민은 하지도 않았을 겁니다."

"어머니는 왕실이 싫어서 떠나신 분이니 미련 갖지 마. 어쨌든 만나 보면 알겠지. 그 여자의 눈에 이것들이 보이는지, 아니면 보이는 척하는지. 그리고 만약 거짓이라면…… 이번에야말로 그 애를 찾아."

'그 애.'라는 말은 세자의 입에서 나오면 안 되는 금기어와도 같았다. 우혁의 턱이 딱딱하게 경직된다.

'벌써 13년 전인가.'

안경을 고쳐 쓴 우혁은 굳은 표정으로 허리를 꾸벅 숙였다.

"그러겠습니다, 저하."

이건은 만족스러운 표정으로 수장고를 나가기 전, 뒤를 돌아보았다. 그림들을 봉인한 오랏줄에서 푸른빛이 새어 나오고 있었다. 대한민국에서 가장 안전한 곳이자, 동시에 가장 위험한 곳. 세자빈이 된다는 건, 이 무게를 함께 짊어져야 하는 고된 자리에 오르는 것이었다.

다시 지상과 연결된 문이 열리고, 책 냄새로 가득한 서고가 나왔다. 업무를 보던 직원들의 인사를 받으며 수정전을 나선 이건은 멀리, 광화문 너머 빌딩 숲의 전광판을 바라보았다.

「최설아 연주회 in 서울」

어쩐지, 이름이 낯설지 않더라니.

그랜드 피아노 앞에 앉아 있는 여자의 얼굴이 전광판 가득 채워지고, 사라지길 반복했다. 그것을 바라보던 이건의 눈매가 의미심장하게 휘었다.

“그러지 말고 직접 시험해 보는 게 빠르겠군. 준비해, 이우혁. 아주…… 화려한 꽃다발로.”

「부재중 5건.

최준일 전무.」

사고 다음 날 오전. 유연은 부재중 표시만 확인 후 환자복을 벗고, 블라우스로 갈아입었다.

최준일의 기상천외한 협박에 서화의료원을 찾은 그녀는 아침부터 정밀검사를 받았다. 정말이지, 쓸데없는 짓. 괜히 시간만 버렸다는 생각에 마음이 급하다.

검사실을 나온 유연은 이정표에 보이는 중환자실 방향으로 잠시 시선을 주었다. 그녀의 눈빛에 잠시, 망설임이 깃들었지만 이내 서둘러 병원을 빠져나왔다. 주차장에 세워 둔 승용차에 시동을 걸자, 기다렸다는 듯 비서실에서 연락이 왔다.

[어디세요, 조 과장님? 지금 이동 가능하세요?]

“지금 서화의료원에서 출발했어요. 예술의 전당에 30분 뒤면 도착해요.”

[하, 정말요? 다행이다. 알겠습니다. 그럼 경호팀에 말해 둘게요.]

“저 갈 때까지, 개미 새끼 한 마리 들이지 마세요. 지난번처럼 스토킹 사건이 일어날 수도 있으니 제가 직접 방문객 통제합니다.”

[네!]

유연은 서둘렀다. 하필, 날이 좋지 않다. 최우식 회장의 딸, 최설아의 리사이틀 첫날. 지각을 할 수도 있는 상황에 부닥쳤다. 사주 일가가 가족 행사에 비서실 직원들을 동원하는 것은 업계에 만연한 행태였다.

복잡한 서울 길을 뚫는 건, 그녀에겐 식은 죽 먹기만큼 쉬운 일. 게다가 조유연은 최씨 일가의 제3의 가족이나 마찬가지였다. 그녀가 서른의 나이에 과장 직함을 달 수 있게 된 이유이기도 했다.

정면을 노려본 그녀는 양손으로 핸들을 움켜쥔 채 가속페달에 힘을 가했다. RPM이 확 꺾이는 느낌과 함께, 차에 속도가 붙는다.

"다들, 그냥 들어가시면 안 됩니다! 확인증 받아 가십시오!"

이곳저곳에서 외치는 소리가 들린다. 예술의 전당 음악당 1층 로비. 콘서트홀 앞으로 거대한 화환이 줄지어 도착했다. 검은색 정장에 이어 마이크를 낀 사람들은 줄지어 들어오는 화환들을 일일이 살피며 혹시 모를 사고에 대비했다.

이미 전석 매진이라는 기록을 세웠지만, 현장 발권을 위한 관객들로 북적이는 로비. 귀에 꽂은 이어 마이크 안에서 투덜거리는 경호팀 이석훈의 목소리가 들렸다.

[리사이틀 오프닝이라고 어지간히들 몰려오셨습니다. 입구, VIP입니다.]

유연은 경호팀의 좋지 않은 언어 습관을 지적하려다가 참기로 했다.

대대적인 행사를 맞아 경호팀과 비서실은 합동 근무에 돌입했다. 그렇게 무전을 공유하다 보니, 비서실 직원들은 경호원들의 거친 말투에 적응하지 못해 흠칫흠칫 놀랐다.

산만하다. 다들 평소와 달리 집중을 하지 못했다.

"집중하세요."

유연의 나직한 경고에, 대기 중이던 전원이 입구 방향으로 돌아서서 고개를 숙였다. 언제 그랬냐는 듯 정중한 태도로.

예술의 전당 입구엔 서화그룹 임원진이 수행 비서들을 대동한 채 들어서고 있었다. 유연을 알아본 이들이 눈인사를 하며 요령껏 시선을 피하자, 그녀도 가볍게 고개만 까딱여 주었다.

직급은 과장이지만, 조유연은 비서실의 절대 반지 같은 존재였다. 만개하기 직전의 꽃처럼 도회적인 외모에 비해, 서늘한 말투와 딱딱한 성격. 게다가 사주 일가의 무한한 신뢰를 받는 그녀를 다들 어려워했다.

"4번 게이트 서언주 씨. 지금 들어가는 꽃바구니 잡아요."

유연은 전체를 총괄하며 주위를 살피던 중, 허락 없이 입장하려는 배송 기사를 가리켰다. 유연의 지시를 받은 서언주가 배송 기사의 앞을 가로막는다.

"바쁘신데 죄송합니다. 확인부터 하겠습니다."

입장을 막은 경호원의 태도에, 배송 기사가 짜증스럽게 중얼거렸다.

"아, 진짜. 바쁘다니까요?"

"네, 압니다. 저희도 바빠서요."

대수롭지 않게 대꾸한 경호원은 꽃바구니에 꽂힌 카드를 회수한 뒤, 금속 탐지기로 꽃다발을 훑었다.

삐-

평범해 보였던 꽃다발에서 날카로운 경고음이 울린다.

그에 당황한 건 배송 기사뿐만이 아니었다. 지금껏 별 탈 없이 화환을 들이던 경호원들의 낯빛이 굳었다.

"이 소리 뭐예요? 혹시 잘못된 거예요?"

"확인부터 하겠습니다."

경호원은 배송 기사가 가져온 꽃다발을 해체하기 시작했다. 유연은 급히 단상에서 내려가 그들에게 다가갔다.

최설아는 대한민국을 넘어 세계 최정상 피아니스트였다. 종종 스토킹과 과도한 팬심에 시달렸고 드물게는 살해 위협을 받기도 했다. 그렇게, 범죄에 가까운 애정을 표현해 가며 그들이 얻는 건 무엇일까.

"찾았습니다."

경호원은 검은 장미 안에 심어진 무선도청기를 발견했다. 새끼손톱만 한 얇은 렌즈 같은 것이 주위의 소리를 빨아들이는 중이었다.

"관내 와이파이로 작동하네요. 이걸 보낸 사람은 건물 안에 있습니다."

유연은 황당하다는 듯 실소하며 도청기를 손바닥에 올렸다.

"젠장. 뒤져!"

모여든 경호원들이 유연의 손바닥에 놓인 도청기를 확인하곤 사방으로 흩어진다.

배송 기사는 낯빛이 허옇게 질린 상태였다. 혹시라도 자신이 범인으로 몰릴까 걱정하는 표정이었다. 유연은 가슴에 붙은 배송 기사의 사진과 얼굴을 확인한 뒤 손을 내밀었다.

"기사님은 명함 주고 가시죠."

"무슨 일 있는 거 아니죠?"

"모르죠. 범인으로 특정되면, 경찰서에서 연락할 겁니다."

"하! 저는 아니라니까요?"

"네, 조심히 돌아가세요."

그녀는 길길이 날뛰는 기사를 무덤덤한 표정으로 돌려보낸 뒤, 꽃바구니에 들어 있던 카드를 열었다.

「그리웠어.」

또박또박 힘주어 쓴 손 글씨. 컴퓨터로 뽑은 것도 아니고, 직접 쓸 정도라면 상대는 진심이다. 어쩌면, 최설아는 글씨체만으로 상대를 알아볼지도 몰랐다.

갑작스러운 소란에 음악당 복도가 소란스러워졌다. 그때, 범인을 찾아 사방으로 흩어졌던 경호원들이 돌아왔다.

"없어, 없어, 이거 경찰에 신고해야 할 거 같은데요?"

"그럼, 이 도청기는 제 선에서 해결하겠습니다."

"조 과장님이요?"

"네, 문제 있나요?"

"아뇨, 문제없습니다. 뭐, 네."

그들은 선을 긋는 유연을 흘끔거리다가, 다시 각자의 자리로 돌아갔다. 유연의 침착한 태도에 다들 혀를 내둘렀다.

'예감이 좋지 않은데…….'

소란을 뒤로한 유연은 카드와 선물을 들고 최설아의 대기실을 찾았다. 긴 다리로 걸음을 옮길 때마다 턱선에 닿을 듯 말 듯 한 머리카락이 가볍게 찰랑댄다.

서화그룹 회장단 직속 비서실 과장 조유연. 키 168cm에 마른 몸을 가진 그녀는 수수한 정장 차림에도 불구하고 꽤 눈에 띄는 편이었다. 작고 갸름한 얼굴. 부드럽게 휜 단정한 눈썹과 깊은 눈매가 묘한 분위기를 자아내며 시선을 끈다.

콘서트 준비를 위해 일사불란하게 움직이던 사람들도, 최설아의 대기실 앞에 선 유연을 흘끔 돌아보았다. 대기실 앞에 쌓여 있는 꽃다발과 선물이 든 쇼핑 봉투들을 무심하게 훑은 그녀가 노크하자, 안쪽에서 신경질적인 여자의 목소리가 들렸다.

"들어와!"

예술가는 예민하면서도 섬세하다. 모두가 그런 건 아니겠지만, 그녀가 알고 있는 단 한 명의 예술가는 꽤나 복잡하고, 사사로운 문제에도 예민하게 반응하며 살고 있었다.

유연은 귀에 건 이어 마이크를 빼 껴 버린 뒤, 문을 열고 안으로 들어갔다. 역시나, 유연을 돌아본 최설아가 짜증이 잔뜩 들러붙은 표정으로 실소했다.

"뭐야, 너였어?"

예상대로 대기실 안은 엉망이었다. 찢어진 악보 조각이 사방에 뒹굴고, 이른 아침부터 숍에 들러 손질한 머리카락은 한쪽 방향으로 완전히 엉켜 흘러내려 있었다.

제일 가관인 건, 테이블 위를 엉망으로 만든 도시락. 정확히는 내동댕이친 것처럼 밥과 반찬이 뭉개진 도시락의 형태로, 메뉴 선정에 문제가 생겼다는 것을 직감했다.

"아악! 짜증 나!"

짜증에 몸부림친 최설아가 의자에 털썩 앉아 분한 듯 숨을 몰아쉬었다. 다가간 유연이 만신창이가 된 주위를 무심하게 둘러보며 말했다.

"지금 안 드시면, 연주할 때 힘드실 텐데요."

"먹을 만한 걸 줘야 먹지! 나 콘서트 전에는 자극적인 거 안 먹는 거 몰라? 배고파 죽겠는데, 이게 뭐냐고! 지금 저 빨간 거 안 보여? 고춧가루 든 거 안 보이니!"

"아……."

유연은 고기볶음에 섞인 고춧가루를 보며 고개를 끄덕였다. 딱히 새롭지도 않은 최설아의 히스테리다. 공연 당일, 이 정도면 그래도 꽤 양호한 수준이었다.

"다시 준비하라고 할게요."

까치발을 든 유연은 깨끗한 곳만 찾아 요리조리 움직였다. 한마디로 더러운 건 손도 대지 않겠다는 뜻. 그 모습에 씩씩대던 최설아가 유연의 손에 들린 카드를 발견하곤 물었다.

"그건 뭐니?"

"도청 장치가 설치되어 있던 꽃다발에서 나온 거예요. 혹시, 필체를 아실까 해서요."

"도청?"

유연은 드물게 긴장한 표정의 최설아에게 카드를 건네주었다. 카드 속 필체를 유심히 보던 최설아가 인상을 확 찌푸리더니 뭔가 알 듯 말 듯 묘한 표정으로 카드를 탁 내려놓았다.

"몰라. 근데 도청 장치 설치되어 있었다며. 신고는 했어?"

"전무님께 보고한 뒤 신고할 거예요."

"무슨 일 터지는 거 아니지?"

"그거 막는 게 저희 일이잖아요."

유연은 자신의 휴대 전화로 최설아의 매니저에게 연락했다. 대기실이 엉망이 되었다는 보고에 한숨 쉰 매니저가 조금만 기다려 달라며 끊었다.

이제 해야 할 일을 마쳤으니 자리로 복귀해야 할 터. 대충 치우기라도 해야 하나. 바닥에 떨어진 악보들을 하나씩 집어 드는 유연에게 최설아가 말했다.

"너, 일 그만둬."

또다. 최설아는 툭하면, 그녀에게 퇴사를 종용했다. 퇴사뿐 아니라 종종, '집에서 나가.'라는 말도 서슴없었다.

"연봉 협상 다시 한 지 한 달밖에 안 됐어요. 못 그만둡니다."

"다른 회사로 가. 이직하는 거 도와줄 테니까."

"연봉 두 배로 주는 곳 아니면 안 가요."

"그럼, 계속 그 집에 붙어 있겠다는 거야? 너 정말 자존심도 없니?"

오늘따라 집요하네?

유연은 대충 주워 모은 악보들을 테이블에 올려놓곤, 최설아 앞에 반듯하게 섰다.

"자존심이 아니라 생존의 문제인데요."

그러자 동그란 눈을 치켜뜬 최설아가 어처구니없다는 듯 실소했다.

"너 이러는 거 웃겨. 이제 그만해. 너 그런다고 우리 오빠가 너 봐줄 거 같지? 안 그래. 그 인간 약혼까지 했다고!"

유연은 버럭 소리치는 최설아를 내려다보며 관자놀이를 긁적였다.

"약혼하셨으니, 이제 결혼하시겠죠. 저는 노동으로 축의금 대신하기로 했습니다. 문제 있어요?"

"하!"

헛바람을 들이켠 최설아가 벌떡 일어나더니, 다짜고짜 유연의 머리채를 잡았다.

"야! 너 때문에 오빠 파혼하면! 그거 네가 책임질 거야? 그럴 거냐고!"

머리채를 잡고 휘두르는 대로 휘청거려 주었다. 그러다 보니, 점점 저 자신이 한심하게 느껴져 더는 참아 줄 수 없었다.

'하아…… 진짜 보자 보자 하니까.'

'아직도 정신을 못 차렸네.'라고 중얼거린 유연은 순식간에 최설아의 손목을 잡아채 제압했다. 유연의 외모와는 상반된 엄청난 악력이 손목으로 향했다.

"아아악! 야! 놔! 안 놔? 빨리 놔!"

마음 같아선 뒤로 꺾어 버리고 싶었지만, 피아니스트의 손이다. 이 손에 50억짜리 보험을 들었다고 떠들던 언론들이 떠올랐다.

"리사이틀이라 봐준 겁니다. 그러니까 그만하세요. 걱정하지 않으셔도, 독립 시기는 제가 정해요. 회장님 부탁이 아니었으면 애진작에 독립했을 거고요."

"알았어! 알았으니까, 놓으라고! 조유연!"

눈물까지 그렁그렁 맺힌 최설아의 비명이 끝나기 무섭게 대기실의 문이 벌컥 열렸다. 매니저인 송재익이 두 여자의 모습을 보곤 버럭 소리쳤다.

"무슨 짓입니까!"

재익은 손에 든 것을 내동댕이치곤 달려와 유연을 최설아에게서 떼어 놓았다. 손목을 잡은 채 엉엉 우는 최설아와 어쩔 줄 몰라 하는 송재익.

"유연 씨! 설아 성격 아시잖아요. 콘서트 전에 예민한 거. 좀 봐주시지……! 사람을 그렇게 다루면 안 돼요. 네?"

"죄송합니다. 제가, 예민해져서요."

유연은 조금의 망설임 없이 사과한 뒤, 조금 전 송재익이 떨어트린 물건들을 집어 들었다.

지겨워.

최설아에게 쏟아내고 싶은 말들이 목을 죄며 차오른다. 습관처럼 누르고, 참아 왔던 화였다.

화려한 꽃다발과 A3 사이즈의 액자. 깨끗한 한지로 포장된 액자를 드는 순간 느껴진 미적지근한 살기에 유연의 피부 위로 오싹한 소름이 돋는다.

"아아, 그건 그냥 두고 가세요. 왕실에서 온 겁니다."

"왕실이요?"

그 말에 놀란 건 유연뿐이 아니었다. 조금 전까지만 해도 눈물 콧물을 쏟아내던 최설아가 송재익을 밀어내더니 후다닥 뛰어와 액자를 빼앗으려 했다.

"뭔데? 왕실이라면, 이건이 보낸 거야?"

"손대지 마요."

유연은 뻗어온 최설아의 손을 다급히 막았다. 갑작스럽게 찾아온 정적. 최설아는 묘하게 위압적인 유연의 태도에 쭈뼛거리며 손을 치웠다.

"이게…… 뭔데?"

"액자요."

"그러니까 뭐냐고."

"글쎄요."

"뭐야, 너. 왕실에서 온 선물이라고 오버하는 거야?"

제발 그 입 좀 다물지? 얘는 왜 이렇게 입이 가벼울까. 물에 빠지면 몸이 먼저 뜰까, 입이 먼저 뜰까.

최설아를 한심하다는 듯 노려본 유연은 목덜미가 뻐근해지는 걸 느끼며, 겹겹이 싸인 포장을 벗겨 냈다. 제발, 제 짐작이 틀리기를 바랄 뿐이다. 오늘만큼은 그냥, 예감이 잘못된 것이길 바랐다.

포장을 완전히 벗긴 유연은 중세 악보의 원본처럼 보이는 그림 속, 괴물을 발견했다.

'미친…….'

양의 뿔, 고양이의 얼굴, 원숭이의 몸을 가진 푸른 괴물이 몸을 웅크린 채 오들오들 떨고 있었다. 크기는 고작해야 손가락 한 마디 정도.

까만 눈의 괴물이 시선을 느낀 듯 고개를 든다. 그러더니 유연과 시선을 마주치곤, 소스라치게 놀라며 눈물을 펑펑 쏟는 게 아닌가?

'뭐 이런……?'

경복궁에서 보내온 선물 안에 든 괴물이라니. 이 녀석이 힘을 키워 그림 밖으로 나가면, 어떤 일이 벌어지는지 그들이야말로 가장 잘 알고 있지 않은가? 어제 다친 어깨가 욱신거리며 쑤셔 오는 듯한 착각이 느껴졌다.

유연은 분을 참기 위해 주먹을 강하게 말아 쥐었다. 못된 장난질을 목격한 것처럼, 기분이 더럽다.

"돌려보내세요, 이거."

툭, 하고 내려놓은 그녀의 눈빛이 가없이 서늘해졌다.

"왕실에서 온 쓰레기니까."

"뭐……?"

쓰레기란 말에 최설아와 송재익의 얼굴이 경악에 물들었다. 다른 사람도 아니고, 경복궁에서 세자가 직접 보내온 선물이었다. 그 증거로 꽃다발의 포장지조차도 경복궁의 고유 문양이 새겨진 진짜 아니던가?

두 사람은 귀한 선물을 쓰레기라 지칭하며 돌려보내라는 유연의 태도를 이해할 수 없었다.

"안 돼! 절대 안 돼. 미쳤니? 이걸 뭐라고 말하고 돌려보내?"

"갖고 계시면 위험합니다. 아무 일 없을 수도 있지만 생길 수도 있어요."

"아, 좀! 내가 너 그런 소리 하지 말랬지. 빈티지 악보 구하는 게 얼마나 어려운데, 이걸 되돌려보내? 난 못 해."

하얗게 질려 뛰어온 최설아가 테이블에 내려놓은 액자를 집어 들려 할 때였다.

"유연이 말 들어."

나직하면서도 묵직한 목소리가 대기실 입구에서 들렸다. 멈칫한 최설아가 고개를 든다.

"준일 오빠?"

"다, 이유가 있겠지. 돌려보내."

난장판이나 다름없는 대기실을 둘러본 최준일의 미간이 가볍게 구겨진다. 그 모습에 기고만장했던 최설아의 기세가 서서히 누그러들었다.
"경복궁에서 온 거라잖아. 어떻게 돌려보내? 그러다 밉보이면 어쩌려고."
잔뜩 기죽은 표정으로 은근슬쩍 액자를 챙기려는 최설아. 그에 유연이 막으려 했지만, 최준일이 더 빨랐다. 액자를 집어 든 준일은 평범해 보이는 그것을 앞뒤로 살피곤, 최설아에게 다가갔다.
"꽃다발은 이미 많이 받았을 것 같아서 준비 안 했는데. 준비해 올걸 그랬나?"
"아니야, 괜찮아……. 근데 그거 정말 나 주면 안 돼?"
"응, 안 돼. 공연 잘해. 관객석에서 지켜볼 테니까."
최준일은 뾰로통한 최설아의 머릴 다정하게 쓰다듬은 뒤 돌아섰다.
"조 과장은 따라와요."
도망치듯 대기실에서 나가려던 유연은 우뚝 걸음을 멈추었다. 한숨이 나오려는 걸 참으며 비스듬히 돌아보자, 바로 뒤에 최준일이 있었다.
"현장에 투입된 상황이라, 대화를 나누긴 힘들 것 같습니다."
"대화 나누자는 거 아닙니다. 보자는 거지"
그녀의 등을 가볍게 밀어 대기실 문을 닫은 그가 오가는 사람들의 시선 따윈 상관없다는 듯 승강기 앞에 섰다. 제멋대로 굴기로 작정했나 보다. 최준일이 한계에 다다랐다는 게 느껴졌다.
유연은 그런 최준일의 대각선 뒤에 서서 손에 들린 액자에 시선을 고정했다. 조금 전까지만 해도 펑펑 울던 괴물은, 신기하다는 듯 액자 틀 가까이 목을 빼곤 주위를 구경하고 있었다. 눈이 마주칠 때마다 흠칫 놀라는 건 여전했지만, 호기심 많은 아이처럼 구경을 멈추진 않았다. 헤 벌린 입안의 자그마한 송곳니를 보자, 지금껏 제가 봐 온 괴물들과는 무언가 다른 것 같아서 혼란스럽다.

'봉인 당했던 괴물들은 다 저렇게 되나?'

그녀가 갸우뚱 고개를 기울이는 사이, 준일이 물었다.

"병원은."

"병원 측에서 전무님께 보고한 줄 알았는데요."

"이젠 스토커 취급도 해?"

"죄송합니다. 제 일거수일투족을 너무 잘 아시는 것 같아서요."

지지 않고 받아치자, 돌아본 최준일의 눈빛에 이채가 돈다.

"까불지 마."

"네. 까불지 않겠습니다."

7년 가까이 이어진 최준일과의 관계는 8개월 전 그가 약혼녀를 소개함으로써 완벽하게 끝났다. 자신은 일개 회사원일 뿐이고, 최준일은 서화제약의 후계자였다. 어차피 미래는 없었다. 그래서 미련도 남지 않았다. 게다가 자신은 최우식 회장에게 큰 빚을 진 상태였다. 지금 당장 최 회장의 도움이 끊어진다면 그녀의 세상은 완전히 무너질 것이다.

"차라리 다른 여자들처럼 매달려봐. 그럼 모르지. 내 마음이 바뀔지도."

언제 도착한 건지, 승강기가 입을 벌린 채 두 사람을 기다리고 있었다.

유연은 기가 찬다는 표정으로 고개를 설레설레 저었다. 황당한 웃음을 참으려 입가를 문지르자, 그 손을 최준일이 잡아 내렸다.

"어린애같이 굴 거야?"

"어린애처럼 미련 못 버리고 이러는 건, 전무님 같은데요. 저는 평생을 구질구질하게 살아서, 더러운 걸 싫어합니다. 그러니 이제는 부디 제게 쏠린 관심과 애정 버리시고, 약혼녀 손 잡고 식장 들어가 백년해로하세요. 진심으로 부탁할게요. 그만 좀 해요."

날카롭게 꼬집는 유연의 태도에 최준일의 단정했던 눈썹이 굳는다. 유연은 그의 손을 떼어 낸 뒤, 도착한 승강기에 올라탔다. 서늘한 표정을 하곤 뒤따라 걸음을 내디딘 최준일이 욕설을 뇌까렸다.

그때였다. 쿵 소릴 내며 멈추는 승강기. 주먹으로 긴급정지 버튼을 누른 최준일이 답답하다는 듯 넥타이 매듭을 느슨하게 당긴다.

"그만 못 하겠다면. 너, 못 버린다면 어쩔래."

미친놈.

유연은 헛웃음이 나려는 걸 꾹 참고는 비상정지를 해제하려 했다. 스피커 너머로 발 빠른 보안실 직원의 소리가 들렸다.

"실수로 비상정지 버튼을 눌렀어요. 서화그룹 비서실 과장 조유연입니다. 운행 재개하겠습니다."

[아, 예예. 알겠습니다. 괜찮으신 거죠?]

"네, 그럼요. 바로 가동하겠습니다."

다시 승강기를 가동시키려는 그녀의 손목이 잡혔다. 강한 힘에 돌아서게 된 그녀의 눈앞에 최준일의 얼굴이 가까워진다. 유연은 입술이 닿기 전, 있는 힘을 다해 고개를 틀었다.

뺨과 귓가에 흩어지는 남자의 더운 숨결. 아무리 마음을 접었다고 해도, 놀란 가슴은 쿵쾅대며 뛰어 댔다. 최준일이 사용하는 향수 냄새가 들러붙는 기분이었다.

"이거 성추행입니다, 전무님. 그만하시죠?"

유연은 고개를 돌리지 않고 말했다. 마음 같아선 정강이를 걷어차 버리고 싶었지만, 소란스러워지는 건 그녀도 원치 않았다.

"너랑 나, 이보다 더한 것도 했어."

"저, 지금 부탁하는 거 아닙니다. 경고하는 거지."

미간을 찌푸린 채로 그를 보자, 답지 않게 애가 닳은 얼굴이 보였다. 준일은 들고 있던 액자를 바닥에 툭 떨어트린 뒤 그녀의 턱을 강하게 움켜쥐었다.

"뭐, 하시는……!"

입술이 닿을 만큼 가까운 거리에서 최준일이 경고하듯 뇌까린다.

"나는 아직 못 끝낸다고, 분명히 말했어."

"자꾸 이러시면 경찰 부를 겁니다."

"네가 나를 신고라도 하겠다고?"

"못 할 것도 없죠."

조금도 지지 않는 유연의 태도에, 최준일의 인내심이 끊어졌다. 그가 그녀의 입술을 물어뜯듯 삼키려는 때였다.

-그르릉.

잔잔하게 느껴지던 살기가 발밑으로 푹 퍼지더니, 그림 속 괴물이 틀 밖으로 기어 나오기 시작했다.

"비켜요!"

유연은 놀란 나머지 있는 힘껏 최준일을 밀어냈다. 반대편 벽에 부딪힌 준일의 눈이 희번덕하게 뜨인다.

푸르른 빛에 휘감긴 연기가 승강기 안에 자욱했다. 하지만 최준일의 눈에는 보이지 않았다. 당황한 제 모습만 보일 터.

'하, 말도 안 돼.'

이미 괴물은 작은 사냥개만 한 크기까지 자라 있었다. 작고 앙증맞았던 송곳니가 쭉 뻗어 나오더니, 갈기가 쭈뼛쭈뼛 선다. 괴물은 그르렁거리며 최준일에게 다가갔다.

괴물과 가까워질수록 숨이 차는지, 최준일의 낯빛이 파래지기 시작했다. 영문을 몰라 두리번거리는 그의 눈에 보이는 건 없었다. 괴물은 마치 물먹은 솜처럼 덩치를 불렸다. 아무것도 보지 못하는 최준일은 부딪친 뒷머릴 감싸며 다시금 유연의 팔을 당겼다.

"조유연, 멍청한 짓 하지 마."

-그르릉.

그에게 밀려나 승강기 벽에 짓눌린 유연은 최준일의 등 뒤로 거대해진 괴물을 마주했다.

"내가 소개해 주는 회사로 이직해. 아파트 하나 네 앞으로 해 줄 테니, 거기서 출퇴근하면 될 거야. 말 들어."

"내가 왜 그래야 해요? 그리고 지금……."

지금…… 그게 문제가 아니거든요?

침을 뚝뚝 흘리며, 푸른 안광을 내는 괴물이 당장에라도 최준일을 잡아먹으려는 듯 아가리를 쩍 벌린다. 준일은 숨이 모자라는 사람처럼 파랗게 질려 있었다. 가쁜 숨을 몰아쉬며, 신경질적으로 소리쳤다.

"거절 좀 그만해!"

안 돼!

겁에 질린 유연은 본능적으로 최준일을 당겨 제 뒤로 보냈다.

쾅!

두 눈을 질끈 감은 채 몸을 웅크렸던 그녀는 훅 끼치는 서늘한 공기와 상반된 열기에 서서히 눈을 떴다. 눈앞에서 쩍 벌어진 괴물의

아가리를 관통한 붉은 힘. 붉은빛을 내는 칼끝이 그녀의 미간에 닿을 듯 말 듯 한 거리에서 일렁이고 있었다. 이어 괴물의 몸이 서서히 부풀어 오르더니, 환한 빛이 뿜어져 나왔다.

순간, 유연은 괴물과 눈을 맞추었다. 살기등등했던 괴물의 눈빛은 어느덧 유순해졌고, 커다란 눈망울에서 빛으로 된 눈물이 뚝뚝 떨어졌다.

'아…….'

이게 대체…….

쾅!

하지만 손을 써보기도 전, 빛의 조각이 되어 터져 버린 괴물.

유연은 멍하니 주저앉아, 빛 너머를 응시했다. 승강기 밖에선 저보다 머리 하나는 더 큰 남자가 서늘한 눈빛으로 그녀를 내려다보고 있었다. 반듯하게 뻗은 이마와 깎아지른 듯 날카로운 콧날, 고집스럽게 다물어진 입술 아래로 남성적인 턱선이 그녀의 시선을 사로잡았다.

"또 만났네요. 생각보다 빨리."

망가져 버린 승강기, 몰려든 사람들, 그리고 압도적인 존재감으로 똘똘 뭉친 이건이 그녀와 눈을 맞추곤 입꼬릴 휘어 올린다.

말도 안 돼…….

모든 것이 꿈처럼 느껴졌다. 흠칫, 고개를 숙인 유연은 세자가 내민 손을 무시하고 몸을 일으켰다.

"저는 괜찮습니다."

뻔뻔한 인간.

엄연히 말해, 이 사달을 일으킨 존재가 바로 이건이었다. 저런 괴물에게서 사람을 구하는 것이야말로 세자가 하는 일 아니던가? 그런데 괴물이 든 그림을 선물이랍시고 보내다니. 만약 제가 없었다면, 최준일은 조금 전 승강기에서 목숨을 잃었을지도 모른다. 괴물은 어떠한 형태를 하고 있어도, 괴물이었으니까.

유연은 자신을 뚫어지게 응시하는 이건을 무시하고 최준일의 상태를 확인했다. 어떤 이유에서인지 준일은 정신을 잃은 상태였다.

"환자 발생했습니다. 경호팀 두 명, 3호 승강기로 오세요."

이어 마이크에 대고 지시한 그녀가 맥없이 늘어진 최준일의 팔을 잡아 어깨에 걸었다.

"무슨 일입니까!"

몰려온 경호팀 동료들이 늘어진 최준일과 이건을 발견하곤, 소스라치게 놀라 쭈뼛쭈뼛 승강기 안으로 뛰어들었다.

"전무님이 어떻게 되신 겁니까?"

"갑자기 승강기가 멈춘 바람에 패닉이 온 것 같아요. 빨리 의무실로 옮기세요."

그들에게 최준일을 넘긴 유연은 한숨을 깊게 내쉬며 승강기에서 내려섰다. 문을 박살 낸 것도 세자였고, 조금 전 괴물을 소멸시킨 것도 그였다. 그리고 지금 제 앞을 막아선 이도, 세자 이건이다.

유연은 아까 전부터 제게서 눈을 떼지 않는 이건을 똑바로 바라보았다.

"도와주셔서 감사합니다."

뻔뻔하리만치 태연히 감사 인사를 건넨 유연의 정수리로 냉소가 내려앉았다.

"저 안에서 무슨 일이라도 있으셨나 봅니다."

의뭉스러운 질문에, 유연은 뻔뻔한 미소를 띠며 답했다.

"그저 문이 열리지 않았습니다. 전무님이 폐소공포증이 있으셔서 문을 부수려고 했는데, 수고를 덜어 주셨네요."

"수고라……."

경복궁의 걸작이라 불리는 완벽한 껍데기와는 별개로 이건의 눈빛엔 정제되지 않은 의심이 가득했다. 하지만 그녀는 조금도 기죽지 않았다. 제가 무엇을 보든, 이 남자와는 관련이 없었으니까. 그런데도 피부가 따끔거리고 피가 뜨거워지는 기분이다.

경이로울 만치 완벽한 껍데기를 뒤집어쓴 남자의 미간이 약간 찡그려졌다.

[VVIP를 2층 테라스로 모십니다. 1층 로열석은 위험하다는 판단입니다.]

귀에 꽂은 이어셋을 타고 내려온 지시는 유연에게 황금 동아줄과도 같았다. 유연은 여전히 의심을 거두지 않는 세자에게 꾸벅 인사한 뒤, 공손히 콘서트홀을 가리켰다.

"서화그룹 비서실 과장 조유연입니다. 세자 저하를 모시게 되어 영광입니다. 2층 좌석까지 안내하겠습니다."

유연은 뒤 한번을 돌아보지 않은 채 2층 테라스 구역의 문을 열었다. 그러자 긴장한 표정으로 안쪽에 대기 중이던 최 회장이 벌떡 일어나 세자 일행을 맞았다.

"세자 저하!"

이토록 환하게 웃는 최우식 회장은 본 적이 없었다. 유연은 덩달아 자연스럽게 미소 지으며 문 앞에서 비켜섰다.

"소란이 있었다고 들었습니다. 괜찮으신지요."

"예. 제게도 책임이 있는 터라."

순간, 유연은 이건과 눈이 마주쳤다. 남자의 까만 눈동자는 마치 검은색의 보석처럼 아름다웠다.

상대를 꿰뚫어 보는 눈길에도, 유연은 부러 시선을 피하지 않았다. 옛말에도 있지 않은가? 눈싸움에서 지면, 다 지는 거라고.

당당하게 응시하는 그녀의 태도에 이건은 입매를 비틀어 올리며 웃었다.

웃어? 내가 웃겼나? 조금 전까지만 해도 천사의 껍데기를 뒤집어 쓴 것 같던 남자가 순간 악마처럼 보였다.

"일단 앉으시지요. 이제 곧 연주를 시작할 겁니다. 제 딸아이지만, 실력이 참 좋습니다. 저하의 마음에도 꼭 드실 겁니다."

이건은 재킷 단추를 풀며 최 회장이 안내하는 자리에 앉았다.

어째서 왕실에서 최설아에게 선물을 보냈는지 조금은 알 것 같았다. 제가 모르는 무언가가 있다. 2층 테라스 구역은 최 회장의 전용석이었고 지금까지 이곳으로 안내받은 사람들은 항상 중요한 거래를 하곤 했다.

왕세자의 등장과 그림 도깨비. 그리고 최설아. 여러 가지의 가설이 그녀를 복잡하게 만들었지만, 깊게 생각할 필요는 없다는 것이 그녀의 결론이었다.

지금까지 살아온 것처럼 아무것도 보이지 않는 척, 다른 사람들과 다르지 않은 척하면 된다. 그것이 세상을 편하게 사는 방법이라는 것을 이른 나이에 배운 그녀였다.

최 회장은 복잡한 표정의 유연을 흘끔 보곤, 인상 쓰며 고개를 저었다. 제가 왕세자를 빤히 쳐다보고 있었다는 걸 의식한 그녀가 가볍게 묵례한 뒤, 관객석을 빠져나왔다.

[최준일 전무님 정신 차리셨습니다.]

이어 최 전무를 의무실로 옮겼던 이태석의 보고가 들어왔다.

유연은 곧장 방향을 틀었다. 1층 서쪽에 위치한 의무실을 향해 걷는 걸음에 힘이 실린다. 썩 내키진 않지만, 최준일의 수행 비서로서 그의 안위를 확인해야 했다.

"제가 갑니다. 공연 시작 5분 전입니다. 다들 공연장 주변 잘 살피세요. 도청기 사건 잊지 마시고요."

유연은 화환이 줄지어 늘어선 복도를 지나 의무실 표찰이 걸린 곳의 문을 열었다. 커튼 쳐진 간이 병상 앞을 지키던 이태석이 그녀를 발견하곤 어색하게 웃는다.

"약간 비몽사몽 하십니다."

유연은 고개를 끄덕인 뒤 커튼을 걷었다. 비스듬히 앉아 휴대 전화를 들여다보던 준일이 고개를 든다. 파랗게 질려 있던 낯빛이 그녀를 보자마자 점점 정상으로 돌아왔다.

"왜 기절하셨어요? 괜찮으세요?"

"괜찮아. 근데 나도 왜 기절했는지 모르겠어. 숨이 막혔던 것 같아. 나한테 폐소공포증이 있었나……."

"정밀검사는 전무님이 받아보셔야겠습니다."

유연은 힘없이 재킷을 챙기는 준일을 부축했다. 그가 신발을 신을 수 있게 돕자, 준일이 무게중심을 그녀의 방향으로 기울였다. 마치 끌어안는 듯한 자세에 유연의 심기가 뒤틀리기 직전이었다.

그때, 의무실 문이 열리며 누군가 들어왔다.

"최준일 전무 어디 있죠?"

목소리의 주인공은 최준일의 약혼녀 서연아였다.

유연은 제게 기대 있던 최준일을 다시 앉힌 뒤 커튼을 열고 나갔다. 그러자 그녀를 발견한 서연아가 안도한 듯 웃으며 다가왔다.

"조 과장님 계신 거 보니, 준일 씨 괜찮은가 봐요."

"다행히 바로 정신 차리셨습니다."

"고마워요, 그이를 챙겨 주셔서."

"제가 할 일입니다."

서연아가 왔으니 제가 할 일은 사라졌다. 유연은 태석이 있는 곳까지 물러섰다. 그러자 클러치백을 옆구리에 끼운 서연아가 준일을 부축한다.

상냥하고 예쁜 사람이었다, 최준일에게는 아까울 만큼.

"어쩌다 쓰러졌어요? 소식 듣고 놀랐어요."

"갑자기 숨이 차서. 걱정했어?"

"그럼요. 연주회장에 들어갈 수 있겠어요? 아니면 이대로 쉬러 가도 좋고요."

"그냥 가면 설아가 서운해할 거야. 가자."

준일은 스스로 일어나 매무새를 정돈한 뒤, 서연아의 손을 잡고 걸어 나왔다. 최준일의 따가운 시선이 느껴졌지만, 개의치 않았다.

그녀는 두 사람이 앉을 좌석 번호를 기억해 낸 뒤 이태석과 함께 앞장섰다. 다다른 콘서트홀 안에선 연주자를 소개하는 사회자의 멘트가 흘러나오고 있었다. 유연은 서둘러 두 사람을 좌석으로 안내했다.

어둑어둑한 실내, 느지막이 등장한 그들을 마뜩잖게 바라보는 사람들에게 일일이 사과한 유연이 구석으로 물러나 고개를 들었다.

'아…….'

그녀는 2층 테라스석에 앉아 자신을 내려다보는 이건과 또 눈이 마주쳤다.

그의 입꼬리가 비스듬히 호선을 그린다. 그 모습이 이상하게 낯설지 않다는 느낌이 또 들었다. 그가 세자여서가 아니라, 다른 무언가가 얇은 장막이 되어 기억을 가로막는 것처럼 답답했다.

'대체 뭘까. 왜…….'

유난스럽다 할 정도로 불편한 이유는, 비단 제가 가진 비밀 때문만은 아닐 것이다.

이어진 베토벤 소나타 17번 템페스트. 유연은 그제야 무대 위로 시선을 움직였다. 세계적인 피아니스트가 만들어낸 영롱한 음색이 콘서트홀을 가득 채운다.

"어려서부터 기이한 것을 보았지요. 그래서 성격이 좀 예민해진 것도 없지 않아 있습니다. 설아가 보는 것들이 뭔지 궁금했는데……. 우연히 귀안에 대해 들었습니다."

첫 곡이 끝나자마자 최우식은 기다렸다는 듯 말문을 열었다. 거대한 덩치와 어울리지 않게, 굽실거리며 목소릴 낮추는 최우식.

"물론, 귀안을 가진 여인이 세상에 설아만 있는 건 아니겠지만……. 왕실에 도움이 되는 집안을 선택하시는 편이 어떠실지요. 너무, 노골적이었나요? 허허."

"원래, 거래는 노골적으로 해야지요. 한데…… 진실을 확인할 필요는 있습니다."

"혹, 시험을 해 보시겠다는 걸까요?"

"물론입니다. 눈을 가진 것이 진실이라면, 아주 간단한 테스트가 되겠지요."

"허허, 그래도 귀한 딸이라…… 아비 입장에서는 걱정이 조금 되네요. 하지만 왕실의 일원이 되기 위해선, 이 정도는 감내해야겠지요?"

이건은 부드러운 미소만 지을 뿐, 최 회장의 질문에 답하지 않았다. 그의 시선은 처음부터 지금까지 유연에게 고정되어 있었다. 연주 시작 전, 공연장에 나타나더니 한 치의 흐트러짐 없이 벽에 붙어서 있는 여자에게.

"그런데 서화제약은 사주 일가의 개인 행사에, 회사 직원들을 동원합니까?"

세자의 질문은 최 회장의 정곡을 찔렀다. 생각지도 못한 질문인데다가, 특유의 부드러운 위압감에 최 회장은 말을 더듬었다.

"그, 그게…… 경호원들은 추가 수당을 지급했고, 비서실 인력은 제 직속입니다. 그리고 이곳으로 안내한 직원은 제 가족이나 마찬가지인 녀석입니다. 수양딸이나 다름없지요."

수양딸이라는 말에 이건의 눈매가 가늘어졌다.

"그렇군요. 잠시 오해할 뻔했습니다. 요즘 같은 세상에, 사주 일가의 갑질은 사라져야 할 악습 아니겠습니까?"

"하하, 그럼요. 예예…… 맞는 말씀이십니다."

그러며 식은땀을 닦는 모습이 퍽 볼만했다. 건은 다시 최 회장에서 시선을 뗐다.

'묘하게 닮았단 말이지…….'

그 애와.

이건의 눈빛이 수심 깊은 호수처럼 검어진다.

다시 연주가 시작되고, 유연은 다리가 아픈지 벽에 기대어 종아리를 주물거렸다. 오픈부터 지금까지 몇 시간을 서 있었으니, 멀쩡할 리 없다.

묘하게 기분이 나빠진 이건은 재킷의 단추를 잠그며 자리에서 일어났다. 그에 놀란 최우식이 덩달아 몸을 일으킨다.

"저하."

"일정이 있어서, 이만 가 보겠습니다."

"그래도 이렇게 급히……."

"조만간 처녀단자를 보내지요. 하지만 두 개를 보내드릴 겁니다. 분명 저 비서 분을 수양딸이나 다름없다고 하셨으니, 그분의 사주도 함께 보내십시오."

처녀단자를 구시대의 산물쯤으로 여겼었던 그였다. 하지만 오늘만큼은 제법 그럴싸한 핑곗거리가 되어 주었다.

처녀단자는 왕실에서 양식을 만든 일종의 프로필 요청서였다. 개인정보가 자동으로 조회되기 때문에, 거짓으로 작성할 수도 없는.

"그, 그게……! 유연이는 설아의 비서이기도 합니다. 그래서 함께 왕실로 보낼 생각이었습니다. 그런데 처녀단자라니요."

당황해 말을 더듬는 최 회장을 돌아본 이건이 검지로 자신의 입술을 누른다. 연주가 시작되었으니 조용히 하라는 뜻을 알아들은 최 회장이 입을 꾹 다물었다.

"그럼, 다음엔 경복궁에서 뵙겠습니다."

건이 눈짓하자 대기 중이던 우혁이 곧장 문을 열었다. 그의 걸음걸이는 군더더기 없이 당당하며 우아하기까지 했다. 바깥에 대기 중이던 왕실 경호원들이 따라 나오려는 최 회장의 앞을 막아선다.

"저하와의 접견은 종료되었습니다."

일방적인 통보나 다름없는 태도에, 최 회장은 사색이 되어 어쩔 줄을 몰라 했다. 이러시면 곤란하다는 외침이 2층 복도를 쩌렁쩌렁 울렸다.

에스컬레이터를 타고 1층으로 내려온 건은 수리 중 팻말이 세워진 승강기 앞을 지나며 우혁에게 말했다.

"나는 최설아에게 선물을 보냈는데, 어째서 그걸 그 여자가 갖고 있었을까. 이유를 알아?"

"처리를 부탁했을 수도 있고, 조유연 씨가…… 위험을 감지했을 수도 있을 것 같습니다."

천천히 고개를 끄덕이며 너른 보폭으로 걸음을 내딛는 이건의 얼굴에는 더 이상 웃음이 남아 있지 않았다.

"나도 그렇게 생각해."

"어떻게 하실 겁니까. 의심은 가지만, 최 회장의 말을 온전히 무시할 수도 없습니다."

"계획을 수정하지. 간택제를 열까 하는데."

순간, 우혁은 걸음을 멈춘 채 경악으로 입을 떡 벌렸다. 간택제는 과거의 그것과는 조금 달랐다. 처녀단자를 받은 여인들은 무조건 왕실에서 주최하는 시험에 참가해야 한다. 물론, 거절도 할 수 있었다.

문제는 세자의 선택을 거절할 여인이 있긴 할까 하는 사실과 궁궐에서 벌어지게 될 소란이 우혁은 두려웠다. 이건은 파랗게 질린 우혁의 등을 가볍게 다독였다.

"아니, 간택제를 열지. 명령이야."

"저하!"

이건은 우아한 미소를 띤 채 걸음을 이었다.

만약, 조유연이 정말 '그 애'라면. 정말 그럴 가능성이 0.01%라도 존재한다면, 절대로 놓칠 수 없다.

'선배. 아니…… 왕세자 저하. 저하는 정말 저것들을 소멸시킬 수 있나요?

왕실 호위 차량을 발견하고 모여 있던 사람들이, 이건의 등장에 비명을 지른다. 건은 구름처럼 모여든 인파를 마주하고도 태연하게 차 뒷좌석에 올랐다.

'아, 저는…… 제 이름은…….'

뭐라고 했더라…….

겁에 질린 맑은 눈동자를 처음 본 건, 고3 여름이었다. 하늘엔 구름 한 점 없었고, 찌르는 듯한 더위에 운동장이 텅 비었던 날. 미술실 복도 앞에서 처음이자 마지막으로, 그 애와 만났다.

더 캐슬

VOL. 1 The Castle

CHAPTER 3

두 번의 여름

3

두 번의 여름

13년 전.

"다들 저하를 본받아! 이번에도 1등이십니다, 저하."

여름, 방학을 코앞에 둔 고3 수험생들의 교실에 마지못한 박수갈채가 쏟아졌다.

귀찮게.

성적이 좋은 건 당연했다. 세자인 그는 어려서부터 대한민국 최고라 불리는 학자들에게 수업을 받았다. 조선 시대처럼 사서오경을 외우는 것만이 공부는 아니었다. 이미 11세에 7개 국어를 마스터했고, 13세부터는 경영학 수업을 받았다.

사실 세자는 학교는 물론이고 성인이 되기 전까지 언론에 노출된 적도 없었다. 하지만 세자에게도 사회성이 필요했다.

왕실은 고민에 빠졌다. 그러다 간단한 해답을 내렸다. 학교, 사회성을 기르기에 최적인 곳은 당연하게도 학교였다. 그렇게 세자 이건은 학교에 다니게 되었고 3년간의 고등학교 생활은 이건의 많은 것을 바꾸어 놓았다. 태어나면서부터 정해진 길을 걸어야 했던 그에게는 큰 변화였다.

"덥다, 우혁아."

"매점 가시겠습니까?"

"그래야 할 것 같은데."

"저는 초코우유 살 겁니다."

"그럼 난…… 자두 맛으로 하지."

"음료 말씀하시는 거죠? 쥬시O."

건은 당연하다는 듯 고개를 끄덕인 뒤, 우혁과 함께 교실을 나섰다. 하지만 매점에 도착한 그는 개미 떼처럼 몰려든 학생들을 발견하곤 걸음을 멈칫했다.

목이 마르긴 했지만, 인파를 뚫고 들어가기엔 세자의 체면이 말이 아니었다. 그래서 지폐를 우혁의 손에 쥐여 주곤, 제법 진지하게 부탁했다.

"자두 맛이 없으면, 복숭아 맛으로. 사과는 안 돼. 알았지?"

우혁은 자기가 음료 셔틀이냐며 투덜거렸지만, 이내 전의를 불태우며 인파를 뚫고 들어갔다.

'더워.'

땡볕 아래 서 있던 건은 더 이상 참지 못하고 그늘을 찾아 움직였다. 매점과 가까운 별관 복도. 과학실이나 음악실, 방송실 등이 모여 있는 별관에는 다행히 학생들이 보이지 않았다.

한쪽 벽에 난 창문을 투과해 들어온 빛이 부드럽게 산란한다. 건은 무언가에 이끌리듯 걸음을 내디뎠다.

'뭐지?'

피부를 잘게 쪼는 듯한 감각은 대비전을 지날 때마다 느꼈던 것과 비슷했다. 혹시나 하는 생각에 걸음에 힘이 실렸지만, 코너를 틀자마자 멈춰 서고 말았다.

유난히 말간 빛이 내리쬐는 미술실 앞. 긴 머리를 하나로 묶은 여자애가 복도 벽에 걸린 그림 한 점을 노려보며 서 있었다.

기억하기로 그 그림은 1년 전 학생 중 한 명이 사생대회에 나가 대상을 받았다는 것이었다. 그런 그림을 왜 저토록 험한 눈빛으로 노려보는 건지. 유리알처럼 맑은 눈동자와 도톰하고 연홍색의 입술, 동글동글한 코끝은 적당히 높았고 갸름한 턱을 타고 흐른 잔머리가 부드러운 분위기를 자아냈다.

첫눈에 가슴이 뛸 만큼 예뻤다. 그래서 건은 숨도 쉬지 못한 채 여자애를 바라보았다. 기척을 느낀 건지 그림을 노려보던 여자애가 고개를 건 쪽으로 튼다. 눈이 마주치는 순간, 창밖으로 요란하게 매미가 울어 댔다.

"아…… 안녕하세요."

먼저 인사한 건 여자애였다. 건은 그제야 정신을 차리곤 천천히 다가갔다. 키는 저보다 머리 하나는 작은 것 같은데, 얼굴이 작고 팔다리의 비율이 좋았다.

그래서 커 보였던 건가?

"이 그림에 문제라도 있어?"

무슨 말을 해야 할지 몰라 적당히 생각나는 질문을 했더니 여자애의 미간이 조금 찌푸려졌다.

"선배. 아니…… 왕세자 저하. 저하는 정말 저것들을 소멸시킬 수 있나요?"

그것은 생각지도 못한 첫마디였다. 여자애가 자신을 알아보는 건 이상한 일이 아니었다. 왕세자라는 존재 자체가 워낙 화제성이 좋아, 왕립고등학교 학생이라면 누구나 그를 알아보았으니까. 하지만 그녀가 가리키는 손끝이 그림을 향해 있었다.

아무나 알지 못하는 것을 아는 여자. 그리고 그것을 보는 여자.

"너…… 저게 보여?"

"네, 저하는…… 안 보이시나요?"

"나는 못 봐. 그림에서 튀어나오지 않는 이상. 그런데 너…… 누구야? 어떻게 알지? 귀멸에 대한 건, 아무나 아는 일이 아닌데."

급한 마음에 다그치듯 묻자, 여자애는 당황한 표정으로 큰 눈을 깜빡였다. 설마, 비밀이었다는 것 자체를 모르고 있던 건가? 건은 그녀에게 한 걸음 다가갔다. 그러며 다시 한번 물었다.

"너 누구야."

"아, 저는……. 제 이름은……."

알려 주고 싶지 않은 건지, 여자애는 곁눈으로 주위를 살피다가 기어들어 가는 목소리로 대답했다.

"오주란이에요."

"오주란?"

"네. 오주란이요."

다시 한번 다그치려는 순간, 수업 종이 울렸다. 여자애는 눈에 띄게 환해진 얼굴로 꾸벅 인사하더니 그림을 흘끔대며 뛰기 시작했다.

건은 여자애를 따라가려 했지만, 같은 학교에 있으니 분명 다시 만날 수 있을 거라 믿고 충동을 참아냈다. 그리고 그림 속 이매 역시 봉인하지 않고 그냥 두었다. 그래야 이 앞에서 그 여자애를 또 만날 수 있을 거라고 생각했다. 하지만 그때의 판단은 인생 최대의 실수였다.

그날 오후, 건은 이우혁이 사 온 음료를 한 모금도 마시지 못한 채 여자애 생각을 했다. 수업이 끝난 것도, 경호원들이 학교 앞에 도착했다는 소식도 듣는 둥 마는 둥 했다.

여자애의 모습이 머릿속에서 잊히지 않았다. 처음으로 만난 귀안의 여인이며, 세자빈이 될 여인. 미친 소리 같겠지만, 성인이 되자마자 그 애와 혼례를 올릴 제 모습을 상상하고 말았다.

"세자 저하, 이제 가셔야 합니다."

왕실 경호원이 직접 학교까지 들어와 말을 건 뒤에야 건은 가방을 챙겨 일어났다.

경호원들과 함께 걷는 그에게 쏟아지는 시선은 마치 연예인을 발견한 팬들의 시선 같았다. 건은 혹시라도 그들 중 그 여자애가 있지 않을까 싶어 유심히 주위를 살피며 걸었다. 하지만 어디에도 보이지 않는다. 그 정도의 존재감을 가진 여자애라면 단번에 눈에 띌 거라고 믿었건만, 찾을 수 없었다.

"날이 갑자기 선선해졌네요."

세자의 말에 땀을 뻘뻘 흘리던 경호원이 마지못한 듯 고개를 조아렸다. 건은 그제야 제가 느끼는 한기가 자연스러운 온도의 변화가 아님을 눈치챘다. 깊고 무거우며, 소름 끼치는 한기는 정확히 별관 1층 미술실 앞에서 시작되었다.

"젠장……."

힘을 느낀 그가 미술실 방향으로 뛰어갈 틈도 없이, 이매는 환동하기 시작했다. 힘이 분출되어 사방으로 퍼진다. 건은 힘이 느껴지는 곳으로 무작정 뛰었다. 운동장을 가로질러 교문 앞까지.

힘은 점점 강해졌고, 급속도로 현신 상태에 접어들기 시작했다. 그리고 시뻘건 눈을 가진 도깨비가 현신하는 순간, 차량 두 대가 부딪치며 박살 나는 소릴 냈다. 그것은 태어나서 처음으로 본, 상급 이매였다.

건은 처음 보는 거대한 존재에 압도되어 힘을 쓰지 못했다. 만약 때맞춰 등장한 RSA의 요원들과 아버지가 아니었다면 그날의 피해는 상상조차 하기 싫을 만큼 거대했을지도 모른다. 그렇게나마 사태를 수습할 수 있어 다행이라고 생각했었다.

"엄마……. 아빠!"

반파된 차량에서 튕겨 나온 중년 남녀를 붙들고 오열하는 여자애를 발견하기 전까지는.

'오주란은 그림에 붙어 있던 학생의 이름이었지.'

10년이 넘어서인지, 이제는 이미지도 흐릿하다. 정확히는 그 애가 어떤 얼굴을 하고 있었는지 잘 기억나지 않았다. 이미지만 남았다고 해야 할까. 퇴색된 가을볕 같기도, 한여름의 태양빛 같기도 했던 여자애였다.

이유는, 다시 볼 수 없었기 때문이었다.

그날의 사고로 인해 이건의 등교는 막을 내렸다. 만약 그날, 그 애가 가리켰던 그림을 곧바로 회수했다면 사고는 벌어지지 않았을지도 모른다.

괜찮을 거라는 안일한 생각이, 누군가를 죽음에 이르게 했다. 자신의 짧은 판단으로 인해 가족을 잃게 된 여자. 그것도 귀안을 가진, 자신의 빈이 될 여자를 지옥으로 몰아넣었다.

건은 한동안 죄책감에 시달려야 했다. 어떻게든 그 아이의 안부를 알고자 하였고, 찾고 싶었다. 그러나 어떤 이유에서인지 그 아이에 관한 어떠한 정보도 알아낼 수 없었다.

이건은 그날 이후 감정을 거세당한 인형처럼 힘을 키우는 데 몰두했다. 곱상하고 똑똑한 왕세자에서, 군주의 압도적 카리스마를 갖춘 이건이 되기까지 고작해야 5년. 그는 당당히 아버지인 이숙의 힘을 이기고, 귀멸자의 자리에 올라 RSA의 주인이 되었다.

건은 상념에서 빠져나와 차창 밖으로 고개를 돌렸다.

"그래도 부탁입니다. 간택제는 다시 생각해 주십시오. 끔찍합니다. 지금도 벅찬데, 전국에서 여성분들이 몰려들 거란 생각을 하면."

우혁의 말에 건은 피식 웃으며 창문을 조금 내렸다. 어느덧 목적지가 가까워지고 있었다.

"걱정 마. 나도 다 생각이 있으니."

"뒷수습은 제가 합니다, 저하."

"부당하다고 생각되면, 고용노동부 연락처 알려 줄까?"

"월급 많이 주시니 괜찮습니다. 어쨌든! 간택제는 서 상궁님과 상의하십시오. 간택은 내명부의 일이나, 왕비 마마께옵서 안 계시니 서 상궁님이 도움이 될 것입니다."

"그럼 너무 일이 커지는데."

"설마, 간택제로 그 애를 찾으시려고요?"

"왜, 안 되나?"

이우혁은 이제 거의 울 것 같은 표정이었다.

인왕산 줄기를 병풍처럼 드리운 경복궁 안으로 진입한 차는 대전을 지나 곧장 동궁전 앞에 멈춰 섰다. 동궁전을 지키던 나인들이 이건이 탄 차 문을 연다. 그러곤 단정하게 고개를 숙였다.

"오셨습니까, 세자 저하."

건은 생긋 웃으며 차에서 내렸다. 뜨거운 볕이 정수리에 내리쬔다. 급히 찾아든 더위에 매미들이 일제히 울어 댔다. 하늘을 올려다보던 건은 처소 안으로 걸음을 옮기며, 우혁에게 지시했다.

"일단, 최 회장에게 두 개의 처녀단자를 전송해. 그 답에 따라 결정하도록 하지. 간택제를 열지, 순순히 비를 들일지."

삐-. 삐-.

서화의료원 집중치료센터 안에서도 상부의 지시 없이는 아무나 접근할 수 없는 곳에, 신약을 담은 트레이가 들어갔다. 의사는 사방에 설치된 유리에 대고 꾸벅 인사를 한 뒤, 트레이에 올려진 바이알을 열어 환자에게 주사했다.

최우식의 호출을 받고 급히 서화의료원을 찾은 유연은 유리 벽 너머의 모습을 보며 떨리는 주먹을 움켜쥐었다.

"연아, 이제 너도 마음고생 끝이야. 잘 봐라. 혜란이가 어떤 반응을 보이는지."

최우식의 감격 어린 말에 유연은 엄마의 모습에서 눈을 떼지 못했다. 이를 얼마나 세게 물었던지 턱이 아플 지경이었다.

햇수로만 13년이 다 되어 간다. 사고를 당해 식물인간이 되어 버린 엄마는 뇌사 판정도 받지 못한 상태였다. 뇌도, 심장도, 모든 운동신경이 살아 있건만 엄마는 눈을 뜨지 못했다. 그러다가 최우식 회장을 만났다. 엄마와 아빠의 오랜 친우라고 소개한 최 회장은 그 길로 엄마를 서화의료원으로 옮긴 뒤 집중치료센터에 입원시켰다.

최 회장은 그녀에게 최악의 시기에 만난, 구원자나 다름없었다.

"엄마가…… 깨어났었습니까?"

유연의 질문에 회장이 고개를 끄덕이곤 눈가를 촉촉하게 적셨다.

"이제 너도 볼 거야. 어떤 기적이 일어나는지."

최 회장의 말이 끝남과 동시였다. 심박수가 요동치더니 산소호흡기를 채우고 있던 엄마가 천천히 눈을 뜬다. 13년 만에 처음으로 엄마의 눈동자를 본 유연의 다리가 부들부들 떨렸다. 유연은 애써 벅찬 감정을 참아내며 최우식을 돌아보았다.

"물론, 아직은 깨어날 수 있는 시간이 아주 짧아. 3분 정도 뒤엔 다시 잠들 거야. 하지만 약을 주사할수록 깨어 있는 시간이 늘어날 테고, 언젠간 자력으로 눈을 뜨겠지."

"고맙습니다. 감사해요, 회장님. 정말 고맙습니다."

자신은 사고를 기억하지 못한다. 어쩌다가 부모님이 사고를 당했는지, 그녀의 기억은 마치 지우개로 지운 것처럼 사라졌다. 그것도, 그날 하루가 통으로.

의사들은 하나같이 충격이 크면 그럴 수 있다고 말했다. 그렇게 아빠를 잃은 날, 엄마 역시 식물인간 상태가 되었다.

그날 이후로 유연은 막연하게 엄마를 살려야 한다는 생각만으로 살았다. 하나밖에 남지 않은 가족이니까. 희망이 있다면 지푸라기라도 잡아보고 싶었다.

그녀가 젖은 눈을 소리 없이 닦아낼 때였다. 어깨를 다독인 회장이 은근한 목소리로 제안을 해왔다.

"내, 긴히 부탁이 있는데……. 내 부탁을 좀 들어주겠니?"

3분이 지나자 엄마는 다시 스르륵 잠들었다.

담당 간호사가 씁쓸한 표정으로 시선을 맞추지 못한 채 유리벽 너머 커튼을 닫았다. 유리 벽에 붙어 서 있던 유연은 이마를 대고 숨을 몰아쉬었다.

"유연아."

"네, 잠시만요……. 너무 오랜만에 엄마를 봐서……."

"그래그래."

최 회장은 끈기 있게 기다렸다. 집중치료실 내에 마련된 소파에 그녀를 앉힌 뒤, 비서를 시켜 차가운 음료를 가져오게 했다. 살뜰하게 챙기는 회장의 모습은 마치 진짜 가족처럼 자연스러웠다.

"그리 좋으냐."

최 회장의 질문에 유연은 희미하게 웃으며 고개를 끄덕였다.

"엄마가 깨어날 거라고는 기대도 하지 못했거든요. 살아 계시기만 해도 다행이라 생각했는데…… 정말 감사합니다."

"내가 뭘 했겠어. 서화제약 연구소 직원들이 큰일 한 거지."

"정말 감사해요."

계속 고개를 들지 못하는 유연의 손을 덥석 움켜쥔 최 회장이 상체를 숙여 왔다. 그리곤 유연과 시선을 맞췄다. 유연은 평소보다 유난한 최 회장의 태도에 마음을 추스르곤 자세를 바로 했다.

"연아, 나는 말이야…… 네가 무엇을 보고, 무엇을 느끼는지 안다. 네 눈을 무어라 부르는지도."

"저, 그게 무슨 말씀이신지……."

"나한테까지 숨길 필요는 없어. 네 아버지한테 내 직접 들은 이야기니."

심장이 쿵 떨어지더니 모아 쥔 손아귀에 땀이 배어 나왔다. 최 회장이 알고 있었다니. 제가 괴상한 것들을 본다는 사실을 알면서도, 지금껏 아무렇지 않게 함께 지낸 걸까? 당황한 티를 내지 않으려 노력했지만, 면밀하게 훑는 시선에 목소리가 떨렸다.

"티 내지 않고 살 겁니다. 아빠랑 약속했어요. 서화제약이나 회장님 이름에 먹칠할 일도 없을 거고요. 아무도 모르게 하겠습니다. 그러니……."

"아니, 그러지 마라."

"회장님."

"네 그, 능력을 우리 설아를 위해 써 주지 않겠니."

최우식에게 잡힌 손이 아파 오기 시작한다.

유연을 보는 최 회장의 눈빛엔 강경함이 가득했다. 지금껏 겪어 본 적 없는 혼란에 머릿속이 하얘졌다. 어째서, 이 저주받은 능력을 설아를 위해 써 달라는 것인지 이해하지 못해 어지러웠다.

"설아의 손에 문제가 있어."

이어진 최 회장의 설명에 유연의 입술이 살짝 벌어졌다.

"문제라니요?"

"이제 몇 년 안에 피아노는 그만두게 될 거야. 의사가 그러더구나……. 설아의 손가락 마디마디가 굳어 가고 있다고. 완전히 망가지기 전에 피아노를 그만둬야 한다고."

"그 정도로 심각한 줄 몰랐습니다."

그래서 평소보다 더 예민하게 군 걸까?

"손이 망가진 피아니스트는 더 이상 미래가 없지……. 그러니 더 늦기 전에 다른 길을 찾아야 하지 않겠니."

"그래도 설아는……."

"연아, 불쌍한 우리 설아를 난 경복궁으로 보내고 싶구나. 세자빈 자리, 그거 우리 설아한테 주고 싶은 게 내 심정이고 바람이야."

혹시, 그런 이유로 세자가 연주회장을 방문했던 걸까?

유연은 당혹스러운 마음에 어떠한 대답도 하지 못했다. 그러자 그녀를 빤히 보던 최 회장이 불쑥 이맛살을 찌푸린다.

"혹, 세자 저하와 아는 사이냐."

유연은 황망히 고개를 저었다.

"아뇨, 모르는 사이입니다."

"그래……? 거참, 이상하구나. 분명 같은……."

"네?"

되묻는 유연의 질문에 최 회장은 자연스럽게 화제를 바꾸었다.

"연아, 설아가 무사히 경복궁에 입성만 하면, 네 엄마는 책임지고 치료해 주마. 엄마 살려서, 네 아버지가 원했던 것처럼, 꿈 펼치면서 살아야지. 안 그러냐, 응?"

"하지만 어떻게 도와야 할지 모르겠습니다. 대체 제가 뭘 할 수 있다고 이런 부탁을 하시는 건지……."

"그건 걱정하지 마. 내 다 생각이 있으니. 너는 대답만 하면 돼. 어때……. 해 보겠냐."

유연은 굳게 커튼이 닫힌 치료실을 돌아보았다. 불쾌하고 불편하기만 한 능력이다. 이 능력을 이용해 무엇을 할 수 있을지 몰라도, 조금 전 맛본 기적은 너무도 달콤했다.

엄마가 다시 깨어난다면. 이전에 느꼈던 행복을 되찾을 수 있다면. 그 시절로, 돌아갈 여지가 남아 있다면…….

주먹을 강하게 움켜쥔 유연이 최 회장을 보며 고개를 끄덕였다.

"해 볼게요. 대신…… 저희 엄마, 꼭 잘 부탁드려요."

이숙은 슬그머니 강녕전을 나와 차 내관을 호출했다.

"어찌 되었는지 아는가."

주어가 빠졌지만, 이숙이 말하는 일은 오늘 세자가 최설아의 연주회에 참석한 일이었다. 차 내관은 아무도 없는 주위를 살피고 활짝 웃는 얼굴로 목소릴 낮추었다.

"최우식 회장댁으로 처녀단자를 보내라 지시하셨답니다."

"오오, 그래? 그 아이가 마음에 들었나 보구먼."

"그러신 것 같습니다. 하오나 연주회는 다 보지 않으시고, 중간에 나오셨다고 합니다."

"허허, 일이 바쁘니 그럴 수 있지. 세자는 어디 있는가."

"지금은 사정전에서 회의 중이십니다. 사정전의 불이 꺼질 날이 없습니다."

"세자의 어깨가 무겁지. 그래, 철이 일찍 든 놈이야."

이숙은 고개를 주억이며 사정전이 있는 방향으로 고개를 틀었다. 현재까지도 경복궁이 대한민국의 왕실로서 존경받는 이유는 세자가 거느린 RSA와 미술관 예화의 역할이 컸다.

RSA는 장군나례청의 현재 명칭으로 전국 각지에서 일어나는 이매로 인한 현상들을 통제하고, 제어하는 일을 맡았다. 또한, 미술관 예화는 타국에 약탈당한 문화재를 환수해 국가에 환원하는 일을 하였다.

그 모든 것을 세자 혼자 해내고 있었다. 세자에게 형제가 있었다면, 좀 더 편했을지도 모른다.

생각에 잠긴 이숙의 미간이 불현듯 좁혀졌다.

'그래……. 형제가 있었다면.'

이숙은 오래전 잃은 자신의 형제를 떠올리며 한숨을 내쉬었다.

"그런데 전하, 마음에 걸리는 점이 있습니다. 최우식 회장에게 보내는 처녀단자가 두 건이라는 얘기가 돕니다."

"두 건?"

"예. 혹, 따님이 두 분이신지……."

"아니, 듣기로 분명 최 회장의 딸은 한 명이네. 금지옥엽으로 키운 딸아이 하나라 하였어."

"그럼, 왜 단자를 두 개나 준비하신 건지 알아보겠습니다."

차 내관은 허리를 깊게 숙인 뒤 종종걸음으로 강녕전 앞을 떠났다. 눈에 힘을 준 이숙은 두 개의 처녀단자에 관해 곰곰이 생각했다. 하지만 아무리 생각해 보아도, 굳이 처녀단자를 두 개나 준비할 이유는 없었다.

'혹시, 다른 여인을 찾기라도 한 것인가. 설마, 그때 그……'

세자를 만나 묻는 것이 빠를 테지만, 과도하게 관여했다가 혹여라도 세자의 마음이 바뀌기라도 한다면 큰일이다.

이숙은 하루라도 빨리 이 넓은 궁궐 내에 아이 울음소리가 퍼지기만을 바랄 뿐이었다. 저놈도, 책임감을 조금 내려놓고 편안해지기를.

[시간이 너무 늦었습니다, 저하. 그런데 조깅이라뇨.]

건은 모자를 눌러쓰고, 얇은 트랙슈트의 지퍼를 올렸다. 홀로 외부에 나갈 때는 마스크도 쓰는 편이었지만 경호원들이 뒤따를 게 뻔해서 생략하기로 했다.

"걱정되면 같이 뛰지 그래."

[아! 드라마 할 시간이네……?]

"정액제 끊고 재방송으로 보지?"

[죄송합니다. 피땀 흘려 번 월급을 그런 곳에 허투루 쓰고 싶지 않아서요. 저는 본방 사수 하겠습니다.]

우혁의 능청에 건은 실소하며 전화를 끊었다.

벌써 7월이다. 시도 때도 없이 비가 내리고, 갑자기 해가 뜨기도 하는. 건은 오늘따라 유난히 어깨와 머리가 무거웠다.

"따라오시되, 안전거리 지키십시오. 조용히 뛰고 싶어서."

"예."

경호원들에게 간결히 지시한 그가 동궁전을 나와 샛길을 통해 경복궁을 빠져나갔다.

밤의 궁궐은 찬탄과 두려움을 동시에 일으켰다. 아름다우면서도, 어려운 곳. 폐쇄적이면서도 개방적인 곳이 경복궁. 바로 그가 사는 곳이다.

건은 가볍게 목 근육을 푼 뒤 뛰기 시작했다. 제법 늦은 시각이었지만, 거리엔 사람들이 넘쳐났다. 담장을 밝히는 가로등 아래 서서, 200년 넘은 나무와 돌담을 배경으로 사진을 찍는다.

이건은 그들을 자연스럽게 스쳐 지나가며 뛰었다. 이어폰을 귀에 꽂았지만 음악을 듣는 건 아니었다. 그는 음악 대신 사람들의 소소한 대화를 귀에 담았다.

'세상에서 가장 작은 소리도 들을 줄 아는 군주가 되어야 한다.'

언제부터라고 특정할 수는 없지만, 습관처럼 그 말을 상기했다. 세상에서 가장 작은 소리는, 가장 여리고 여린 것이 내는 소리일 터. 그 작은 울음을 들을 줄 알아야 진정한 군주라 불릴 수 있다는 오랜 진리를 믿어 왔다.

누군가의 지배자가 되려는 것이 아니다. 왕실의 존재 이유가 되어 주는 백성. 그들의 버팀목이 되는 것이 왕실의 진실된 존재 이유일 터.

건은 경복궁과 종로 전체를 한눈에 내려다볼 수 있는 북악산 산책로를 올랐다. 다소 경사가 높아 대부분 차를 이용해 방문하는, 모 드라마에서 주인공의 프러포즈 장소가 되어 버린 탓에 유난히 방문객이 늘어난 산책로를 가볍게 뛰어오르는 그의 이마가 젖어 간다.

오랜만에 옛 기억을 떠올렸다. 후회와 죄책감밖에 남지 않았던 그날의 기억을.

무더운 바람에 녹음이 우거진 나뭇가지가 흔들릴 때마다, 그 사이로 커다란 달이 손에 잡힐 듯 가까이 보인다. 그는 좀 더 속도를 올렸다. 자신의 속도를 따라잡지 못한 경호원들이 점점 멀어지는 것도 의식 못 한 채 정상을 향해 뛰었다.

날렵한 턱에 맺힌 땀이 툭툭 떨어진다. 이 많은 사람들 중, 누구도 왕세자가 곁에 있다는 것을 알지 못했다.

어느덧 정상에 도착한 그는 서서히 속도를 줄였다. 그러곤 시간을 확인했다.

도착까지 30분.

'시간이 더 줄었군.'

나름의 만족감에 젖은 입가에 미소가 맺힐 때였다.

"저 여자 뭐야? 막 혼잣말해."

"좀 이상한 거 같은데? 가자, 자기야."

"저거, 팩소주 아니야? 아직도 저런 거 파는 곳이 있나?"

이건을 스쳐 차에 오르던 커플이 한 곳을 흘끔거리며 수군거리는 소릴 들었다. 커플이 가리킨 곳은 이곳에서 전망이 제일 좋은 단풍나무 아래였다.

그는 숨을 고르며 벤치에 앉아 있는 여자를 관찰했다. 커플의 말대로 여자는 벤치에 앉아 전망을 감상하듯 여유로운 얼굴로 팩소주를 마시고 있었다.

그래, 팩소주다.

그러곤 자그마한 소주잔에는 독하기로 유명한 소주를 따르더니 옆자리에 조심스레 놓는다.

노란 가로등 아래 여자의 갈색 머리카락이 바람결을 따라 흔들렸다. 사르륵 옆얼굴을 가리며 흘러내린 머리카락 사이로 드러난 흰 목덜미.

잘 아는 얼굴이었다. 그녀는 오늘 하루 종일 눈앞에 아른거렸던 여자, 조유연이었다. 그는 묘하게 목 안쪽이 답답해지는 걸 느꼈다.

고개 숙인 유연이 무릎을 모은 채 바닥을 보며 중얼거렸다.

"아빠, 이제 곧 생일이네? 진짜 지지리 복도 없지. 생일상 대신 제사상 받는 사람이 어디 있어?"

건은 아무도 없는 주위를 둘러보곤, 모자를 벗어 땀을 식혔다. 그러며 자연스럽게 그녀의 왼편에 설치된 벤치로 가 앉았다. 바람에 실려 온 향기는 독특했다. 메마른 여름 볕을 닮기도, 비 냄새를 닮기도 한 그녀 특유의 향기였다.

"내가, 돈만 많았어도 봉안당에 모셨을 텐데……. 미안해, 아빠. 그래도 내가 매년 여기에 데려오니까 좋지?"

그러며 안주도 없이 팩소주 하나를 더 꺼내더니, 빨대를 툭 꼽는다. 퍽 어울리지 않는 조합이다. 조유연과 팩소주라니. 피식 웃은 건은 그녀 옆자리의 주인이 누구인지 어렵지 않게 알아챘다.

'부친의 기일인가.'

어느덧 경호원들의 부산한 발소리가 들린다. 건은 경호원들에게 다가오지 말라는 눈빛을 보낸 뒤, 다시 그녀에게 집중했다.

"아빠, 엄마가 깨어났어. 아주 잠깐이긴 했는데, 나…… 13년 만에 처음이야. 엄마 눈 뜬 거. 너무 힘들어서 이제는 포기할까 했었는데, 내가 못된 마음 먹은 거 엄마가 알았나 봐. 그래서 깨어났나 봐……."

13년이라니.

건은 검게 가라앉은 눈빛으로 그녀의 옆얼굴을 응시했다. 조금만 더, 조금 더 이야기를 듣고 싶었다. 하지만 그녀는 생각에 잠긴 듯, 더 이상 아무런 말도 하지 않은 채 빨대만 쪽쪽 빨았다.

'아니겠지, 설마……. 만약 그 여자애라면 먼저 반응했겠지. 경멸이든, 두려움이든, 분노든.'

그렇게 생각한 그는 명치 안쪽이 뜨거워지는 걸 느꼈다. 그래도, 묻고 싶은 이유는 왜일까. 내가 찾는 그 아이가 너냐고 묻는다면, 어떤 대답을 할까.

그녀는 위용을 자랑하는 경복궁의 불빛을 바라보고 있었다. 갈색 눈동자에 든 빛이 경복궁의 불빛임을 건은 알 수 있었다. 한참이나 먼 곳을 노려보던 그녀가 기지개를 켜더니 벌떡 일어난다. 그러곤 남은 소주병의 뚜껑을 닫고, 사진과 쓰레기를 챙기는 모습에 건은 모자를 눌러썼다. 그러더니 짐을 다 챙긴 그녀가 어딘가로 전화를 건다.

"여기, 북악산 산책로 정상인데요, 기사님 좀 보내 주세요. 성북동까지 가요. 아…… 그래요? 네, 알겠어요. 수고하세요."

설마, 대리기사를 부르는 건가? 유연은 이후로도 여러 곳에 전화를 걸었지만, 만족스러운 대답을 듣진 못한 것 같았다. 곤란한 표정으로 휴대 전화를 응시하던 그녀가 한숨을 내쉬며 주차장 쪽을 돌아본다. 그러다가 그와 눈이 마주쳤다.

건은 태연히 그녀의 반응을 기다렸다. 하지만 두 눈을 가늘게 뜰 뿐, 알아보진 못한 건지 몸에 힘을 풀더니 또다시 어딘가로 전화를 거는 조유연.

그는 황당한 마음에 헛웃음을 지었다. 자신의 얼굴은 그리 쉽게 잊을 만한 얼굴도, 쉽게 잊힐 만한 외모 또한 아니라고 확신한다. 그런데 눈이 마주치고도 몰라본다는 건, 시력이 나쁘거나 술에 취한 것일 터. 건은 후자의 가능성에 좀 더 무게를 두었다.

"2.5배요? 저기요, 오늘이 많이 바쁜 날인 건 알겠는데 너무 덤터기 씌우시는 거 아닌가요? 바로 옆이 혜화인데, 언덕 좀 올라간다고 그렇게 부르시면…… 저기요, 저기요!"

흥정이 잘 안 된 건지, 조유연은 애타게 소리치며 수화기를 귀에서 뗐다. 조금 전까지만 해도 심각한 표정으로 땅이 꺼져라 한숨을 내쉬더니, 지금은 길 잃은 애처럼 발을 동동 구른다.

건은 그 간극이 꽤 마음에 들었다. 웃음을 참기 위해 손등으로 입술을 문지른 그의 눈매가 비스듬히 휜다.

'이번에도 대리기사 부르는 건 실패인가?'

하지만 유연은 포기를 몰랐다. 서울에 있는 모든 대리운전 회사에 연락할 생각인지, 심기일전한 표정으로 인터넷을 뒤진다.

"혹시, 대리운전이 필요하신 겁니까."

여자에게 말 걸은 건 충동적인 결정이었다. 내뱉자마자 후회했으나, 이미 주사위는 던져졌다. 유연은 어리둥절한 얼굴로 주위를 둘러보더니 본인을 가리키며 되물었다.

"저한테 하신 말씀이세요?"

"예, 보니까 술 드시는 것 같던데요."

"아……. 네, 필요해요."

"그럼 제가 모셔다드리겠습니다. 요금은 기본요금만 받죠."

설마, 이래도 못 알아볼까?

그녀는 건을 빤히 쳐다보며 의심스러운 표정을 지었다.

"제 통화내용 들으셨어요?"

"여기, 너무 조용하지 않습니까? 어차피 저도 내려가려던 참인데……. 도움이 필요 없으시다면 그냥 내려가 보겠습니다."

하긴, 모르는 사람의 제안을 승낙할 리 없지.

그러자 미련 없이 돌아서던 그의 상의 끝이 불쑥 잡혔다. 황당한 표정으로 고개를 틀자, 얼굴이 빨간 유연이 본인의 차 키를 내민다.

"혹시 모르니, 담보로 그쪽 휴대 전화 주세요. 도착하면 드릴게요."

영 시원치 않은 부탁의 말에 건은 웃었다.

"그러죠."

스스럼없이 휴대 전화를 내어준 그는 그녀의 차 키에 달린 동글동글하고 말랑한 장난감을 흔들어 보며 인상을 썼다. 그것은 정체를 정의할 수 없는 물건이었다. 지나치게 말랑거리는 고무 덩어리를 대체 왜 차 키에 달고 다니는 건지.

〈서울특별시 성북구 대사관로〉

고급 주택들이 철옹성 같은 담장 너머 몸을 숨긴 곳에, 작은 경차 한 대가 멈춰 섰다.

그녀의 차를 알아본 관리인들이 고개를 빼곤 귀가 시간을 적는다. 하지만 운전석에서 내린 사람은 유연이 아니었다. 검은 트랙슈트에 모자를 깊게 눌러쓴 남자가 좁디좁은 경차에서 내리자마자 구겨졌던 다리를 펴곤 허리에 양손을 얹었다.

이어 조수석에서 내린 유연이 가방과 쇼핑백을 챙겨 들곤 피식 웃는다. 지갑을 꺼낸 그녀는 지갑에서 만 오천 원을 꺼내 건에게 내밀었다.

“언덕 걸어 내려가셔야 해서 좀 더 챙겼어요.”

황당하다 못해 어처구니가 없어진 건은 고개를 주억이며 그녀가 내민 만 오천 원을 탁 빼앗았다.

“고맙습니다. 언덕 내려갈 일까지 생각해 주셔서.”

“그럼, 안녕히 가세요. 도와주셔서 감사했습니다.”

유연은 얼굴을 빨갛게 붉히곤 90도로 허릴 숙여 인사했다. 술에 취한 상태로도 여자는 깍듯했고, 걸음걸이 또한 반듯했다.

결국, 끝끝내 알아보지 못한 건가? 헛웃음이 나왔다.

건은 한 방 맞은 기분으로 모자를 벗고 젖은 머릴 털었다. 그제야 고개를 빼고 구경하던 저택 관리인들이 반짝반짝 빛나는 생명체를 발견하곤, 다리에 힘이 풀려 주저앉는다.

유연은 건을 손가락질하며 덜덜 떠는 관리인들을 흘끔 돌아보곤, 자신을 빤히 쳐다보는 건에게 물었다.

“아, 택시 불러 드려야 하나요?”

비스듬히 고갤 기울인 그의 입꼬리가 삐딱하게 올라간다. 한쪽 볼에만 콕 찍힌 보조개 때문인지 비웃는 느낌보단 관찰하는 느낌이 더 강했다.

“택시는 필요 없고, 받을 게 있습니다. 조유연 씨.”

유연은 그가 내민 손을 빤히 바라보다, 자신의 이름을 알고 있단 사실에 놀라 눈을 크게 떴다.

“제 휴대폰 주시죠.”

그제야 건을 알아본 유연은 얼떨떨한 표정으로 주머니에 넣어 둔 휴대 전화를 꺼내 내밀었다.

"저기, 저 혹시……."

"네, 말씀하시죠."

"저하……?"

"조유연 씨, 시력이 나쁜가 봅니다. 너무 일찍 알아보는 거 아닙니까? 어쨌든, 공원에서 술 마시고 그러지 마십시오. 위험한 행동이니."

따끈따끈해진 휴대 전화를 받아든 그가, 이내 웃음기를 싹 지우곤 돌아섰다.

건은 언덕을 내려가며 똥줄이 타 부재중 표시를 다섯 건이나 남긴 우혁에게 전화를 걸었다. 채 신호음이 울리기도 전 다급한 목소리의 우혁이 전화를 받는다.

[저하! 어디십니까. 지금 대체……!]

"시끄럽고, 나 좀 데리러 와. 여기가……. 그러니까, 편전에 가면 대한민국 총수 비상 연락망이 있을 거야. 두 번째 컴퓨터, 직박구리 파일 안에. 거기서 서화제약 최우식 주소 찾아서 와. 한 150m 떨어져 있을 테니까."

[대체 무슨 일이십니까? 대체 누구를 따라가셨어요. 제가 모르는 사람은 따라가면 안 된다고 그렇게 충고 드렸잖습니까!]

귀청이 떨어져라 소리치는 우혁의 반응에 건은 수화기를 귀에서 떼곤, 대략 50m 정도 지난 길 위에 걸음을 멈추었다. 그러곤 싸한 예감에 고개를 들었다.

"이런……. 드디어 미쳤나, 이우혁?"

그러자 육중한 몸체의 헬기가 그의 머리 위에서 웅웅거리며 선회한다.

[저하를 찾았다. 저하를 찾았다. 차량팀 이동, 저하를 모셔!]

한숨 쉰 그는 자신이 내려온 방향을 돌아보았다. 그러고 보니, 걸음을 멈추고 돌아본 적이 있던가? 돌아보는 건 타인의 몫이었고, 그의 시선은 항상 정면을 향해 있었다. 하지만 처음으로 뒤돌아본 그는 후회하지 않았다.

여전히 자리에 서서 멍하니 하늘을 올려다보던 여자가 시선을 느낀 듯 그를 바라본다. 그 말간 얼굴 위로 달빛이 내렸다. 기이하게도, 요란한 프로펠러 소리가 적막에 잡아먹힌 것처럼 잠시 들리지 않았다.

'대리운전이 부업이냐고.'

헛웃음이 멎지 않는다. 얼굴이 화끈거리기도 했다. 산책로에서 제게 대리운전을 제안한 남자가 세자 저하일 줄은 정말로 몰랐다. 상상도 하지 못했으니, '설마' 하는 생각조차 하지 못했다.

어째서였을까? 제가 알아보지 못한다는 걸 알면서도, 그는 산책로 정상에서 내려오는 내내 아무런 말도 하지 않았다. 게다가 깊게 생각하자니, 너무 피곤했다. 하루가 너무 길게 느껴져 운전석 쪽으로는 시선조차 주지 않았다.

'그런데, 나 그렇게 불쌍해 보였나?'

고개를 갸우뚱 기울인 유연은 철옹성 같은 대문 안으로 들어섰다. 그러자 전문가의 손길에 완벽하게 관리된 정원이 보인다. 벽을 따라 자라난 장미 덩굴과 주홍색 능소화가 초록 일색인 정원을 화사하게 만들었다. 10년 넘게 이 집에서 지냈지만, 정원을 가로지르는 순간은 항상 낯선 기분이 들었다.

바닥에 설치된 은은한 조명을 따라 날벌레 몇 마리가 날아든다. 유연은 최씨 일가를 위한 정면 현관이 아닌, 서쪽 보조 현관을 이용해 안으로 들어가야 했다. 집 안에서 일하는 사용인들을 위한 출입구로, 그곳을 통하면 응접실을 거치지 않고도 곧장 방으로 향할 수 있었다.

어린 나이엔 이조차도 감지덕지했다. 엄마의 병원비를 감당하기 위해 저당 잡힌 집은 경매에 넘어갔고, 하루하루 삶이 막막했다. 만약 그때 최 회장을 만나지 않았더라면 자신의 삶은 지금쯤 사회계층 최하위 어디쯤을 맴돌고 있을 것이었다.

이렇게 아빠의 사진에 술 한 잔 올리는 것조차 힘들었을지도.

"유연 씨, 왔어?"

막, 설거지를 마친 박 여사님이 수더분하게 웃으며 그녀를 맞았다. 유연은 생긋 웃으며 냉장고를 열어 생수 한 병을 꺼냈다.

"네. 여사님도 주방 마감하셔야죠."

"어휴, 그래야 하는데 연락이 왔지 뭐야. 도련님이 술이 떡이 되셨대요."

"최준일 전무님이요?"

"응, 그래서 일단 헛개차 좀 우리고 혹시 몰라서 콩나물국도 끓여 놓으려고."

"아…… 술 드신 다음 날엔 매운 거 일절 못 드시니까, 고춧가루 넣지 말고 맑게 끓여 주세요."

"응응, 그럴게. 어서 가서 쉬어."

"네. 수고하세요, 여사님."

다시 싱크대 앞에 서는 박 여사를 물끄러미 보던 유연이 숙소로 이어지는 계단을 내려갈 때였다. 응접실에서 들려온 김 기사의 외침에 유연은 급히 걸음을 돌려야 했다.

"아주머니! 저 좀 도와주세요!"

집에서 일하는 사람은 열둘이었지만, 지금 이 시각 움직일 수 있는 사람은 없었다.

콩나물을 씻던 아주머니가 급히 나가려는 걸 유연이 막았다.

"제가 갈게요."

"어머, 그럴래? 고마워, 유연 씨. 근데 자기도 술 한잔한 거 아니야? 얼굴이 빨간데?"

"저는 몇 잔 안 마셨어요."

서류 가방을 주방 한쪽에 내려놓은 유연은 응접실로 뛰어나갔다. 그곳엔 축 늘어진 최준일을 부축한 김 기사가 진 빠진 얼굴로 서 있었다.

"저랑 같이 옮겨요, 기사님. 2층까지는 힘들고, 1층 서재로 가면 될 거 같아요. 거기에도 침대는 있으니까."

"예!"

유연은 김 기사와 함께 최준일을 양쪽에서 부축해 서재까지 옮겼다. 정신 잃은 사람이 얼마나 무거운지 새삼 실감했다. 게다가 최준일은 이렇게 인사불성으로 술을 마시는 사람이 아니었다.

준일을 간이침대 위에 눕힌 둘은 가쁜 숨을 몰아쉬며 이마에 난 땀을 닦았다. 준일의 소지품을 가지런히 내려놓은 김 기사가 시간을 확인하며 한숨을 내쉬었다.

"혼자 드신 거예요. 저도 바에서 연락받고 얼마나 놀랐는지 몰라요."

"수고하셨어요. 어서 들어가서 쉬세요. 내일 아침에 뵐게요."

"예. 과장님도 쉬십시오."

김 기사가 나간 뒤, 유연은 준일의 넥타이 매듭을 느슨하게 만든 뒤, 단추 하나를 풀어주었다.

이 정도면 됐겠지?

그러고는 서재의 온도를 적당히 조절한 뒤 몸을 일으켰다. 그런데 축 늘어져 있던 준일이 불쑥 그녀의 손을 잡아챘다. 놀란 유연이 돌아보자 취기 없이 또렷한 눈빛의 그가 잡은 손을 힘주어 당겼다.

"드디어 봐주네."

유연은 술이 확 깨는 걸 느끼며 그에게 잡힌 손을 빼내려 했다. 하지만 준일은 놓아주기는커녕 더욱 강하게 당겨 끌어안으려 한다.

더 이상 참지 못한 그녀가 손을 올렸다. 짝, 소릴 내며 준일의 뺨이 돌아갔다. 넋 나간 얼굴로 빨개진 뺨을 감싼 준일의 눈동자가 흔들린다.

"그만 좀 하시라고요! 제가 어디까지 참아드려야 해요? 약혼녀분 도와서 식장도 알아봐 드렸고, 대신해서 예물도 봐 드렸잖아요! 그래 놓고 저더러 내연녀 같은 거 하라는 게, 인간이 할 짓이냐고요!"

씩씩거리며 쏟아내도 화가 풀리지 않아 떨어진 쿠션들을 최준일에게 마구 던졌다. 멍하니 그녀를 올려다보던 준일은 딸꾹질을 하더니, 입을 틀어막고 서재에 마련된 화장실로 뛰어 들어갔다.

"하, 진짜 가지가지……."

한숨 쉰 그녀는 미련 없이 1층 서재를 나왔다. 그러곤 아주머니가 만들어 놓은 꿀물을 원샷해 버린 뒤 자신의 방으로 향했다. 하필, 아빠의 기일이라 술까지 마신 뒤였기에 참을성이 바닥났다.

부드러운 바람이 불던 산책로. 커다랗게 뜬 달과 자신을 빤히 쳐다보던 이건의 얼굴이 불현듯 떠올랐다. 마치 꿈이라도 꾼 것처럼 현실감이 없다. 어쩌면, 진짜 현실이 아닐지도.

"그러니 왕세자가 내 차를 운전했겠지. 헬기는 또 뭐고."

멍하니 고개를 절레절레 저은 유연은 애써 미뤄 놓았던 근심 걱정을 꺼내 들었다.

'손이 망가진 피아니스트는 더 이상 미래가 없지……. 그러니 더 늦기 전에 다른 길을 찾아야 하지 않겠니.'

최 회장의 말뜻은 한마디로 망가져 버릴 자신의 딸을 안전자산으로 전향한다는 것이었다. 그것도 모자라 세자빈이라니. 그녀도 자세하게 아는 건 없었지만, 왕실에서 세자빈을 들일 땐 중요한 시험을 치른다는 걸 암암리에 들어왔다.

최설아가 그 시험을 치를 자격을 갖추었다는 걸까? 그것도 아니면 혹시…… 이 눈과 관련 있는 건 아닐까?

유연은 자신의 눈가를 천천히 더듬어 보았다. 그러다 잘못 찌르기라도 한 건지 눈물이 찔끔 났다.

"에이씨, 그만 생각하자."

연속으로 괴상한 것들을 보아서인지 피로가 너무 심했다. 터덜터덜 방으로 돌아온 유연은 간단히 샤워를 마친 뒤, 내키지 않는 표정으로 책상 앞에 앉았다. 오늘은 최 회장의 제안에 아빠 생각이 나서 술을 들고 공원을 찾은 거였다.

'유연아. 넌 꼭 하고 싶은 거 해야 해. 크게 될 놈이야, 너는. 그러니까 네 눈이 어떻든, 네가 무엇을 보든, 누가 네게 관심을 갖든! 우리 딸은 꼭 이루고 싶은 것들을 이뤄.'

그것은 그림 도깨비를 무서워하던 자신을 위로하기 위한 다정한 말이라고만 생각했다.

그때는 너무 어렸고, 꿈을 이루는 건 너무나 당연했다. 장래희망이 일주일에 한 번씩 바뀔 만큼 삶에 대한 욕심이 컸다. 하지만 나이를 먹고 점점 더 많은 그림 도깨비들을 보며 자연스럽게 알게 된 사실이 있었다. 그녀가 도깨비를 목격한 자리엔, 항상 세자 이건이 나타난다는 것. RSA의 배지를 단 사람들이 사고 현장을 깔끔하게 처리한다는 것이었다. 그리고 왕실의 사람들이 누군가를 애타게 찾는다는 것도.

'그게 혹시, 세자빈을 찾던 거였나……?'

만약 제 생각이 맞는다면 최 회장이 원하는 건, 이 눈이다. 지금껏 입혀 주고 키워 준 노고를 이렇게 보상받으려 할 줄이야.

유연은 막막한 표정으로 노트북을 열어 공개되어 있는 왕실 자료실에 접속했다. 그곳엔 선대 왕들의 자료와 그간 왕실이 해 온 사업에 대한 이력이 간단하게 적혀 있었다. 유연은 그중에서도 이건의 프로필을 유심히 살폈다.

〈대한민국 왕실. 경복궁 RSA 대표이사 이건〉

왕세자라는 타이틀보다도 그는 대표이사라는 직함이 더 잘 어울리는 남자다. 오만함이 그득한 눈동자와 선천적인 여유가 묻어나는 입매. 정면을 노려보는 사진 속 이건의 모습은 제게 대리운전기사를 제안하던 남자라고는 상상조차 할 수 없었다.

그녀는 이어 다른 게시물보다 유난히 조회 수가 높은 세자의 프로필을 클릭했다.

[1990년생 만 31세.

출생지 : 서울시 종로구 사직로 161 경복궁

소속 : 경복궁 RSA 대표이사 / 대한민국 왕실 / 왕립미술관 예화 소유

서울 왕립고등학교 / 집현전 / 한국대학교 경영학 / 미술사학 박사과정

키 189cm 몸무게 80kg

군필]

다른 사람이라면 대수롭지 않게 넘어갔을 사항에, 유연은 순간 마우스 쥔 손을 멈추었다.

"서울 왕립고등학교……?"

그 이름을 보는 순간 마우스를 쥔 손이 굳었다. 고1 여름, 엄마 아빠의 사고가 일어나기 직전까지 그녀가 다녔던 학교였다. 아무리 시간이 흘렀다고 해도, 왕세자같이 유명한 사람이 같은 학교에 다녔다면 기억하지 못할 리 없었다.

"두 살 차이니까 분명 알 텐데……. 나 그렇게 무심했나?"

유연은 입술 거스러미를 만지작거리며 13년 전 과거를 떠올리기 위해 노력했다. 하지만 아무리 생각해 내려 해도, 고1 학창 시절 자체가 몹시도 희미했다. 불투명한 장막이 머릿속에 드리운 것처럼 두통이 찾아왔다. 결국 그녀는 노트북을 닫고 침대로 기어가 풀썩 드러누웠다.

'몰라, 몰라. 내일 생각할래.'

이불 속으로 파고 들어간 그녀는 한쪽 방향으로 비스듬히 누웠다. 술을 마셔서인지 쉽게 잠을 청할 수 없어, 좌우로 뒤척거리다 결국 에어컨을 틀었다.

벌써 열대야가 찾아오려 한다. 빨리, 이 여름이 제게 안녕을 고하길 기도했다.

"아이고, 유연 씨 일어났어? 앉아. 설아도 일어나서 지금 밥 먹어."

유연은 마치 오백 년 만에 주말을 맞은 것처럼 몸이 무거웠다. 머리를 하나로 묶은 뒤 식당으로 들어가자 커다란 식탁엔 최설아와 매니저 송재익이 나란히 앉아 지난밤 끓인 콩나물국을 먹고 있었다.

최설아도 지난밤 과음했는지 깨작거리는 모습이 퍽 안쓰러웠다. 창백한 얼굴로 유연을 흘깃 본 설아가 숟가락을 내려놓더니 양손으로 이마를 감싼다.

"머리가 깨질 거 같아. 야, 조유연. 숙취 약 없어?"

"집안 냉장고는 여사님들이 관리하시잖아요. 장 실장님 오시면 물어볼게요."

"약 담당은 장 실장 아줌마니? 하……. 오빠, 나 약 좀 사다 주면 안 돼?"

오빠라 불린 재익이 콩나물국을 들이마신 뒤 벌떡 일어난다. 티슈로 입술을 닦은 뒤, 음식도 제대로 씹지 않곤 뛰어나갔다.

지극 정성도 저런 정성이 따로 없지.

"조유연, 너 들었어?"

유연은 제 앞에 놓인 콩나물국을 받아들곤 심드렁한 표정으로 최설아의 말에 답했다.

"뭔지 몰라도, 아니요."

"야, 넌 애가 매사 진지하질 않니?"

"너한테만 안 진지한 겁니다. 말을 하도 싸가지 없게 해서."

"야!"

"야, 업무 아닐 땐 내가 분명 네 아랫사람 아니라고 했다? 예의 지켜."

기가 찬 표정으로 헛웃음을 내뱉은 최설아는 차가운 물을 벌컥벌컥 들이켜고는 있는 힘껏 컵을 내려놓았다. 요란한 소리에 놀란 여사님이 두 여자의 눈치를 보며 새 물컵으로 바꿔주셨다. 유연은 그에 혀를 차며 콩나물국을 한 숟가락 입에 넣었다.

"우리 아빠랑 엄마, 재결합한대. 하, 미친 거 아니야? 나이가 몇인데, 황혼 이혼을 해도 모자랄 판에. 안 그래?"

의외의 소식에 유연은 콩나물을 오물오물 씹으며 한숨을 내쉬었다.

"생각이 있으셔서 그런 거겠지. 이유든, 생각이든, 뭐든. 부모님들도 남녀니까."

"어이없어. 그런 로맨틱한 거 아니거든? 준일 오빠 결혼할 때 남들 보기 좀 그렇다고 생각하나 봐. 한복 가게 갔대, 아침부터. 둘이 같이."

최설아의 모친은 유연이 이 집에 들어오는 날 집을 나갔다. 그래서인지 최설아는 어려서 자신 때문에 엄마가 나갔다며 말도 안 되는 억지를 부렸다. 그래서일까? 모친에 대한 감정이 썩 좋지 않은 최설아는 부모님의 재결합도 내키지 않는 눈치였다.

그녀는 혹시나 하는 마음에 깨작거리는 설아에게 물었다.

"혹시 회장님께 뭐 들은 거 있어?"

"뭐? 재결합하는 거 말고?"

"응, 뭐…… 향후, 가족의 미래라든가 그런 거."

"아니? 그런 거 없는데……? 야, 너 또 이상한 얘기 하려는 거 아니야?"

"됐어. 그냥 해 본 말이야."

유연은 추궁하는 최설아를 무시한 채 국을 비우곤 자리에서 일어났다. 때마침 숙취 해소제를 사 온 송재익이 수더분하게 웃으며 그녀에게도 한 병 내민다. 유연은 고맙게 받아들고 다시 방으로 내려갔다. 뭔가 본격적으로 움직이기 시작했단 느낌이 든다.

송재익이 사 온 약을 꿀꺽꿀꺽 마신 뒤 소화도 시키지 않고 침대에 누웠다. 쉴 수 있을 때 쉬어야 한다. 속은 좋지 않았지만, 절로 눈이 감겼다. 최씨 집안 무수리로 사는 것은, 정말이지 보통 일이 아니란 걸 시간이 갈수록 깨닫고 있었다.

그날 이후, 유연은 평범하고 바쁜 격무의 나날을 보냈다.

세자와 공원에서 우연히 만났던 일은 정말로 현실감이 없었고, 언론에선 일본으로 떠난 이건에 대한 뉴스를 내보냈다. 약탈 문화재 환수의 목적으로 떠난 거지만, 기실 귀빈으로서 일본 외무성에서 초대했다는 표현이 더욱 정확하다. 게다가 최준일도 그날 이후 독일 출장을 떠났다. 원래대로라면 회장의 지시에 따라 출장길에 동행해야 했지만, 이번엔 달랐다.

"과장님, 홍보실에서 저희 사진 나왔대요. 그날이에요. 최설아 씨 연주회 날."

여유롭게 전략기획팀에서 올라오는 보고서들을 순차적으로 구분해 정리하던 때, 같은 부서 윤 대리가 쪼르르 오더니 사내 게시판에 올라온 그날의 사진을 보여 주었다. 막 메일함을 열었던 유연은 도깨비 로고가 찍힌 메일을 클릭하려다가 말고 창을 닫았다.

"여기, 여기. 이거 때문에 난리 났잖아요. 와, 세자 저하가 올 줄 누가 알았겠어요? 우리 회장님 인맥이 그렇게 좋았나?"

"왕세자? 어디?"

"여기요. 그것도 보셨어요? 우리 세자 저하 얼굴 세계에서 먹힌 거. 이번에 영국 가○언즈에서도 그렇고 포○스랑 뉴욕 ○임스에서도 표지 3관왕 하셨어요. 크흡, 국뽕이 차오르는 얼굴! 뿌듯합니다. 어우, 뿌듯해요."

유난스러운 윤 대리의 너스레에 점심시간을 맞아 일어나던 직원들이 너도나도 다가와 사진 구경을 했다. 누군가는 얼굴이 일그러졌다며 울상을 지었고, 누구는 다이어트를 해야겠다며 심기일전했다.

비서실 식구들과 함께 직원식당으로 내려간 유연은 고기로 꽉 찬 식판을 받아들곤 대형 스크린이 가장 잘 보이는 앞에 앉았다.

'매콤한 고기, 고소한 고기, 달콤한 고기.'

다이어트와는 담쌓은 그녀의 식판에 다들 부럽다는 듯 한숨을 푹푹 내쉬었다. 하지만 많이 움직이고 뛰어다니기 위해선 꼭 필요한 열량이었다.

소복하게 쌓은 흰 쌀밥을 젓가락으로 집어 들 때였다. 모 가수의 뮤직비디오 영상이 재생되던 스크린 화면이 꺼지더니, 갑작스럽게 뉴스 화면으로 전환되었다. 그에 다들 어리둥절한 표정으로 스크린을 바라본다.

와중에도 유연은 열심히 고기반찬을 입에 넣느라 바쁘기만 했다.

"어……? 어?"

얼굴이 빨개진 윤 대리가 가리킨 스크린엔, 비서실에서 들었던 3관왕 표지가 차례로 보이며 왕세자에 대한 과도한 설명이 첨언되고 있었다. 그리고 현재, 일본에서 막 귀국길에 오른 이건의 영상으로 이어지더니 화면에 생방송 표시가 뜬다. 해외에 체류 중이던 기자들이 그에게로 몰려가는 상황이 실시간으로 방송되었다.

[세자 저하! 정말로, 간택을 하신다는 게 사실입니까?]

[경복궁에서도 승인된 일입니까?]

[조선 시대 이후, 간택제는 처음 열리는 겁니다. 설명을 해 주시죠. 처녀단자는 누구누구에게 보내시는 겁니까? 재계입니까, 정계입니까? 아니면 일반인입니까?]

웅성거리는 소리가 들불처럼 번져 그녀의 귀에 꽂혔다.

유연은 젓가락이 떨어지는 것도 모른 채 스크린 속 이건의 얼굴을 멍하니 바라보았다. 기자의 질문에 근사한 미소로 화답한 그가 카메라를 똑바로 응시하며 한쪽 입꼬리를 비스듬히 올린다.

그날, 그 밤. 바로 코앞에서 보았던 그 숨 막히는 미소. 유연은 입을 꾹 다문 채 귀를 쫑긋 세웠다.

[그 부분은 왕실 기밀 사안이기에 말씀드릴 수는 없습니다. 하지만 본인은 알고 있을 겁니다.]

이건은 생각에 잠긴 듯 미간을 가볍게 찌푸린 뒤, 산뜻한 표정으로 말을 이었다.

[아마 지금쯤 도착했겠네요, 처녀단자가.]

처녀단자라고? 간택을 한다니? 그래서 능력이 없는 최설아에게도 기회가 주어진다는 것인가?

유연은 식사를 하는 둥 마는 둥 서둘러 허기만 채운 뒤 비서실로 돌아왔다. 분명 신경 쓰이는 메일이 도착했었다. 얼핏 도깨비 문양으로 잠겨 있어 나중에 확인해야겠다고 생각한 것이었다.

혹시, 그것이 최설아의 앞으로 온 처녀단자일까? 아직 최 회장을 돕겠단 뜻만 전했을 뿐, 자세한 설명은 듣지 못한 상태라 그녀는 머릿속이 복잡해졌다.

대기 상태인 컴퓨터를 깨워 메일함을 연 유연은 그사이 도착한 몇 개의 메일 중 〈대한민국왕실.com〉에서 온 메일을 열었다. 그 안에는 왕실에서만 사용하는 경복궁 모양의 파일이 두 건 들어 있었다.

유연은 파일 두 개를 동시에 열었다.

「최설아 귀하, 처녀단자를 보냅니다. 비밀번호는 생년월일 6자리입니다. 거짓 없이 작성하신 뒤, 자선당@대한민국왕실.com으로 발송 부탁드립니다.」

「조유연 귀하, 처녀단자를 보냅니다. 비밀번호는 생년월일 6자리입니다. 거짓 없이 작성하신 뒤, 자선당@대한민국왕실.com으로 발송 부탁드립니다.」

자신의 이름을 발견한 그녀는 순간, 눈을 의심했다. 최설아의 이름이 처녀단자에 들어 있는 건 예상했던 일이었다. 하나, 자신은 아니었다. 혹 또래의 미혼 여성들에게 모두 전송되는 건 아닌지 은근슬쩍 비서실 식구들의 표정을 살폈다. 하지만 조금 전 속보로 뜬 세자의 간택 이야기에 정신이 팔려 있을 뿐, 누구도 처녀단자를 받았다는 말은 하지 않았다.

불현듯 요 며칠 유난히 왕세자와 자주 얽혔던 일들이 떠올랐다. 혹시 그때의 일로 왕실이 제게 관심을 갖게 된 건 아닐까?

유연은 혹시라도 누가 볼세라 파일을 닫은 뒤, 서류철을 챙겨 자리에서 일어났다.

"저, 회장님 좀 뵙고 올게요."

"회장님은 왜요?"

"보고 누락된 게 있어서요. 커피는 나 빼고 마셔도 돼요."

"과장님 거 내려놓을게요. 다녀오세요."

그녀는 창백한 낯으로 비서실을 나와 곧장 회장실로 향했다. 비서 중 실장을 거치지 않고 다이렉트로 회장을 만날 수 있는 유일한 사람이 그녀였다. 그래서 회장실 문을 노크할 때까지, 누구도 그녀를 불러 세우지 않았다.

똑똑.

"들어와."

안쪽에서 허락이 떨어지자마자 유연은 묵직한 문을 활짝 열었다. 식사를 마치고 임원들 몇몇과 차를 마시던 최 회장이 기다렸다는 듯 유연을 맞았다. 그녀는 급히 임원들에게 허리를 숙였다.

"안녕하십니까."

"오늘 뉴스 때문에 세간이 떠들썩해. 조 과장, 혹…… 도착했나? 설아의 처녀단자."

최 회장의 거들먹거리는 태도에 함께 있던 임원들의 눈빛이 바뀌었다. 유연은 당황한 표정을 숨기며 대답했다.

"예, 도착했습니다."

그녀가 고개를 끄덕이자, 대답을 기다렸던 임원들이 너도나도 자리에서 일어나 회장에게 악수를 청한다.

"오오! 회장님! 축하드립니다."

"떡잎부터 다르더니, 결국 세자빈이 되는군요!"

"집안에 경사가 났습니다, 회장님. 우리 서화제약도 이제 왕실의 덕 좀 톡톡히 보나요? 허허, 회사에도 경사 아닙니까?"

회장은 껄껄 웃으며 임원들의 축하를 받았다. 마치 세자빈에 책봉된 것처럼 기뻐하는 모습에, 유연은 차마 말을 덧붙이지 못하고 석상처럼 서 있었다.

"자자, 내 우리 조 과장과 자세한 얘기를 나눠야 하니 다들 자리를 좀 피해 주시게."

"회장님, 진심으로 축하드립니다. 저희는 서화에 뼈를 묻을 거 아시지요?"

"그럼, 그럼. 서화는 우리가 일군 회사이잖은가."

"아이고, 그렇게 말씀해 주시니 가슴이 막, 뜁니다. 두근두근."

이런 분위기에 처녀단자가 두 개 도착했단 말을 도저히 할 수 없었다.

유연은 임원들이 모두 나갈 때까지 한쪽 구석에 서 있었다. 축언에 축언을 이어 나가던 임원들이 모두 빠져나가고, 상기된 표정의 최 회장이 맞은편 소파를 가리킨다.

"앉아. 자, 그래. 뭐라고 왔니."

유연은 파일철을 무릎에 얹으며 소파에 앉았다.

"특별한 건 없었습니다. 최설아 님 앞으로 처녀단자를 보내니, 거짓 없이 작성해 발송하라는 말뿐이었습니다."

"흠…… 아까 속보 나온 거, 너도 봤지?"

"네."

"세자가 간택제를 연다더라. 세자빈 후보를 정했다고 발표할 줄 알았더니, 뒤통수를 쳤어."

최 회장은 언제 그랬냐는 듯 분한 표정으로 무릎을 톡톡 두드렸다.

"간택제가 열리면, 설아가 세자빈이 되지 못하는 건가요?"

"아무래도 경쟁자가 생기겠지. 세자가 고른 후보들을 직접 보고, 시험한 뒤 뽑겠다는 거야. 그것도 한 달간 궁에 머물면서."

유연은 마른침을 삼키며 애써 담담하게 되물었다.

"거부권은 없습니까?"

"거부권이야 당연히 있지. 민주주의 사회에. 그런데 누가, 세자빈 자리를 마다하겠어."

"아…… 그래도 있겠죠. 마다하는 사람."

생각에 잠긴 듯 테이블 끄트머리를 노려보던 최우식이 불쑥 시선을 움직여 그녀를 본다. 눈이 마주친 순간, 저도 모르게 손에 힘을 주었다.

"간택제는 구실인 것 같다, 연아."

"구실이요?"

"사람들을 납득시킬 구실. 어차피 세자빈은 아무나 되지 못해. 하지만 그 조건을 사람들은 모르지. 그 무수한 궁금증을 채워 주기 위한 구실이 분명해."

명쾌한 답은 아니었지만, 묘하게 설득력이 있는 주장이었다. 게다가 거부권이 있다는 것만으로도 유연은 안심했다.

그렇다면, 남은 질문은 단 하나.

"회장님."

"응?"

"그럼, 이제 알려 주세요. 그 조건, 정확하게 뭔가요?"

두툼한 턱을 만지작거리던 최 회장이 유연의 눈동자를 빤히 쳐다보며 대수롭지 않게 대답한다.

"눈이다. 기이한 것을 보는 눈. 귀신 눈, 귀한 눈."

최 회장은 그녀의 미간을 꾹 눌렀다. 고개가 살짝 뒤로 밀린다. 말을 잇지 못하는 유연의 손등을 덮으며 최우식이 상체를 숙였다.

"네 아빠가 습관처럼 했던 말, 기억하니? 넌 왕실에 얽매이지 말고, 하고 싶은 일 하면서 살라고 했던 거."

"……네."

"3년만 고생해. 딱 3년이야. 3년만 설아의 옆에 있어 줘. 그럼, 그 이후론 다 너 원하는 대로 될 거야."

"혹시, 설아에게 거짓말을 시키실 겁니까?"

쯧, 하고 혀를 찬 회장은 '요즘 것들은.'이라며 중얼거렸다. 커다란 몸을 소파 깊숙하게 묻은 그가 유연의 시선을 피하며 고개를 몇 번 주억거렸다.

"왕세손만 낳으면, 그 능력이 사라졌다고 말할 셈이다. 왕비도 세자를 낳고 능력이 사라졌다잖냐. 그러니 빠르면 2년 안에도 너는 자유야. 회사 임원 자리 달라면, 하나 만들어줄 수도 있어. 어때, 남는 장사 아니냐. 넌 세자빈 자리에 관심이 없고, 네 아빠도 원하지 않았고. 우리 설아에겐 필요한 자리니, 서로 도울 수 있지 않냐는 말이지."

회장의 말마따나 유연은 세자빈 자리에 관심이 없었다. 아빠가 했던 말 때문이 아니라, 그녀가 한 번도 꿈꿔 본 적 없던 미래였기 때문이었다.

최설아와 이건. 이건과 최설아. 유연은 세자와 설아가 가례를 올리는 모습을 상상해 보았다.

"세자 저하는, 그러니까 경복궁은…… 쉽게 속지 않을 겁니다. 회장님이 하시려는 일은 범죄예요. 정말, 그래도 괜찮으시겠어요?"

숨을 참은 그녀는 회장의 대답을 기다렸다. 그러자 히죽 입꼬릴 올린 최 회장이 짐짓 다정한 어투로 말한다.

"연아, 부모는 말이다. 자식을 위해서라면 못 할 짓이 없어. 이게, 설아에겐 최선이야."

회장실을 나와 자리로 돌아온 그녀는 주위를 둘러본 뒤 메일함을 다시 열었다. 그러곤 설아의 처녀단자를 열어 안에 든 차트를 살폈다.

이름, 본적, 혈액형부터 평소 식습관 및 생활습관. 키와 몸무게, 시력을 비롯해 신발 사이즈까지 적어야 했다. 그리고 그것들을 하나씩 적어 내려갔다. 사주 일가의 정보는 그녀가 관리해왔기에, 이 정도 질문은 자료 없이도 작성할 수 있었다.

깔끔하게 증명사진까지 첨부해 답신한 유연은 제 앞으로 온 파일을 클릭한 뒤, 휴지통으로 옮겼다. 그러자 정말로 삭제하겠냐는 질문이 모니터에 뜬다.

'음…….'

잠시 생각에 잠겨 있던 그녀는 3초 뒤 달칵, 확인 버튼을 눌렀다. 삭제되었다는 메시지와 함께 화면에 남은 건 메일함 하단에 찍힌 왕실의 직인이었다. 세자, 이건의 이름이 새겨진.

이미 물은 엎질러졌고, 다시 담을 수 없다. 왕실을 상대로 거짓말을 해야 한다는 생각에, 솔직히 말하면 간이 작아졌다.

'그렇다고 세자빈이 되고 싶은 건 아니잖아.'

유연은 고개를 저어 머릿속을 꽉 채운 근심을 털어냈다.

거대한 상선이 드나들고, 크레인에 매달린 컨테이너들이 정해진 자리마다 차곡차곡 쌓였다.

신고를 받고 도착한 관세청 직원들과 경찰들은 밀수된 예술작품이 든 컨테이너를 찾는 데 혈안이 되어 있었다. 캄보디아의 국보나 다름없는 예술품들이 대량으로 밀수되었다는 제보가 들어왔기 때문이었다.

우혁은 바쁘게 돌아다니는 사람들을 일별하고는, 여유롭게 휴대 전화를 들여다보는 세자를 응시했다. 그러곤 흠흠, 헛기침하며 물었다.

"이미 현신했다는 보고가 들어왔습니다. 그런데 이러고 계셔도 괜찮으신 겁니까?"

그 말에 이건이 들여다보던 휴대 전화 화면을 우혁에게 내민다.

"네 눈에도 답장은 하나뿐인가?"

발신자는 서화제약 비서실 과장 조유연. 그리고 첨부된 파일의 숫자는 1이었다.

우혁은 제 눈이 잘못되지 않았음을 확신하며 고개를 끄덕였다.

"예, 한 건 맞습니다."

"답장할 생각이 없군."

"조유연 씨 말입니까?"

이건은 짜증스러운 표정으로 하늘을 올려다보았다. 그의 홍채가 서서히 금빛이 되어 간다.

'거절을 했다라…….'

건이 무심하게 손을 들자 어디선가 새 울음소리가 길게 들렸다. 그러고 얼마 뒤 깃털 전체가 붉은 새 한 마리가 포로롱 날아든다. 고작해야 참새보다 조금 큰, 사랑스러운 새였다.

노래하듯 아름답게 지저귀는 소리를 들은 우혁이 어리둥절한 표정으로 주변을 두리번거린다.

건은 작은 새의 머리통을 손가락으로 쓰다듬었다. 그러자 기분 좋은 듯 고개를 쭉 빼 건의 손에 머리를 비비던 새의 몸이 불붙은 종이처럼 타기 시작했다.

세자의 손끝에서 시작된 황금빛 일렁임이 새를 집어삼킨다. 불티가 허공으로 튀어 오른다. 어느덧 건의 손바닥에 남은 건 새의 깃털 색을 닮은 돌멩이였다.

"어? 영루가 나왔습니까?"

"꽤 오래 산 놈인가 보군. 가져."

그렇게 말하며 붉은 돌을 툭 튕기자, 받아 든 우혁의 표정이 밝아졌다.

"가뜩이나 요즘 두통이 심했는데, 베개 아래 넣고 자야겠습니다."

"그런 미신 믿지 말고 병원을 가. 진통제 먹어, 진통제."

"에이, 행운의 상징 아닙니까. 근데…… 이매는 뭐였습니까?"

"새."

"새요?"

"그래. 작은 새."

돌아선 건은 대기 중인 차량에 오르기 전, 잠시 멈추어 섰다.

"최설아를 궁으로 초대해. 오랜만에 수장고를 열지."

잔인하게 읊조린 그가 싱긋 웃으며 차에 오른다. 언제 그랬냐는 듯, 세자의 눈동자 색은 평소와 같은 검정으로 돌아와 있었다.

일주일 뒤. 처녀단자에 대한 답신이 도착했다.

「최설아 님 방문예약 완료. 7월 25일 오전 10시 30분 경복궁 내 미술관 예화.」

온통 하얀색의 가구로 꾸며진 최설아의 방. 이 정도면 강박증이 아닐까 싶을 만큼, 최설아는 흰색 가구에 집착했다.

"아빠는 미쳤어."

최설아의 중얼거림에 유연은 고개를 끄덕였다. 그러곤 설아의 귀에 보이지 않게 이어폰을 꽂아준 뒤, 소형 카메라가 달린 블라우스 단추도 한번 닦았다.

"근데, 너…… 진짜 귀신 보여? 그래서 가끔, 좀 이상하고 그랬나?"

대체 최 회장이 어떻게 설명했기에 애가 이렇게 겁에 질린 건지.

유연은 생긋 웃으며 자신의 마이크를 테스트했다.

"응, 보여. 혹시 오른쪽 어깨가 좀 결리지 않니?"

티 나는 농담에도 소스라치게 놀란 설아가 빽 소리를 질렀다.

"야!"

유연은 귀를 찌르는 소리에 이어폰을 빼며 경고했다.

"큰소리 금지. 듣는 사람 힘들어."

"그러게 누가 그런 거짓말을 하래? 귀신 없지? 거짓말이지? 없는 거 맞지?"

"최설아 씨, 나 귀신 보는 거 아닙니다. 예? 그림 보는 거예요. 그러니까 말조심 좀 하죠?"

"어후, 넌 존댓말 쓸 때가 제일 무서워. 하여튼 정말…… 나 세자빈 되는 거야?"

"그건 몰라. 정말, 세자빈 되고 싶어?"

유연의 질문에 블라우스 단추를 만지작거리던 최설아가 고개를 갸우뚱 기울인다.

"대한민국에서 제일 유명한 여자가 될 수 있잖아. 지금은 세자빈이어도, 나중엔 왕비야. 피아니스트보다 더 나은 거 아닌가?"

손의 상태를 모르는 건지, 알면서도 모른 척하는 건지. 최설아는 평소보다 조금 긴장한 걸 빼면, 똑같았다.

"우리, 왕실을 상대로 거짓말하는 거야. 난 좀 죄책감 들어. 넌 괜찮아?"

"애 낳으면 된다며. 그 귀신 보는 거, 없어지기도 한다며."

"너 되게…… 신기한 캐릭터였네?"

"내가 뭐?"

"피아노에 목숨 건 줄 알았는데. 그렇게 빨리 포기가 돼?"

"포기 안 하거든? 워킹맘 할 거야. 아아, 몰라. 빨리 나가자."

듣기 싫다는 듯 최설아는 양쪽 귀를 팡팡 때렸다.

준비를 마친 유연은 설아와 함께 집을 나섰다. 미리 대기 중이던 최 회장이 차려입은 설아를 보더니 양팔을 벌려 와락 끌어안는다.

"아이고, 우리 딸. 공주님이네, 공주님."

"어우, 아빠. 나 이제 서른이야."

"할머니가 돼도 아빠한텐 공주님이지. 잘 다녀와. 그리고 연이 말 잘 들어. 잘할 수 있지?"

최 회장의 유난에 얼굴을 빨갛게 붉힌 최설아가 짜증스럽게 품을 빠져나온다. 그러곤 유연의 팔을 잡아끌었다.

"빨리 가자. 나 세자 저하 가까이서 본 적 한 번도 없어. 너도 없지?"

"있어. 너 연주회 하던 날. 내가 안내해 드렸어."

유연은 최 회장에겐 인사조차 제대로 못 한 채, 반강제적으로 이끌려 운전석에 탔다. 그러자 뒷좌석에 탄 최설아가 운전석 헤드레스트를 끌어안으며 묻는다.

"정말? 네가 봐도 잘생겼어? 진짜 대박이야? 막, 후광이 반짝거려?"

"뭐…… 잘생기긴 했지."

차창 밖으로 눈이 마주친 최우식이 진중한 눈빛으로 고개를 끄덕인다. 지금 이 순간까지도 고민하는 건, 저 혼자뿐이라는 생각이 들었다. 설아는 그저 세자를 가까이서 볼 수 있다는 사실에 들떠 있었고, 최 회장은 딸을 학예회에 보내는 것처럼 굴었다.

"너 진짜 잘해, 조유연. 아빠한테 들었어. 너네 엄마 살려 주기로 했다며? 엄마 살리려면, 네가 나 책임지고 세자빈 만들어 줘. 알았지? 나 아빠한테 다 말한다? 응?"

룸미러를 통해 최설아의 얼굴을 노려본 유연은 코웃음 치며 시동을 걸었다. 그러곤 부러 가속페달을 확 밟았다.

타이어가 바닥을 짓친다. 급출발을 한 탓에 안전띠를 매지 않은 최설아가 뒤로 튕겼다. 찧은 머리가 아픈지 최설아가 빽 소리 질렀다.

"야! 운전 똑바로 못해? 조유연!"

"눈치껏 하면 돼. 분명 힘이 느껴지는 그림을 찾으라고 하겠지. 그것 말고는 없어."

경복궁에 가까워질수록 최설아는 말수가 줄어들고 물을 자주 마셨다. 그러더니 태연하게 운전하는 유연에게 물었다.

"넌…… 안 무서워? 그런 거 보면서 지금까지 어떻게 살았어?"

"그냥 살았어. 눈을 감고 살 수는 없잖아. 내 마음대로 되는 것도 아니고."

"좋겠다, 넌. 그런 눈 갖고 있어서. 그 눈, 필요한 건 난데."

유연은 잠시나마 제 귀를 의심했다. 설마, 좋겠다고 말한 거야?

"뭐?"

"왜, 맞잖아. 아빠가 네 말 잘 들으라더라. 원래는 네가 세자빈이 되었을 수도 있다고. 근데, 다행이야. 네가 그 자리에 관심 없어서."

얘는 정말 왜 이렇게 철이 없을까.

최설아가 철딱서니 없이 구는 건 모두 최 회장 때문이다. 유연은 욕지거리가 나오려는 걸 꾹 참으며 최 회장의 교육관을 탓했다. 이름 대신 공주님이라고 불러대며 품에 싸고도니, 서른을 코앞에 둔 나이에 아직도 저 모양 저 꼴이지.

"그래, 회장님 말씀대로 내 말 좀 잘 들어. 3년 동안 네 뒤치다꺼리를 해야 할 텐데, 수틀리면 중간에 다 까발리고 튀어 버리는 수가 있어."

튀어 버린단 말이 먹혔는지, 최설아는 눈만 흘길 뿐 입을 꾹 다물었다. 그래도 세자빈이 되고 싶다는 말은 진짜였나 보지?

종묘와 창경궁 사이 율곡로를 따라 달리다가, 경복궁 사거리에서 우측으로 꺾었다.

아직 최설아는 외부인이었고, 외부인은 당연히 외부 주차장에 차를 대야 했다. 왕실의 일원이나 대통령이 아닌 이상, 누구에게도 광화문은 열리지 않는다.

유연은 티 나게 긴장한 최설아를 흘깃 보며 주차장에 차를 세웠다. 세자가 간택을 시작했단 속보가 흘러나온 이후, 궁궐 근처엔 항상 기자들이 가득했다. 유연은 혹시라도 최설아를 알아보는 사람이 있을 수도 있다는 생각에 제법 멀리 차를 댄 뒤, 설아에게 경고했다.

"지금부턴 업무 모드입니다. 기자들이 많아요. 혹시라도 뭔가를 물어보려 하면, 아직은 아무것도 대답하지 마십시오."

"알았어."

"정말 아셨어요?"

"알았다고. 걱정 좀 그만해."

대답이 너무 시원시원해 오히려 걱정이 됐다. 하지만 최설아는 우려했던 것과 달리 당당하고 우아한 걸음으로 마중 나온 수행원에게 다가갔다. 마치 공연장에 들어서던 모습 같달까.

유연은 안심하며 최설아의 뒤를 따랐다. 그러자 멀리 건춘문 앞에서 있던 사람들이 최설아를 발견하곤 정중하게 인사한다. 유연은 그들의 재킷 깃에 달린 도깨비 얼굴 배지에 시선이 갔다.

"최설아 님. 궁에 오신 것을 환영합니다. 저희와 함께 예궐하시겠습니다."

왕립 미술관 예화는 경복궁 서북쪽 향원지와 맞닿은 곳에 있었다. 적당한 크기의 연못 위에 2층 규모로 세워진 누각, 향원정은 1870년 전후로 세워진 한국의 보물이다.

보물을 풍경으로 둔 이곳은 평범한 미술관이 아니었다. 사람들은 약탈당한 환수 문화재 및 왕실에서 인정한 작품들을 전시하는 곳이라 알고 있었지만, 유연은 입구에서부터 느껴지는 싸늘한 기운에 그림 도깨비들의 무덤에 초대되었다는 것을 알게 되었다. 경복궁 내 유일한 현대적 건물.

한 걸음 내딛는 것조차 힘든 그녀와 달리, 최설아는 생글생글 웃으며 수행원을 따라 미술관 안으로 들어갔다.

유연은 최대한 멀리 떨어져 숨을 고르며 주위를 둘러보았다. 마음은 최설아를 따라 들어가야 한다고 하지만, 걸음이 쉽게 떼어지지 않았다. 본능이 경고했다. 저 안에 들어가면, 원하지 않아도 무서운 것들을 보게 될 거라고.

"관람 오셨어요?"

머뭇거리던 그녀는 제게 질문하는 목소리에 돌아섰다. 말을 건 사람은 20대 중반으로 보이는 남자였다. 시원한 이목구비에 고개를 치켜떠야 할 만큼 키도 큰. 그리고 묘하게 낯설지 않은 남자를 경계하며 그녀는 까딱 눈인사를 했다.

"네. 그쪽도 관람 오셨나 봐요. 좋은 관람 되세요."

"좋은 관람을 하기엔 여기 너무 냄새가 안 좋아요. 저는 속이 메스꺼워서, 들어가야 할지 고민 중이에요. 아, 제가 좀 예민해서요."

제가 기운에 예민하듯, 저 사람은 후각이 예민한 걸까? 하지만 처음 보는 사람과 대화를 할 만큼 낯이 두꺼운 편이 아니었기에, 유연은 난감한 기분이 들었다.

"그럼, 뭐…… 다른 곳이라도."

시간을 너무 지체한 듯해 어색하게 웃어 보인 그녀가 미술관 입구로 걸음을 옮길 때였다. 조금 전 말을 건 남자가 불쑥 그녀의 팔을 잡아챘다.

"들어가지 마요. 그쪽한테도 많이 안 좋을 텐데."

유연은 난처한 얼굴로 남자에게 잡힌 팔을 노려보았다.

"무례하십니다."

"아, 이거요?"

유연이 눈썹을 꿈틀하자, 남자가 손을 쫙 편다. 낯선 여자의 팔을 함부로 잡아 놓고도 남자는 여전히 여유로운 표정이었다.

"미안해요, 나 막 들이대는 놈 아닌데 그쪽이 너무 위험해 보이잖아요."

이상한 사람. 마치 저 안에 무엇이 있는지 아는 것 같은 태도에 한시라도 빨리 남자와 멀어지고 싶었다.

유연은 고개만 살짝 까딱인 뒤, 잡혔던 팔을 쓰다듬으며 걸음을 내디뎠다. 이상한 남자 때문에 시간을 잡아먹어 버렸다. 하지만 미술관 안으로 들어간 그녀는 차마 한 걸음도 내딛지 못했다.

'사방이…….'

사방이 그림 도깨비다. 하얀 휘장에 덮인 채 벽에 기대어져 있는 것들은 모두 도깨비 그림이었다.

창백하게 질린 유연을 발견한 설아가 빨리 오라며 눈빛을 보냈지만, 메스꺼움이 치밀어 버린 그녀는 주춤주춤 물러났다.

그에 놀란 설아가 입술을 달싹인다. 그 모습을 보고도, 유연은 가까이에 있는 화장실로 뛰었다. 그러며 준비한 마이크를 통해 설아에게 말했다.

“일단, 못 하겠다고 해요. 너무 많다고. 힘들다고. 할 수 있죠?”

흠칫 놀라는 기척이 넘어왔지만, 유연은 구역질을 참지 못하고 이어 마이크를 빼 버렸다.

오늘 세자가 최설아를 시험할 거라는 건 예상한 일이었다. 그래서 만반의 준비를 마쳤다. 보호를 핑계로 마이크와 카메라를 설치했고, 적당히 그림 도깨비가 든 그림을 골라 주면 될 거라고 믿었다.

왕실은 그런 자신의 허를 제대로 찔렀다. 애초에 도깨비가 든 그림을 고르냐 마느냐는 중요하지 않았다. 눈을 갖고 있느냐, 갖고 있지 않으냐. 거짓말이냐, 아니냐. 중요한 건, 그것뿐이었다.

“읍……!”

변기를 붙든 유연은 힘겨운 와중, 입구에서 자신을 붙들었던 남자를 떠올렸다.

그 남자는 누구였을까? 누군데 내가 힘들어할 거라는 걸 알고 있었을까.

유연은 소름이 돋은 팔을 문질렀다.

이 궁은, 아니…… 세자는 미쳤다.

“너무 힘들어요!”

조금 전까지만 해도 멀쩡했던 여자가 갑자기 배를 붙들더니 주저앉는다. 그에 수행부 직원들과 막, 본부에서 내려온 우혁은 황당함을 금치 못했다.

“괜찮으십니까?”

안경을 고쳐 쓰며 우혁이 다가가 최설아를 부축했다. 입을 가린 채 눈물까지 그렁그렁한 여자가 고개를 마구 젓는다.

“속이, 너무 안 좋아요. 여기 너무…… 무서워요.”

“아…… 네.”

이를 어쩐다. 이제 곧 세자가 도착할 것이다.

시험은 최설아가 건춘문을 넘었을 때부터 시작되었다. 수행부와 함께 동궁전을 지나 예화까지 오는 동안 최설아가 보인 행동이나 걸음걸이, 궐을 대하는 태도 등을 최고상궁 마마를 주축으로 한 궁인부가 점수를 매겼다. 그런데 지금까지 제법 잘해 오던 최설아의 갑작스러운 변화에 다들 묘한 눈빛을 나누었다.

“세자 저하께옵서 오십니다.”

누군가의 언질에, 최설아는 힘겨워하던 척도 잊은 채 벌떡 일어나 직원들이 일렬로 늘어선 서쪽 복도를 응시했다. 모든 사람들의 시선이 향한 복도 끝, 비서의 귓속말을 들으며 성큼성큼 걸어들어오는 이건의 존재감은 숨 막히게 거대했다.

‘맙소사.’

입을 틀어막은 설아의 눈이 빛난다. 우혁은 그런 최설아가 바로 설 수 있도록 부축했다.

미술관 매니저의 보고를 듣던 이건이 천천히 고개를 든다. 최설아를 발견한 그가 부드럽게 미소 지으며 그녀에게 다가왔다. 이미 최설아의 양 뺨은 홍옥처럼 붉어지다 못해 타들어 갈 것처럼 달아올랐다.

이건은 최설아의 주변을 가볍게 훑곤, 오른손을 내밀었다.

"반갑습니다, 최설아 씨. 이건입니다."

입술을 달싹이던 설아는 세자가 내민 손을 양손으로 덥석 잡았다.

"최…… 설아입니다. 세자 저하."

설아는 심장이 콩닥거려 말을 더듬었다. 이런 적은 처음이었다. 처음 피아노 콩쿠르 무대에 올랐을 때에도 이렇게 떨렸던 적은 없었다.

"그런데…… 못 하시겠다고요."

"네?"

"힘들다고 하셨다던데."

"아!"

유연의 지시가 생각난 설아는 급히 구역질이 치미는 척을 했다. 지금까진 흥미 본위의 연기였다면, 지금부터는 메소드 연기를 해낼 테다.

"저하 얼굴을 보니 좀 괜찮아졌는데, 확실히 힘들긴 해요. 음, 이상한 것들이 너무 많아요. 눈 둘 곳을 찾을 수가 없어요."

설아는 절실하게 말하며 세자의 팔을 잡았다. 그러자 엄한 얼굴로 다가온 우혁이 설아의 손을 떼어 냈다.

"죄송합니다만, 과한 접촉은 삼가십시오."

다른 의미로 얼굴을 붉힌 설아가 눈치를 보더니 우물쭈물 떨어진다.

"너무 그러지 마, 이 실장. 처녀단자를 받으신 분이니, 예우해 드려."

"예, 저하."

목소리나 품위까지, 이건은 완벽하게 최설아의 이상형이었다. 고귀한 핏줄, 대한민국에서 가장 유명한 데다가 아름답고 근사하기까지 하다니. 설아는 어째서 아버지가 기를 쓰고 자신을 세자빈으로 만들려 하는지 이해할 것 같았다.

이 남자는 완벽하다.

이성을 찾은 설아는 흘러내린 머리카락을 귓바퀴에 걸어 넘기며 예쁘게 입꼬릴 올렸다.

"늦었지만, 초대해 주셔서 감사합니다."

"그럼, 이곳이 힘드시다면 수정전에 가는 건 더 무리일 테고……. 잠시 숨을 돌리죠. 경회루로 이동하실까요."

"경회루요?"

"차 한잔하기 좋은 곳입니다. 걷기도 좋고."

설아는 고개를 열심히 끄덕이며, 이건의 옆에서 열심히 걸었다. 20명이 넘는 인원이 세자의 뒤를 따른다. 최설아는 제 뒤를 따라 걷는 사람들의 기척에 가슴이 벅찼다. 하지만 그대로 미술관을 빠져나갈 줄 알았던 세자가 멈춘 곳은 화장실 앞이었다.

시간을 확인하며 한쪽 눈썹을 비스듬히 올린 세자는 정면을 노려보며 아무런 말도 하지 않았다. 신기하게 누구도 세자를 재촉하거나 멈춰선 이유를 묻지 않았다.

이게 바로 경복궁의 절대 권력을 가진 남자의 힘인가? 가슴을 편 채 주위를 흘끔대던 설아는 여자 화장실에서 들려오는 물소리에 살짝 좋지 않은 예감이 들었다.

30초 정도 지났을까? 여자의 가벼운 구두 굽 소리가 가까워지고, 세자의 고개는 그제야 화장실 입구로 움직였다.

'하, 뭐야……?'

화장실에서 걸어 나온 사람은 조유연이었다. 막 이어 마이크를 귀에 꽂은 유연이 자신을 기다리는 세자를 보더니 굳은 얼굴을 한다. 그러다가 다급히 고개를 숙여 예를 갖췄다.

“안녕하십니까, 세자 저하.”

“속이 많이 안 좋으셨나 봅니다, 조유연 씨.”

“죄송합니다.”

“죄송할 것까지야. 조유연 씨까지 합류하셨으니, 다들 이동하지.”

여전히 창백한 낯빛의 유연은 고개를 숙인 채 설아의 옆에 섰다. 그 모습을 가만히 응시하던 이건이 피식 코웃음을 친다. 그러더니 보일 듯 말 듯하게 입꼬릴 비스듬히 올리곤, 걸음을 내디뎠다.

최설아는 세자가 보인 변화를 예리하게 읽어냈다. 제 앞에선 한 치 흐트러짐 없이 완벽하고 다정했던 얼굴이, 잠시나마 변했다.

‘뭐야…… 조유연.’

어금니를 눌러 문 설아는 더욱 빠른 걸음으로 세자의 곁에 붙어 섰다. 하지만 세자의 걸음과 보폭은 조유연에게 맞춰져 있었다.

사소한 매너였지만, 설아는 불같은 질투를 느꼈다. 주먹을 말아 쥔 그녀의 입술이 파르르 떨린다. 고약한 기분이었다.

이숙은 강녕전 앞을 지나는 세자 일행을 발견하곤 장기 말을 내려놓았다. 그러자 맞은편에 앉아 맞수를 두던 차 내관이 지그시 미소 지으며 양손을 모았다.

“세자 저하의 손님들이라고 합니다, 처녀단자를 받으신.”

“오, 그런가. 간택을 하니 마니 속 썩이더니, 결국 보냈나 보구나.

그런데…… 둘 중 누구에게 보냈는가? 누가 최 회장의 딸이지?"

"그게, 두 분 다 처녀단자의 주인이십니다. 한 분은 최우식 회장의 따님이신 최설아 씨고, 한 분은 서화제약 소속 조유연 씨입니다. 저 분은 처녀단자에 대한 답을 보내오지 않으신 걸로 알고 있습니다."

"허, 그래? 두 개를 보냈다더니, 저 아가씨에게 갔구나."

이숙은 호기심 어린 눈빛으로 일행을 관찰했다. 하얀 원피스를 곱게 차려입은 여인은 누가 보아도 퍽 사랑스럽고 어여쁜 함박꽃을 닮았다. 세자에게 계속해 말을 걸고, 부끄러운 듯 입가를 가리며 웃는다. 누가 보아도 세자에게 푹 빠진 모습이었다. 반면 단정한 비즈니스 정장을 입은 여인은 뒤돌아보는 일 없이 꼿꼿하게 걸음을 내디뎠다.

어여쁜 자태를 가진 꽃 같은 여인에게 눈이 가야 정상이건만, 이숙은 아주 오래도록 유연을 바라보았다. 묘하게 낯설지 않은 얼굴이다.

'어디서 보았더라…….'

둘 다 미인이었지만, 분위기는 물과 불처럼 달랐다.

조유연이라…….

"장입니다, 전하."

차 내관의 말에 화들짝 놀란 이숙은 서둘러 장기판으로 관심을 돌렸다.

"치사하오. 내 딴청 부리던 사이."

"어서, 맞수 하시지요."

"쯧쯧, 그런데 차 내관."

"예."

"조유연이라는 아가씨 말이오. 귀안을 가졌다고 하던가?"

이숙의 눈빛이 첨예하게 가라앉는다. 차 내관은 애석하다는 듯 고개를 조아렸다.

"그것까지는 모르옵니다. 동궁전으로 사람을 보내 알아보겠습니다."

"그대는 귀안을 가진 여인이 둘이 될 수 있다고 믿는가."

"불가능하진 않을 것 같습니다. 하지만 차이는 분명히 존재하겠지요. 대비마마께옵서 그러하셨던 것처럼 말입니다."

이숙은 천천히 고개를 끄덕였다. 언제나 예외란 존재한다. 게다가 왕가의 비밀 또한 모든 것이 밝혀지진 않았다. 그저 실록에 적힌 기록을 토대로 더 높은 가능성에 무게를 둘 뿐. 귀한 눈을 가진 여인이 정말로 한 명이 아닐 수도 있었다.

"일단은 지켜보시는 게 어떻습니까. 세자 저하를 믿어 보시지요."

"물론, 믿네. 하지만 이제 궁도 변화를 맞을 때가 되었어. 이제 궁은 저 홀로 살아남는 무소불위의 권력을 가진 곳이 아니란 소리야."

"전하."

"왜, 약해진 것 같은가. 아닐세. 난 그 어느 때보다도 경복궁의 위상을 높이 세울 생각이야. 내 대에 싹을 틔워, 건이에게 만개한 궁을 물려줄 걸세."

다시금 미소를 되찾은 이숙이 장기 말을 들며 싱긋 웃었다.

"허허, 나도 장일세! 반격해 보시게나."

생과방 나인들이 준비했다는 다과상엔 색색의 다식과 약과, 고급스럽게 빚어낸 떡을 비롯해 서양식 디저트를 닮은 양갱까지 다양한

간식들이 준비되어 있었다.

정확하게 꼬집자면, 궁에 초대된 사람은 최설아다. 하지만 유연은 3명분의 식기가 놓인 테이블을 보며 경회루로 향하는 내내 느꼈던 위화감의 정체를 짐작했다. 그래서 더 이상 나아가지 않고, 이우혁 실장의 옆에 섰다. 그러자 우혁이 미간을 굳히며 한 걸음 떨어진다.

"조유연 씨."

자신을 부르는 세자의 목소리에 고개를 들자, 의자를 빼낸 그가 고갯짓을 했다.

"앉으시죠."

"저, 말씀이십니까?"

"예, 여기 조유연 씨 말고 앉을 사람이 또 있습니까?"

"저는 초대된 손님이 아닙니다."

"그래도 앉아요. 차 한잔하는 게 어렵습니까?"

강권하는 말투는 아니었으나, 더 이상의 거절도 불가능했다. 어쩌면 지난번 대리운전기사로 착각한 것에 대한 복수일지도.

모두의 시선이 제게 향해 있음에 머쓱해진 그녀는 고개를 살짝 숙이곤 그가 기다리는 자리로 갔다.

"오늘따라 낯빛이 안 좋아 보이네요."

모두 다 세자 저하 당신 때문이라고 말하고 싶었지만, 유연은 생긋 웃으며 한쪽 뺨을 감쌌다.

"심려를 끼쳐 죄송합니다."

"죄송할 건 따로 있는데."

의자 등받이를 움켜쥔 세자의 얼굴에 찰나 간 차가운 미소가 맺힌다.

"왜, 처녀단자를 받아 놓고 답신하지 않는 겁니까?"

유연은 자신의 귀를 의심했다. 최설아의 눈이 커다래지는 걸 보자 등을 타고 식은땀이 흐르는 기분이다. 아무도 제가 처녀단자를 받았단 것을 모른다. 하물며 최 회장에게조차도 말하지 않은 사실이었다.

"오해가 있으셨던 것 같습니다. 저는 자격이 없습니다."

"그건 조유연 씨 생각이고."

"하지만 저하. 저는……."

"그래서 폐기했습니까?"

"……죄송합니다."

"그럼, 어떤 이유로 자격이 없다고 생각했지?"

바로 머리 위에서 들렸던 나직한 음성이 멀어진다. 유연은 말실수를 했다는 걸 자각했다. 자격에 관한 소린 하지 말걸, 모른 척할걸.

"모르겠습니다."

"최설아 씨?"

세자는 자리에 앉으며 최설아를 향해 다정한 어투로 불렀다.

"네?"

유연을 노려보고 있던 설아는 급히 표정을 바꾸었다.

"하나만 묻죠. 본인은 세자빈의 자격을 갖추었다고 생각합니까?"

세 사람의 앞에 예쁜 색의 오미자차가 놓인다. 이건의 얼굴에서 눈을 떼지 못하며, 설아가 대답했다.

"네."

망설임 따윈 없는 당당한 대답에 건은 고개를 주억이며 피식 웃었다. 남자의 긴 손가락에 찻잔의 손잡이가 부드럽게 걸렸다.

"보인단 말이지……."

뇌까리듯 읊조린 세자의 말에 쐐기를 박으려는 듯, 최설아는 자신만만한 표정으로 오미자차를 한 모금 삼키며 말했다.

"네, 보여요. 저하가 원하는 거, 제 눈에 보인다고요. 그러니까 우리 유연이, 그만 몰아붙이세요. 걘는 아니니까."

딴에는 분위기 반전을 꾀했겠지만, 유연은 최설아의 입을 막고 싶었다. 그냥 아무 말도 하지 말라고. 차라리 아까처럼 예쁘게 웃기만 하라고.

찻잔과 그 아래 받침을 내려다보는 유연의 눈빛이 흔들렸다.

"그렇군요."

한 모금도 마시지 않은 잔을 내려놓은 세자가 자리에서 일어난다. 무얼 생각하는지 두 눈을 가늘게 뜬 채, 특유의 서늘한 미소를 지으며 유연에게 다가왔다. 그녀가 앉은 의자 모서리를 움켜쥔 그는 상체를 기울이며 그녀 앞에 놓인 찻잔을 커다란 손으로 덮었다.

"실례가 많았습니다. 제가 찾는 누구와 닮은 것 같아서, 조유연 씨를 곤란하게 했네요. 언짢으셨습니까?"

"아뇨. 괜찮습니다……."

순간 푸른 불꽃이 손아귀 안에서 일렁이다 사라진다. 유연은 그의 손에서 시선을 떼지 못한 채 땀이 배어 나온 주먹을 말아 쥐었다.

"차에 벌레가 들어갔더군요. 바꿔드리세요."

이건은 자연스럽게 찻잔을 받침 째 들어 생과방 나인에게 건넸다. 유연은 기가 차 아무런 대꾸도, 반응도 보일 수 없었다. 조금 전까지만 해도 검은 연기가 지렁이처럼 꼬물거리던 찻잔 받침엔 그 어떤 흔적도 남아 있지 않았다. 이것이, 제가 모르던 세자 이건의 힘이었다.

"저하."

그때였다. 경회루 누각 위로 올라온 누군가 세자에게 다가오더니 귓속말을 한다. 심각한 표정을 보니 중요한 일이 생긴 듯 보였다.

이건의 차가워진 시선이 낙양각 너머를 향한다. 가까이에 있던 그녀도 이건의 시선을 따라 고개를 틀었다. 낙양각 너머, 경호원들이 지키는 돌다리 앞에 한 남자가 서 있었다.

그 남자다. 미술관 앞에서 자신을 붙들었던 이상한 사람. 남자는 이건을 발견하곤 부드럽게 웃으며 깍듯하게 예를 갖추었다. 그에 세자의 눈매가 가늘게 접힌다.

"죄송합니다만, 오늘 저는 여기까지 하죠. 최설아 씨께는 따로 연락드리겠습니다. 그리고 한 가지 더."

유연이 앉은 의자 모서리를 톡톡 두드리던 그가 테이블을 짚으며 상체를 숙인다.

순식간에 가까워진 거리.

"조유연 씨, 혹시 나 모릅니까?"

이 얼마나 바보 같은 질문인가. 유연은 그의 방향으로 고개를 돌렸다가 닿을 듯 가까운 얼굴에 놀라 다시 정면을 보았다.

"당연히 압니다."

"나 언제 처음 봤습니까?"

"TV 뉴스에서 처음 봤습니다."

"실물은?"

"실물은…… 파주, 연구소에서 처음 뵀습니다."

"정말입니까?"

"네."

의자 모서리를 톡톡 두드리는 소리에 맞춰 심장이 뛴다. 혹시, 파주에서의 만남이 처음이 아니었던 걸까?

불현듯 그런 생각이 들었다. 그렇지 않다면, 세자의 관심이 설명되지 않았다. 이 남자는 자신을 통해 무언가를 알고 싶어 한다.

지끈한 두통이 밀려든다. 또다. 지난번 느꼈던, 투명한 막이 씌워진 듯한 감각은.

"어쨌든, 잘 알았습니다. 그런데 말이죠……."

나직하게 읊조린 음성이 귓가에 흩어진다. 속삭이는 듯한 목소리가 그대로 이어졌다.

"난 조유연 씨한테 관심 있는데. 그쪽이 궁금합니다. 최설아 씨보다 훨씬 더, 많이."

도자기 재질의 포크로 말랑말랑한 꿀떡을 콕 찍은 설아는 분한 표정으로 유연을 노려보았다.

"네가 해, 세자빈."

짜증이 잔뜩 섞인 말에 생각에 잠겨 있던 그녀가 고개를 들었다. 꿀떡을 입에 넣고 오물거리는 양 볼이 햄스터처럼 부푼다. 제법 귀여웠지만, 저 입에서 나오는 말은 조금도 귀엽지 않았다.

"무슨 소리예요, 그게."

"왜 말 안 했어. 너도 처녀단자인지 뭔지 받았다고."

"삭제했습니다. 받자마자."

"헐, 그걸 나더러 믿으라고?"

"믿든 말든 마음대로 해요. 골치 아프니까."

골치 아프단 말은 진심이었다. 어쩐지 오늘 초대받은 건 최설아였지만, 시험을 치른 건 자신 같았다.

관심이 있다고? 그래, 관심은 있겠지. 하지만 그 관심이 단순한 호기심인지는 알 수 없다.

"됐고. 잘난 네가 세자빈 해, 그럼. 그럼 되겠네! 너 일부러 나 도와준다고 한 거 아니야? 너 이렇게 될 줄 알았지!"

"최설아, 그만 좀 하지?"

순식간에 싸늘해진 유연의 태도에, 설아는 더욱 분이 올라 소리쳤다.

"뭘 그만해, 뭘!"

"너 여기 아직 경복궁이야. 무슨 뜻인지 모르겠어?"

"뭐?"

"네 일거수일투족, 다 보고 있다고. 저 위 어딘가에서."

정말 몰랐던 걸까? 그제야 최설아의 낯빛이 파랗게 질리더니 딸꾹질을 한다. 유연은 답답한 마음에 제 몫의 차를 설아에게 내어주었다.

"그리고 네가 나보다 어린 거 여기 다 사람들 다 알아. 그런데 재가 뭐니? 내가 네 친구니? 적당히 해. 깔보는 건 괜찮은데, 때와 장소는 가려. 무식해 보이니까."

"조유연, 너…… 너 미쳤어?"

"아니, 아직은 안 미쳤는데 곧 미칠 거 같아. 그만두자. 이러는 거, 아닌 거 같아. 회장님께는 내가 말씀드릴게."

그래, 왕실을 너무 우습게 보았다. 숨길 수도 없고, 속일 수도 없는. 다른 사람이면 몰라도, 세자는 절대 호락호락 속아 줄 사람이 아니었다.

손이 떨리고, 생각만으로도 얼굴이 화끈거렸다.

'관심? 궁금하다고? 그렇게 대놓고 말할 만큼?'

그 잘난 껍데기에 홀리면 안 된다. 어쩌면 경복궁의 잘생긴 망령일지도 모른다, 세자 이건은.

유연은 냅킨으로 입가를 닦은 뒤, 자리에서 일어났다. 그러자 대체 어디에 있던 건지, 수행원 세 명이 다가오더니 단정한 미소를 짓는다.

"퇴궐을 돕겠습니다."

더 캐슬

VOL. 1 The Castle

CHAPTER 4

재투성이 신데렐라

4

재투성이 신데렐라

“경복궁에서의 전시를 원합니다.”

궐내각사 빈청. 붉은빛을 내는 회의용 탁자에 제법 커다란 도록이 놓였다.

20대의 젊은 남자는 1년 전부터 꾸준히 경복궁 내 전시를 희망한다는 메일을 보내온 사람으로, 해외에서 활동하는 〈에틸〉이란 예술가 단체의 대표였다.

입가에 미소를 띤 남자는 세자가 도록을 살피길 기다렸다. 하지만 이건은 도록의 하얀 가죽 표지만을 응시할 뿐, 작품을 확인할 생각이 없어 보였다.

“세계를 돌아다니며, 궁이란 주제로 작품을 한다고 하셨습니까?”

“예, 도록으로 보여드리는 작품들은 지난번 오스트레일리아에서 작업한 것들입니다. 보시겠습니까?”

“잠시.”

뒤늦게 빈청을 찾은 이우혁이 얇은 태블릿을 내밀었다. 그 안에는 도록을 분석한 자료가 들어 있었다. 이매는 그림에서 탄생한다. 그것도 인간의 순수하거나 지저분한 욕망이 깃든 '원본'에서만.

RSA에서 분석한 보고에 따르면, 남자가 가져온 도록은 모두 인쇄본으로 이매가 숨을 수 없는 환경이라고 되어 있었다. 그제야 건은 안심하며 가죽 재킷을 넘겼다.

RSA는 현재 왕실을 호위하는 호위무사나 경호원으로 알려져 있었지만, 실은 과거 나자(儺者)로 불리던 사람들의 집합체나 마찬가지였다. 나자는 여러 이름으로 불렸는데, 대체로 음력 섣달그믐날 밤 악귀와 사신을 쫓아내기 위한 나례(儺禮)를 거행하는 자였다. 하지만 현대에는 나례가 민속 예술화되며 갈 곳을 잃은 나자들은 경복궁으로 흡수되었다. 정확하게는 RSA의 소속이 되어 힘의 종류와 크기, 형태에 따라 다양한 부서에 배치되었다.

그들은 기본적으로 왕실을 호위하지만, 전국 각지에서 나타나는 이매들을 그림 속에 봉인하는 일도 겸했다. 그들이 봉인한 이매는 그림과 함께 경복궁으로 보내져 왕가의 손에 소멸되거나 지하 수장고에 그대로 보관되기도 한다.

"멋지군요."

도록을 천천히 훑으며 지난 작업물들을 살피는 건의 얼굴에 보기 드문 미소가 그려졌다.

"그래서 현재, 경복궁을 주제로 작업을 하고 있습니다. 물론 작업을 시작한 건 1년도 훌쩍 넘었지만요."

"그렇군요. 하지만 경복궁 내에 전시를 허락한 적은 없습니다."

"그래서 경회루의 연못 가장자리를 따라 전시를 하면 어떨까 합니다. 영추문만 개방해 주신다면 궐내를 지나지 않고도 충분히 관람

객을 받을 수 있지 않겠습니까?"

"글쎄요. 아무리 방지(方池)라고 해도 궐내입니다. 그쪽, 그러고 보니 성함을 듣지 못했군요."

건은 아직 남자의 이름을 알지 못한다는 것에 실소하며 물었다. 그러자 눈을 빛낸 남자가 황송하다는 듯 서글서글하게 웃으며 고개를 숙인다.

"이태라고 합니다. 세자 저하와 같은 외자를 씁니다."

"재밌는 인연이네요. 알겠습니다. 전시 건은 이달 내로 연락을 드리도록 하겠습니다."

"기다릴 수 있습니다. 1년을 넘게 기다렸는데 그 정도는 기다림도 아니죠. 아! 오늘 궐 구경을 했습니다. 아버지께서 말씀해 주신 그대로더라고요."

"그런가요? 아버님이 궁인이셨습니까?"

"뭐, 비슷한 일을 하셨다고 들었습니다."

고개를 끄덕이며 상대의 이름을 곱씹던 건은 실소했다.

에틸(EATEEL)을 거꾸로 하면 이태가 된다. 본인의 이름에 의미를 더하는 것은 꽤나 낯간지러운 일 아니던가? 게다가 이태라는 남자는 예화 앞에서 조유연과 함께 있었다. 그것도 팔까지 낚아채 잡으며. 정체를 알 수 없는 경계 인물이라는 뜻이다.

"전시계획서는 이우혁 실장에게 보내 주시면 됩니다. 그럼, 접견 시간이 끝났으니 이만 일어나겠습니다."

의자를 밀어 일어난 건을 올려다보는 이태의 눈이 부드럽게 휜다.

"다음에 꼭 다시 뵙길 바랍니다. 세자 저하."

우혁은 조유연의 퇴궐 보고를 받아 세자의 서재인 비현각 앞마당에 들어섰다. 건물 앞을 지키던 좌익위 장은호가 여전히 무표정한 얼굴로 우혁을 맞았다.

"저하는."

"안에 계십니다."

"혼자?"

"아니요. 주상 전하와 함께 계십니다."

그제야 발견한 두 켤레의 신발. 우혁은 뒷골이 당겨지는 걸 느끼며 냉큼 돌아섰다. 여기에 있다가 혹시라도 차 내관에게 걸리기라도 한다면, 속절없이 경회루에서 있었던 일을 낱낱이 고해야 했다.

솔직히 말해서, 우혁은 주상 전하보다 차 내관이 더 껄끄럽고 무서웠다. 궁인들의 이름과 얼굴을 모두 외우고, 궐내에서 일어나는 모든 일을 손바닥 들여다보듯 아는 인물. 항상 서글서글하게 웃고 있지만 기업으로 따지자면 총수의 오른팔, 혹은 비서실장과도 같은 두려운 존재다.

'어쩐지 오기 싫더라니.'

퇴로를 찾아 서둘러 자선당 뒷길을 향해 걷던 때였다.

"어허이, 이 실장."

어디선가 음율에 맞춰 자신의 이름을 부르는 소리가 발목을 붙든다. 우혁은 마른침을 삼키며 천천히 돌아섰다. 소주방 담장 아래 쪼그려 앉아 개미 떼를 들여다보던 차 내관이 생긋 웃으며 재차 우혁을 불렀다.

설마, 상선이나 되는 자가 쪼그려 앉아 있을 줄이야. 몰랐다. 허를 찔렸다. 젠장.

"어딜 그리 바삐 가시나. 꼭 예 있는 개미처럼 빨빨거리며 걸어가시는구려."

"상선 영감. 여기 계셨…… 습니까? 몰랐습니다."

"아래를 보지 않고 빨빨거리며 바삐 다니시니 모르시지요."

"세자 저하께서 워낙 바쁘셔서 말입니다."

"이해합니다. 중전마마 대신 내명부의 일까지 모두 도맡으셨으니, 아래 계신 분들 모두 바쁘시겠지요."

차 내관이 개량된 도포를 털며 일어났다. 그러곤 특유의 단정한 걸음으로 다가오더니 고개를 쑥 내밀었다.

"자, 이 노인네가 궁금한 게 있는데 말입니다."

"예, 예?"

"단도직입적으로 묻겠습니다. 조유연 씨가 누굽니까? 혹, 두 분 모두 귀한 눈을 갖고 계신지요. 하면, 세자 저하께옵선 어느 처자를 더 마음에 두셨습니까?"

질문은 이해했으나, 아직 답을 내리기엔 이른 질문이었다. 우혁은 난처함을 숨기며 안경 코를 추어올렸다. 소주방에서 풍겨오는 음식 냄새가 짙다. 곧, 직원들의 식사 시간이 된다는 뜻.

"조유연 씨는 서화제약 비서실 소속입니다. 나이는 서른. 그리고…… 얼굴이 아주 예쁩니다. 매력적이고, 또…… 세자 저하께 큰 관심이 없어 보이는 분입니다. 눈을 가졌는지도, 세자 저하의 마음도 모릅니다."

"그래그래, 계속해 봐요."

"저, 상선 영감. 대령숙수께서 삼계탕을 끓이신다고 하셨습니다. 레시피를 배우고 싶어서 약속을 해 놓은 터라."

"이 실장이 닭을 끓여요?"

"네. 제가 닭 요리를 아주아주 좋아합니다. 그러니 자세한 건 배움 후에, 말씀드리도록 하겠습니다."

"어허어허, 이 실장. 다 아는 거 말고, 새로운 거 없나요? 주상 전하의 호기심이 날로 자라나고 계신데, 알려드릴 것이 없어 눈물이 앞을 가립니다. 어허이."

"죄송합니다. 저하의 마음은…… 갈대 같아서, 아직 모릅니다."

만약 세자의 마음이 조유연에게 기울어 있다고 말한다면, 차 내관은 당장에 조유연의 머리카락 개수까지 모두 알아내고도 남을 위인이었다.

그럼 자연스럽게 주상 전하의 귀에 들어갈 것이고 이어 세자 저하의 심기를 긁을 터. 요즘 이건의 최고 관심사나 다름없는 여인을, 오픈북 상태로 노출할 생각은 없었다. 만일에라도 우려했던 일이 벌어진다면, 그 스트레스는 고스란히 최측근인 자신이 겪어야 할 시련이 될 것이다.

우혁은 잰걸음으로 차 내관의 시야에서 벗어났다. 담장을 따라 걸으며 우측으로 세 번 코너를 틀자 다시 비현각이 나왔다. 한 바퀴를 빙 돈 셈이다.

우혁은 비현각 지붕 위의 잡상을 보며 세자의 건투를 빌었다. 제발 오늘은 북악산 정상까지 뛰어 올라가지 않기를. 그곳에서 만난 여자의 대리기사 같은 건, 절대로 해 주지 않기를.

❀

"시대가 바뀌었습니다. 만약, 귀안을 가진 여인이 저와 혼인하지 않겠다 하면 어떻게 하실 겁니까. 납치라도 명하실 겁니까? 아시잖습니까. 상대가 거부하면, 아무리 귀안을 가진 여인이라고 해도 혼인할 수 없습니다."

구구절절 맞는 말이었다. 그저 손님들이 궁금해 찾아온 아비에게 팩트 폭격을 늘어놓는 아들이 야속하기만 했다.

"하지만 건아, 혼인을 해야만 할 수 있는 일들도 있는 법이야. 아비의 실수를 답습하지 않았으면 좋겠구나."

그래서 제법 체통을 지켜 훈계했지만, 이번에도 아들놈은 날카롭게 허를 찔렀다.

"아버지는 후회하십니까? 어머니를 간택하신 것을요."

건은 들여다보던 서류를 내려놓곤, 소파에 앉은 이숙을 응시했다.

"후회라……. 네 어머니를 사랑한 건 후회하지 않는다. 네가 이리 번듯하게 자라 주었는데 어떻게 네 어미를 원망해. 그저 안타까울 뿐이야. 그래, 네 말대로 굳이 아내로 맞이하지 않더라도 귀한 눈을 가진 여인을 찾았어야 했어. 하지만 나는 찾지 않았다. 찾게 되면, 그 여인과 혼인해야 한다고 생각했거든. 무서웠다. 네 어미를 잃을까 봐. 그래…… 이건 후회구나."

깊은 생각에 잠긴 이숙의 미간에 주름이 진다. 건은 아버지의 마음을 이해할 수 있었다. 저 또한 아닐지도 모른다고 생각하면서도, 그 애를 조유연이라는 여자에게 대입시키고 있었으니까.

어쩌면, 그 여자가 '그 애'이길 바라는 걸지도 모른다. 두 명의 여인에게 반했다는 것을 인정하고 싶지 않아서. 하지만 모든 것을 차치하고서라도, 조유연은 꽤나 탐나는 여자였다. 재밌기도, 신기하기도 한.

'분명, 보이는 것 같은데…… 인정을 안 한다면…….'

생각에 빠지느라 이숙이 일어났는지도 의식하지 못했다.

"흠흠. 이만 가마. 차 내관이 또 잔소릴 하겠구나."

이숙의 헛기침을 들은 뒤에야 일어난 건은, 비현각을 나서는 아버지를 배웅했다.

"동궁전의 일은 제가 알아서 하겠습니다. 그러니 심려 놓으세요. 전에도 말씀드렸다시피, 귀안을 가진 여인이 나타난다면 언제든 혼인할 생각 있습니다. 단, 진짜 귀한 눈을 가진 여인이라면요."

"무슨 뜻이야."

돌아본 이숙의 눈빛이 엄해진다. 건은 언제 그랬냐는 듯 근사하게 미소 지었다.

"가짜보단 진짜가 좋다는 뜻입니다. 그럼, 저는 이 실장에게 들어야 할 보고가 있어서."

"허, 오냐! 가마. 차 내관!"

이숙의 부름에 보이지도 않던 차 내관이 어디선가 불쑥 나타났다. 그러더니 신을 신는 이숙의 곁에 선다. 마치 이우혁의 미래를 보는 기분이었다.

예를 갖춰 아버지를 배웅한 건은 담벼락에 붙어 숨어 있는 우혁을 발견하곤 손가락을 까딱였다.

"이리 와."

"상선께서 동궁전에 관심이 많으십니다. 몇몇은 넘어간 것 같고요."

"알아. 퇴궐은?"

"무사히 잘하셨지요. 그런데 정말 어쩌실 겁니까? 조유연 씨는 절대로 처녀단자를 안 보내실 것 같은데요."

차 내관의 뒷모습이 완전히 사라진 뒤에야 담벼락 뒤에서 슬쩍 걸어 나온 우혁이 먼지를 턴다.

비현각 안으로 들어간 이건은 사무용 의자에 앉아 등받이를 젖혔다. 그러며 조금 전까지 들여다보던 서류를 다시 열었다. 그것은 이태라는 남자가 보내온 전시제안서였다. 경복궁에선 허락해 본 적 없던 일을 꿈꾸는.

그것을 가볍게 훑던 그는 네모반듯한 창을 열었다. 울창한 나무숲 정면이 보이는 곳.

"보내고 싶지 않다면, 보낼 수밖에 없게 해야지. 게임은 공정해야 하니까."

고개를 주억인 우혁이 태블릿에 세자의 지시를 적는다.

건은 유연을 재라고 지칭하며 손가락질하던 최설아의 태도가 하루 이틀 만에 만들어진 것이 아니라고 생각했다. 대체 어떤 가정교육을 받았기에 연장자를 하대할 수 있는 건지. 어쩌면 몸에 밴 습관일지도.

'재투성이 신데렐라인지, 고용노동부 신고 대상인지는 두고 보면 알겠지.'

집에 돌아오자마자 2층 방으로 뛰어 올라가 문을 닫고 우는 최설

아 때문에 집이 발칵 뒤집혔다. 노심초사하며 설아가 돌아오기만을 기다렸던 최 회장은 방문을 마구 두드리며 소리쳤다.

쾅쾅!

"우리 공주님, 이렇게 울지만 말고 아빠랑 대화를 해야지! 설아야!"

하지만 설아는 대답조차 하지 않았다.

문밖으로 새어 나오는 울음소리에 가슴이 철렁 내려앉은 최 회장의 눈에 불꽃이 튄다. 부들부들 떨던 그는 몸을 돌려, 뒤쪽에 서 있는 유연의 뺨을 후려쳤다.

짝!

생각지도 못한 손찌검에 눈앞이 하얘지고, 머릿속이 어지럽다. 멍하니 맞은 뺨을 감싼 채 고개를 들자, 삿대질하며 고함치는 최 회장의 모습이 아른아른하다.

"무슨 짓을 했어! 설마, 전하 앞에서 우리 설아 창피라도 준 거냐? 그깟 괴상한 눈깔 가졌다고, 네 아랫사람 취급한 거야! 대체 무슨 짓을 했기에, 우리 설아가 저리도 구슬프게 울어! 어째서 상처를 받았냐는 말이야!"

입안에서 피 맛이 났다. 유연은 억울하거나 아픈 걸 떠나서, 너무도 당황스러운 마음에 헛웃음이 났다.

"회장님, 손찌검하신 겁니까……? 제게요?"

"너, 네가 뭘 잘했다고!"

"제가 뭘 못했습니까? 제 밥그릇 제가 걷어찬 겁니다."

"허! 저 똑 부러지는 애가 걷어차기는 무엇을 걷어차! 다 들었어. 관심받으려 처녀단자 받은 것도 말 안 하고, 폐기했다고! 어디, 그렇게 고얀 짓을 해!"

유연은 말문이 턱 막혀, 아무런 변명도 하지 못했다. 실은, 변명하고 싶지 않았다. 그렇게까지 해서 최 회장을 설득할 필요를 느끼지 못했다. 어차피 믿고 싶은 대로 믿을 테니까.

학창 시절 내내 그녀를 따라다니던 수식어가 바로 금수저를 손에 쥔 신데렐라였다. 재투성이도 아닌, 금수저를 쥔. 아이들이 말하던 금수저는 최준일이었다. 금수저인 최준일을 움켜쥔 신데렐라.

변명이 소용없다는 것은 그때 배웠다. 그리고 그때는 그 말이 아주 거짓은 아니었다. 최준일은 언제 어디서나 정의의 사도, 혹은 백마 탄 왕자님처럼 등장했고 그녀의 보호막이 되어 주곤 했었다.

유연은 분을 삭이며 시선을 내리깔았다.

"못 하겠습니다. 너무 쉽게 생각했어요. 왕실을 상대로 사기 칠 생각을 한 것부터가 문제였습니다."

비스듬히 내려다본 시야에 보이는 건 주먹을 말아 쥔 최 회장의 손이었다. 조금 전까지만 해도 제 뺨을 때린.

"하면, 네가 세자빈이 될 거냐."

오히려 소리를 지르지 않고 무겁게 내뱉은 말이 더욱 위압적이다. 유연은 얼떨떨한 표정으로 고개를 들었다. 그러자 최우식이 그녀의 빨개진 뺨을 내려다보며 엄한 표정을 지었다.

"말해 봐! 네가 세자빈이 될 거냐고 물었어. 네가 설아 대신 세자빈이 되고 싶은 거라면, 그리해. 어차피 네 엄마는 약을 끊으면 사망해 버릴 텐데, 그렇게라도 해서 가족을 또 만들어야지. 안 그러냐."

"말씀이…… 지나치십니다."

"은혜를 모르고 점점 오만방자하게 구는 게 누군데! 네 나이에 과장 달고, 회사 사람들이 사주 일가 대하듯 널 대해! 그게 다 누구 덕인데 어디, 못 하겠단 말이 나와!"

"그만큼 저도 열심히 했습니다."

낮게 깔린 그녀의 목소리가 떨렸다. 내리깐 시선 끝에 별사탕처럼 반짝이는 빛이 이글거린다.

2층은 제법 커다란 창이 난 응접실이 있는 별개의 구역이었다. 창문 하나 없는 자신의 지하 방과는 다른 곳. 그래서 유연은 이곳에 올라올 때마다 처지를 비교했다. 하지만 당연한 차이라고 생각했었다. 최우식 회장과의 접점은 돌아가신 아빠가 전부였으니까.

안쓰럽다는 이유 하나만으로 친구의 딸을 거둔다는 건, 아무나 할 수 있는 일이 아니었다. 완벽한 타인을 들이는 일이다. 그러니 충돌은 당연했고, 최설아가 엇나가는 것도 당연하다고 생각했다.

그녀는 이렇게 자존감이 바닥을 칠 때마다 갚아야 할 빚을 떠올리며 참아 왔다. 하지만 이제는 그것마저도 의문이 들었다. 정말로, 친구의 딸이 불쌍해 거둔 것뿐이었냐고 묻고 싶었다.

"먹여 주고 키워 주고, 유학도 보내 주고 하물며 대학도 보내 주었어. 이제 너 시집도 보낼 판이다! 그런데 뭐? 열심히 해? 조유연이, 네가 머리 검은 짐승이 되려 하는 거냐!"

이젠 삿대질까지 하며 흥분한 최우식을 말리기 위해 구석에서 눈치만 보던 사용인들이 달려왔다.

"어이구, 회장님! 진정하세요. 설아 아가씨 이제 안 우세요, 예?"

"그래요, 회장님! 우리 유연 씨 잡네, 잡아."

"아, 뭐해! 유연 씨, 빨리 잘못했다고 빌어!"

침구를 관리하는 연우 아주머니가 우악스럽게 유연의 손을 당긴다. 걱정이 듬뿍 묻어난 얼굴을 보자, 유연은 지금까지 잘 참아 왔던 눈물이 날 것 같았다. 하지만 빌고 싶어도, 빌 수가 없다. 잘못한 게 없으니까. 마땅히 당연한 말을 한 것뿐이니까.

"웬 소란입니까?"

유연은 계단참에서 들려온 서늘한 목소리에 고개를 틀었다. 그곳엔 출장에서 막 돌아온 최준일과 캐리어를 든 김 기사가 얼떨떨한 표정으로 서 있었다. 준일은 사용인들이 최 회장을 막아선 모습을 보고 눈살을 찌푸렸다.

"준일이 왔냐."

헛기침한 최 회장은 멋쩍은 얼굴로 준일의 눈치를 살폈다. 이 집에서 유일하게 최 회장과 대적할 수 있으며, 무조건적으로 유연의 편인 사람. 그의 등장에 사용인들의 표정이 밝아졌지만, 유연의 뺨은 수치로 붉어졌다.

"아버지, 유연이한테 손대셨습니까?"

준일이 다가와 그녀의 얼굴을 보려 했다. 하지만 유연은 아주머니에게 잡힌 손을 빼낸 뒤, 꾸벅 인사했다.

"가 보겠습니다."

"기다려."

이번엔 준일이 앞을 막았다. 어떻게든 얼굴을 가려 보려 했지만, 손목을 잡아채는 힘이 너무 셌다. 상체를 숙여 그녀의 얼굴을 들여다본 준일의 눈빛이 어둡게 가라앉았다.

"피까지 났네."

유연은 혀로 입술 가장자리를 핥으며 한 걸음 물러났다.

"저는 빠질 테니, 두 분 대화 나누세요."

유연은 손을 빼낸 뒤 돌아서서 계단을 내려갔다. 그녀의 뒷모습을 한숨 쉬며 내려다보던 준일이 최 회장에게 물었다.

"무슨 일입니까."

"그게……."

"일 잘하는 애를 굳이 제 보좌 업무에서 배제 시키시더니, 손찌검까지 하셨습니까?"

"어허, 결혼할 놈이!"

"결혼은 결혼이고, 일은 일입니다. 설마, 그래서 유연이 때리신 겁니까?"

"이놈아! 또박또박 대드는 꼴이 화딱지가 나서 그랬지! 어디, 어미 아비도 없는 걸 먹여 주고 키워 줬더니 큰소릴 쳐!"

아무 이유도 없이 유연이 아버지에게 대들지는 않았을 것이다. 대체 설아의 방문 앞에서 무슨 일이 있었던 건지 궁금해진 찰나, 문이 벌컥 열리더니 충혈된 눈을 한 설아가 빽 소리쳤다.

"다들 재만 봐! 경복궁은 조유연만 좋아한다고!"

그러곤 다시 문을 쾅, 닫았다.

멍하니 설아의 방문을 쳐다보고 서 있던 준일이 두 눈을 부릅뜨며, 회장의 팔을 잡아챘다.

"무슨 소리예요, 저게. 말씀해 보세요. 경복궁이라뇨. 아버지 설마……."

유연은 냉장고를 열어 얼음팩을 꺼내 얼굴에 댔다. 그러자 지켜보던 박 여사님이 차가운 커피를 슬쩍 내밀며 안쓰러운 듯 혀를 찬다.

"무슨 일인지 몰라도, 유연 씨가 참아. 저 불같은 성격 어쩌겠어."

"커피 감사해요."

"근데 정말 괜찮은 거야? 아까 회장님 통화하는 거 우연히 들었는데, 병실을 빼라고 하는 것 같던데……."

"……설마요. 이렇게 바로요?"

"보통 분이신가? 으이구, 그러게 왜 저 심기를 건드려. 응?"

뺨을 맞았을 땐 될 대로 되라는 마음이 더 컸다. 더 이상 어떻게 더 잘하냐는 말이 목구멍 끝까지 차올라 자글자글 끓어올랐다. 하지만 현실을 직시하는 순간, 며칠 전 눈을 뜨고 주위를 둘러보기까지 했던 엄마의 모습이 떠올랐다.

얼음팩을 내려놓은 유연은 커피를 벌컥벌컥 들이켠 뒤, 애써 웃으며 주방을 벗어났다. 그러곤 밖으로 나와 엄마의 간병인에게 전화를 걸었다. 통화 연결음이 이어지는 내내 손이 떨리고 심장이 콩닥거렸다.

[유연 씨, 이게 어떻게 된 거예요? 왜 병실을 빼라는 거야? 박혜란 씨를 일반 병실로 옮겨도 되는 거예요? 정말 산소호흡기 떼라고 유연 씨가 승낙했어?]

간병인은 전화를 받자마자 정신없이 질문을 쏟아냈다. 머릿속이 새하얘진 그녀가 휘청거리며 가까이에 있는 벽을 짚는 사이, 수화기 너머로는 누군가에게 소리치는 간병인 아주머니의 목소리가 들렸다.

[지금 보호자랑 통화 중이라고요! 좀 기다려 봐요, 좀! 유연 씨, 말 좀 해 봐요. 정말 박혜란 씨, 일반 병실로 가는 거 맞아요?]

"아주머니, 지금은 병원 지시에 따르세요. 제가 연락드릴게요. 문제가 조금 생겨서요."

[설마, 병원비를 못 내고 있는 거예요……?]

조심스러운 물음에 유연은 이마를 짚으며 고개를 숙였다.

"비슷해요. 금방 해결할게요."

[알겠어요, 그럼. 바로 연락 줘요. 일반 병실로 가는 건 괜찮은데, 치료까지 그만두면 안 되지. 환자가 살아 있는데.]

"네…… 그럼요."

통화를 마친 유연은 벽에 기대어 아무도 없는 정면을 무섭게 노려보았다.

양심과 돈. 돈과 양심. 하지만 양심을 팔아, 그 돈으로 누군가의 목숨을 살릴 수 있다면 그 무게추는 과연 어느 방향으로 기울어지게 될까.

결심을 굳힌 유연은 다시 집 안으로 들어와 최 회장의 서재 앞에 섰다. 노크를 하려는 그때, 콧물 삼키는 소릴 내며 최설아가 다가왔다.

"조유연, 나랑 얘기 좀 해."

흐트러진 침대 시트를 가만히 쳐다보던 유연의 뺨에 최설아의 손이 불쑥 닿는다.

흠칫 놀란 유연은 고개를 뒤로 뺐다.

"왜 그래?"

"나 때문에 맞았다며. 부었네. 상처도 나고."

"……갑자기 무슨 바람이 불어서 나를 걱정해?"

"미안해. 내가 너무 감정적이었어. 그냥 좀 서러웠던 건데, 아빠가 널 때릴 줄은 몰랐어."

어울리지 않게 진지한 투로 말하는 최설아의 모습에 유연은 약간의 충격을 느꼈다.

"사과해 줘서 고마워. 근데 나 지금 회장님 만나야 해. 엄마 일 때문에, 좀 급해."

"병원?"

"응. 화가 많이 나셨나 봐."

"내가 도와줄까?"

유연은 가슴 앞으로 팔짱을 낀 채 최설아와 눈을 맞추었다.

"무슨 소리야? 네가 뭘 도와줘."

"너도 알잖아. 아빠는 내 부탁 거절 못 해. 네 엄마 책임지고 치료하라고 할게."

"네가 왜? 나한테 바라는 거 있어?"

"어, 있어."

그럴 줄 알았지. 하지만 묘하게 불안했다.

최설아의 얼굴이 붉어졌다가 파래졌다가, 들떴다가 가라앉길 반복한다. 어서 얘기해 보라는 듯 고개를 까딱이자, 입술을 달싹이던 최설아가 손가락을 꼼지락거리며 기어 들어가는 목소리로 말한다.

"세자빈 되는 걸 도와줘."

"뭐?"

"다른 게 아니고, 나 아까 첫눈에 반했거든. 세자 저하한테. 좋아하게 됐어."

그래, 이해한다. 제가 생각해도 이건은 근사함의 한계치를 넘어선 피조물 같았으니까. 첫눈에 반하는 것도 무리는 아니었다. 하지만 이미 한번 실패했다. 어쩌면 이건은 최설아에게 귀안이 없다는 것을 눈치챘을지도 모른다.

유연은 입술을 잘근 물었다가 뱉으며 말했다.

"마음은 이해하는데, 나는 너 세자빈 못 만들어. 그건 내 능력 밖이야."

"아니, 너도 제출하면 돼. 처녀단자."

유연은 굳은 표정으로 최설아를 보았다. 그러자 치맛자락을 구기듯 움켜쥔 최설아가 애써 말을 이었다.

"궁에서 연락이 왔어. 경합이 열릴 거래. 네가 처녀단자 안 보내면, 다른 사람 구해서. 그러면 내가 질 수도 있잖아. 그러니까……. 네가 참여해서 나한테 져 줘. 그럼 돼, 응? 유연아, 아니 언니. 나 좀 살려 줘, 응? 진짜 반했단 말이야."

벌떡 일어난 최설아는 유연의 앞에 다짜고짜 무릎을 꿇었다. 그러곤 당황한 유연의 손을 덥석 잡으며 눈물을 글썽거린다.

"진짜, 너무너무 좋단 말이야. 응? 나 세자빈 할래, 하고 싶어."

막 병실에 들어선 유연은 6인실 구석에 있는 엄마에게 다가갔다. 그러자 성경책을 들여다보던 간병인 아주머니가 반색하며 일어나 그녀를 맞는다.

"어휴, 왜 이렇게 늦었어요? 아까 큰일 날 뻔했어요. 갑자기 환자분 심장이 멎어서."

"그래서요?"

"심폐소생술 하다가 갈비뼈가 부러졌대요. 그래도 지금은 또 멀쩡해졌어요. 가만히 누워만 계실 테니, 금방 나을 거라고……."

유연은 아주머니의 말을 가만히 듣기만 했다. 벌써 13년이다. 뇌도 심장도, 하물며 모든 감각세포가 깨어 있다고 했다. 그래서 수면장애 말고는 어떠한 판정도 내릴 수 없다고. 13년간 담당 교수는 다섯 번이나 바뀌었지만, 대답은 한결같았다.

"아주머니가 고생하셨네요. 며칠만 고생해 주세요. 다시 1인실로 올라갈 거예요. 오늘 이동할 수도 있고요."

"그래요? 지금껏 지극하게 굴던 사람들이, 갑자기 낯빛을 확 바꾸는데……. 어휴, 무서웠어요."

"아, 이거."

유연은 봉투 하나를 꺼내 내밀었다.

"제가 한동안 못 찾아뵐지도 몰라요. 그래서 이건 수고비라고 생각해 주세요."

"어휴, 뭐 이런 걸 다. 근데 출장 가요?"

"비슷해요. 아, 식사 안 하셨으면 하고 오세요. 오랜만에 밖에서. 병원 밥 지겨우시죠?"

"도시락 싸 다니는데요, 뭐. 그럼 오랜만에 딸 불러서 먹고 올까? 요기 근처에서 회사 다니거든."

"네네, 다녀오세요. 제가 있을게요."

아주머니는 환해진 얼굴로 작은 손가방을 챙겼다. 그러곤 유연에게 주의해야 할 사항들을 몇 가지 알려 준 뒤 가벼운 걸음으로 병실에서 나갔다.

유난히 조용한 병실. 유연은 엄마의 손을 조심스럽게 잡아 보았다. 그래도 1인실에 있을 땐 유리 벽 너머로만 보아야 했는데, 이렇게 일반 병실로 내려오니 손도 잡아 보고. 아직 엄마가 따뜻하다는 걸 다시 느끼게 되어 가슴이 울렁거렸다.

뺨의 붓기는 가라앉았지만, 찢어진 안쪽 살에 자꾸만 혀가 닿는다. 살이 팬 부분을 혀로 훑는데 울컥 눈물이 났다. 목 안쪽이 뜨거워져 엄마의 손등에 이마를 누른 채 눈물을 삼켰다.

움찔. 이마에 대고 있던 손가락이 움직였다. 착각일까? 유연은 엄마의 얼굴과 손을 번갈아 보며 젖은 눈을 깜빡였다.

'잘못 봤나……?'

놀란 가슴이 두방망이질 치듯 뛰어 댄다. 혹시 지금까지 썼던 약이 조금씩 효과를 보이는 건 아닐까?

그녀는 엄마의 손을 다시금 꼭 잡았다. 그러곤 메마른 손등에 입술을 누르며 떨리는 숨을 내쉬었다.

'조금만 기다려, 엄마. 조금만…… 조금만, 더 버텨요.'

다음날 이른 아침, 꿀 같은 잠에 빠져 있던 설아의 방문이 벌컥 열렸다.

"최설아, 일어나."

밤새 에어컨을 틀어 놓은 채 이불로 꽁꽁 싸매 잠들었던 설아는 이름을 부르는 소리에 놀라 눈을 번쩍 떴다.

"일어나라고, 너. 나 지금 출근해야 하거든? 그 전에 해결하자."

손목시계의 시간을 확인한 유연은 주름 하나 없는 크림색 정장 바지에 얇은 블라우스 차림이었다.

평소와 조금도 다르지 않은 차림이건만, 오늘따라 묘하게 더 날카로운 느낌이었다.

"해결? 뭐어?"

"어제 했던 얘기 마무리해야지. 내가 너 경복궁 입성시켜 준다고."

"뭐? 정말?"

최설아는 잠이 확 깬 표정으로 일어나 침대 끄트머리에 바로 앉았다. 눈을 반짝반짝 빛내는 모습이 꼭 개 같다. 순화해서 강아지.

유연은 지난밤 작성한 전자계약서를 내밀었다. 태블릿을 받아든 최설아가 어안이 벙벙한 표정으로 그녀와 계약서를 번갈아 본다.

"이게 뭐야?"

"내가 많이 데여서. 너 계약에 익숙하잖아? 나랑도 계약해. 항목은 많지 않아. 하지만 위험 부담이 큰 만큼, 너도 부담해야지."

어서 읽어 보라는 듯한 태도에 설아는 잠이 묻은 눈으로 유연이 내민 계약서를 읽어내렸다.

1. 최설아는 조유연의 모친 박혜란의 치료권을 보장한다. 치료권이란 생존권과도 같다. 1인실에서 기존의 치료를 받게 하며, 궁극적으로는 완치를 목적으로 한다.

2. 최설아는 조유연에게 반말하지 않는다. 이 시간부로 -씨, -언니, -과장님 등의 호칭으로 부른다.

3. 조유연은 경합에서 최설아보다 낮은 점수를 받는다. 하지만 세자빈 자리에 앉히는 건, 왕실의 권한이다. 그 결정까지 책임지진 않는다.

4. 최설아는 손 치료를 받는다.

5. 최설아는 계약이 종료될 때까지 조유연의 말을 잘 듣는다.

계약서를 모두 읽은 최설아가 3번 조항을 가리키며 유연을 째려보았다.

"이건 너무 무책임하잖아."

"무책임한 게 아니라, 내 한계라는 거야. 내가 왕실 사람들한테 너 뽑아 달라고 매달릴 수는 없잖아. 결국, 그 사람들 마음대로 정하는 건데."

"그래도……."

"나, 너 때문에 사기꾼 되는 거야. 너야 사기 치는 게 아니니 괜찮지만, 나는 자칫하면 빨간 줄이라고. 그거 각오하고 너 도와주는 건데, 이 정도는 해야지. 싫으면 그만둬. 아쉬운 건 너야, 내가 아니라."

유연은 다시금 시계를 들여다보았다. 이제 정말 출근해야 할 시각. 더는 지체할 수 없음에, 태블릿을 빼앗으려 하자 소스라치게 놀란 최설아가 다급히 사인 패드에 이름을 쓴다. 그러곤 전자계약서답게 개인 인적 사항까지 모두 작성한 뒤 유연에게 내밀었다.

화면엔 계약이 완료되었다는 창이 떠 있었다. 태블릿을 받아든 유연은 고개를 주억이며 웃음을 꾹 참는 최설아를 내려다보았다.

"그렇게 좋니?"

"응. 나 어제 세자 저하 팬클럽도 가입했다? 팬클럽 장난 아니던데? 와, 거기 완전 신세계야."

그래, 뭐…….

"좋네. 덕업일치의 삶. 그럼, 좋은 하루 보내."

"어! 너…… 아니, 언니 잘 다녀와!"

태세 전환이 지나치게 빠른 것도 능력이지.

유연은 설아의 방을 나와 곧장 1층으로 내려갔다. 그곳엔 막 아침 식사를 마치고 나오던 최우식이 있었다.

2층에서 내려오는 그녀를 본 최 회장의 얼굴이 딱딱하게 굳는다. 하지만 유연은 평소와 다름없이 정중하게 인사했다.

"안녕하십니까, 회장님."

"그래, 출근하는 거냐."

"예, 최준일 전무님과 함께 출근하려고요."

"쯧, 그놈 밑에서 이제 넌 뺄 거야. 그러니 오늘은 따로 가. 내 차 타."

기다렸던 제안이다. 유연은 생긋 웃으며 최우식을 앞서 나갔다. 그러곤 뒤도 돌아보지 않고 마당을 지나 최 회장의 차 앞에서 기다렸다. 최설아라는 얕은 울타리를 넘었으니, 이번엔 제법 큰 벽을 넘을 차례다.

최 회장은 자신의 차 앞에서 대기 중인 유연을 의아한 눈으로 살피며, 뒷좌석에 올라탔다.

"무슨 꿍꿍이야. 어제 내가 뺨 때린 거로 신고라도 하게?"

쯧, 생각하고는. 사실 그 생각도 해 봤지만, 돌아오는 건 권고사직 뿐일 테지.

"신고는 아니고, 어제 설아와 정리한 게 있습니다. 이동하며 보고 드리겠습니다."

그러며 자연스럽게 조수석 문을 열었다. 그러자 손을 든 최 회장이 자신의 옆자리를 팡팡 두드린다.

"이리 와. 여기서 얘기해."

처음이다. 최 회장의 옆자린 가족 외엔 누구도 타지 못했다. 그녀는 꾸벅 인사한 뒤 최우식의 옆자리에 몸을 실었다.

"말해 봐, 빨리. 설아랑 뭘 정리했냐."

유연은 태블릿이 든 가방을 허벅지 위에 얹은 뒤, 꼭 움켜쥐었다. 뺨을 맞던 순간과 최준일에게 얼굴을 보였던 일. 그리고 앙상한 엄마를 마주했을 때 느낀 감정이 다시금 되살아나 가슴속에서 꿈틀댔다.

"설아는 압니다. 제가 칼자루를 쥐었다는 거. 제가 그만두겠다고 하면, 끝이라는 것도요."

"뭐? 허, 하루 지나니까 맹랑한 것도 농축되냐?"

"죄송합니다. 맹랑하게 대드는 김에, 조금만 더 대들겠습니다."

운전대를 쥔 기사의 손이 떨리는 게 보였다. 분명 최 회장은 야차 같은 얼굴을 하고 있겠지. 기사만 없었다면, 벌써 손찌검을 하고도 남았을 테다.

"오오냐, 그래! 해 봐! 대들어 봐!"

가방을 움켜쥔 손이 더욱 하얗게 질린다. 하지만 유연은 긴장한 기색 없이 입술을 움직였다.

"사기, 치겠습니다. 설아가 세자빈이 되도록, 적극 돕기로 했습니다. 하지만 엄마의 치료권을 보장하고, 보호자의 권한도 이제 제게 이양해 주십시오. 설아는 승낙했습니다. 계약서에 사인도 했고요. 하지만 최종결정자는 회장님이십니다."

유연은 정면을 노려보고 있었지만, 회장의 눈빛과 분위기가 바뀌었다는 것을 본능적으로 느꼈다.

회장은 기뻐하고 있었다. 마치 제가 이런 결정을 내려 주길 바라던 사람처럼. 그래 놓고 괜스레 생각에 잠긴 듯, 차창 밖을 응시하다가 불쑥 유연의 손등을 감싼다.

커다랗고 투박한, 어제는 제 뺨을 후려쳤던 손이 지금은 다정하게 손등을 쓰다듬고 있었다.

"어찌 그리 야박하게 말해. 그게 어디 대드는 거라고, 독하게 굴어."

그녀는 천천히 시선을 내리깔았다. 마음 같아선 손을 잡아 빼고 싶었지만, 회장에게도 받아야 할 것이 있었기에 심기를 거스르지 않기로 했다.

"어제 많이 아팠지? 나는 널 딸처럼 여기는데, 그렇게 서운하게 말하면 쓰나. 그래…… 우리 연이 잘 생각했어. 어제는 설아가 우니, 내가 어떻게 됐나 보다."

"그럼, 엄마 병실부터 옮겨 주세요. 갈비뼈가 부러지셨답니다. 병실 옮기다가 심폐소생술을 했대요."

"아이고! 내, 아주 혼쭐을 내마! 그리 조심하라 했는데 말이야!"

어금니를 눌러 물며 꾹 참았다.

회장은 곧장 병원에 전화를 걸어, 박혜란 환자를 상급 병실로 이동하고 치료를 계속하라고 지시했다.

회장에게 내민 계약서는 엄마의 치료를 절대로 중단하지 않겠다는 서약서나 마찬가지였다. 계약서 하단에 써진 최우식이란 이름 석 자에 숨이 턱 막히고 구역질이 날 것만 같았다.

"연아, 경복궁에 가면 설아를 도울 사람이 있어. 아직은 얘기해 줄 수 없지만, 때 되면 알아서 눈치를 줄 거야. 우리 설아를 못 믿고 기어이 경합을 열어?"

코웃음을 친 회장은 경복궁이 눈앞에 보이는 것처럼 이를 갈았다. 어쩌면 최 회장은 본인의 체면을 위해서라도 최설아를 세자빈 자리에 앉히려 할 것이다.

'난 조유연 씨한테 관심 있는데. 그쪽이 궁금합니다. 최설아 씨보다 훨씬 더, 많이.'

유연은 귓가에 맴도는 목소릴 애써 털어 버렸다. 이젠 정말 정신을 똑바로 차려야 한다. 세자는 절대 호락호락한 사람이 아니니까.

그날 나는 대한민국에서 가장 유명한 남자에게 결혼 사기를 치기로 마음먹었다.

대한민국 제30대 왕이 될.

세자 이건에게.

〈전송이 완료되었습니다.〉

시스템 창에 뜬 메시지를 보며 유연은 저릿저릿한 손을 쥐락펴락했다. 휴지통에 버려져 있던 처녀단자를 복구시켜 답신했으니, 일주일 안에 연락이 올 것이다.

'설아의 답변도 일주일 정도 걸렸지……?'

엄마는 곧장 상급 병실로 옮겨졌고, 다시 상주하는 간호사의 극진한 보살핌을 받기 시작했다고 한다. 간병인 아주머니는 사람들의 태도 변화가 이렇게 무서울 수 없다며 혀를 내둘렀다.

유연은 습관처럼 입술을 만지작거리다가 다친 곳을 잘못 깨물어 짧은 탄식을 내뱉었다. 막 거울을 집어 드는데 탕비실에서 나온 윤대리가 시원한 아이스커피를 내려놓으며 모니터를 가리켰다.

"과장님, 메일 왔어요."

"아, 그래요?"

"어? 피! 과장님 피나요, 피."

"깨물어서 그래요."

"어후, 진짜. 연고라도 바르세요. 너무 심하다."

"네, 그럴게요."

웃는 게 어색할 만큼 안쪽 살이 부어 불편했다.

유연은 숫자 1이 뜬 메일함을 열었다. 메일을 보낸 곳은 대한민국왕실.com. 조금 전 그녀가 메일을 보낸 곳이었다. 최설아가 일주일 만에 답장을 받은 것치곤 답신이 너무 빠르다. 혹, 기간이 늦어 거절당했다거나…….

불안한 마음에 서둘러 메일을 열자, 뜻밖의 단문에 그녀의 눈살이 찌푸려진다.

「언제 만날까요.」

언제냐니?

유연은 의심스러운 표정으로 지난번 최설아의 이름으로 받았던 메일을 열어 보았다. 일주일 만에 도착한 메일엔 미술관 예화로 초대한다는 정중한 문구가 쓰여 있었다. 이렇게 친구와 메신저를 주고받는 듯한 단문이 아니라.

'뭐지?'

혹시 누군가 장난을 치는 건 아닐까? 아니면, 잘못 보낸 걸지도 모르잖아? 유연은 고민에 빠진 채 왕실의 문양이 찍힌 메일을 뚫어져라 노려보았다. 하지만 생각하면 할수록, 답신한 상대가 누구인지 알 것 같아서 차마 답장 버튼을 누르지 못했다.

그녀의 생각대로 메일을 보낸 사람이 세자라면, 최대한 말을 섞지 않는 편이 좋다. 게다가 '읽씹'이라는 상황이 고의라는 것을 세자가 알게 되면 제게 주어질 점수도 깎여 나갈 터.

'그럼 더 좋은 거겠지? 그래도 처음부터 이러면, 좀 그런가?'

그녀는 부어 있는 상처를 살살 달래듯 혀로 훑었다.

"과장님, 회의요."

"벌써요?"

"전무님 회의예요."

"아, 네."

윤 대리 덕분에 진흙탕 같은 상념의 구렁텅이에서 빠져나온 유연은 메일함을 닫아 버린 뒤 브리핑에 쓸 자료들을 챙겼다.

이건 고의가 아니다. 피치 못할 사정. 그러니까 일개 회사원인 제게는 상사와의 오전 회의 참석이 피치 못할 사정인 것이다.

유연은 '읽씹'의 변명거리가 생겼음에 가벼워진 마음으로 회의실을 향했다.

"그런 경우는 '읽씹'이라고 합니다. 저하."

건은 느릿하게 미간을 문지르며 노트북 모니터를 닫았다. 그러자 세자의 표정을 훔쳐보던 이우혁이 헛기침을 하더니 방에 난 창문을 활짝 연다. 정체되어 있던 공기가 빠져나가고, 이른 아침의 산뜻한 공기가 그 자리를 채웠다.

세자가 머무는 곳은 동궁전 내에 지어진 별궁이었다. 조선 1395년 9월 25일 완공된 경복궁은 600년의 세월을 버텨온 보물이었다.

삶의 질을 높이겠다는 이유로 보물을 수리, 개조할 수는 없는 일. 그래서 30여 년 전, 이숙은 경복궁 내 이 궁을 짓기 시작했다.

그중에서도 세자의 거처는 자선당과 흡사한 외관에, 내부는 현대의 편리함을 다양하게 담은 곳으로, 건춘문과 가까워 이동 또한 편리한 위치였다.

"설마, 일어나시자마자 메일 확인부터 하신 겁니까?"

"메일이 왔으니 확인한 거야."

"평소엔 30통 넘게 쌓여야 확인하시잖습니까."

"스팸메일에 일일이 답장할 필요 있나?"

"뭐, 예. 그렇죠. 그런데 설마, 오늘도 그러고 주무셨습니까?"

우혁은 찌푸린 눈으로 세자의 전신을 천천히 훑었다. 금침이 깔린 킹사이즈 침대 위에 비스듬히 누운 세자는 우혁의 시선에 본인의 차림을 내려다보며 성의 없게 대꾸했다.

"문제 있나?"

"속옷은……."

"입었어."

물론, 속옷이야 입었겠지만…….

이건이 걸친 건 속이 비치는 얇은 원단으로 만든 여름용 장의였다. 날이 더운 만큼 얇은 옷을 찾는 건 문제가 아니었지만, 저것만 걸친 채 잠드는 것은 분명 문제다. 세자의 체통이 걸린 아주 중요한 문제라는 것을, 우혁은 근래 들어 뼈저리게 체감하는 중이었다.

"떡 벌어진 역삼각형의 어깨, 대리석을 세공해 박아 넣은 듯 단단하고 섬세하게 짜인 대흉근과 여섯 개의 복근. 189cm의 압도적 피지컬! 히프 아래 일직선으로 뻗은 근육의 결은 보통의 노력으로는 만들어지지 않는 아름다운 선이며, 비단결처럼 부드러운 머리카락은…….”
“그만. 뭐 하는 거야, 이우혁.”
“이게 바로 세자 저하의 팬클럽, ‘(경복)궁(의)걸(작)’에서 팬분들이 즐겨 묘사하는 말들입니다.”
“뭐?”
“직접 본 듯 선명하고 확실하며, 정확하게 묘사하고 있더군요.”
건은 흘러내린 앞머릴 쓸어 넘긴 뒤 벌어진 장의 앞섶을 꽉 조였다. 그래도 속이 비치는 건 매한가지.
“요즘 카메라 성능이 얼마나 좋은지 모르십니까? 1km 밖에서도 눈앞에 있는 것처럼 선명하게 찍을 수도 있습니다. 그런데…… 아침마다 이 꼴을 하고 동궁전 앞마당을 활보하시지요?”
“활보까지는 아니고……. 그런데 잔소리가 늘었다? 이 실장.”
“옷 좀 입고 다니시란 소립니다. 온갖 사이트에 돌아다니는 사진들을 찾아 삭제 요청하는 게 얼마나 힘든 일인지 아십니까? 예? 가끔은 세자 저하 욕탕 신……. 그러니까, 흠흠. 어쨌든 여름만 되면 제가 할 일이 두 배로 많아집니다.”
“어이, 이우혁.”
이건은 어처구니없다는 듯 웃으며 침대에서 내려와 보란 듯이 장의를 벗었다. 같은 남자가 보아도 이건은 끔찍하게 잘난 피조물이다. 조금 전 제가 읊었던 묘사는 따라가지 못할 만큼 근사한.
“잔소리는 그만하고, 조유연이 어째서 읽씹이란 걸 했는지 알아봐.”
그렇게 지시한 이건은 왼편에 난 미닫이문을 열고 욕실과 이어진 드레스 룸 안으로 들어갔다.
“저하, 읽씹에 특별한 이유가 어디 있습니까. 답장할 수 없을 만큼 바쁘거나, 답장하고 싶지 않거나. 둘 중 하나입니다."

이건을 따라 드레스 룸으로 들어간 우혁은 욕실 입구를 지키며 말했다. 그러자 샤워기 물소리와 함께 이건의 목소리도 들려왔다.

"그럼, 답장할 수 없을 만큼 바쁜 거겠군."

"아닐 수도 있습니다."

"이우혁."

"예."

"나한테 불만 있어?"

"없습니다."

"그런데 왜 이렇게 시비를 거는 것 같지?"

"회식 좀 시켜 주십시오. 저하께서 간택제 여신다는 소식에, 다들 휴가 반납해야 하는 거 아니냐며 걱정하고 있습니다."

"휴가는 걱정 말고, 음식은 대령숙수께 부탁하지 그래."

그럴 줄 알았다는 듯 한숨을 내쉰 우혁이 욕실 유리문에 대고 일부러 크게 외쳤다.

"연회 말고, 회식하고 싶은 겁니다. 노래도 하고, 춤도 추고, 연인도 만나고, 애인도 만들고. 저희도 연애를 해야 결혼을 하지 않겠습니까? 저하만 결혼하실 겁니까?"

얼마 후, 샤워를 마친 건이 물기를 털며 걸어 나왔다. 그러곤 우혁이 서 있는 옷장 문을 열어 입을 옷을 고른다.

"그 회식, 나도 끼워 줄 건가?"

뜬금없는 말에 우혁은 단호하게 고개를 저었다.

"그럴 수는 없습니다."

"돈만 내라?"

“회사의 대표님들은 다 그러십니다.”

결론은 RSA의 대표이사로서 직원복지 향상에 힘쓰란 뜻. 건은 헛웃음을 흘리며 말했다.

“마음대로 해.”

기어이 원하는 답을 얻어낸 우혁은 속으로 쾌재를 부르며 드레스룸을 나섰다. 내팽개쳐진 장의를 주워 걸고, 나인들을 호출하려던 때였다. 열어 놓은 창문 너머, 멀리 산책 중인 한 명의 남성이 보였다.

‘저 사람은…….’

“이태, 이름이 이태라고 했나? 또 왔군.”

어느새 출근 준비를 마친 이건이 시곗줄을 채우며 우혁의 뒤로 다가섰다. 멀리 보이는 남자는 자신을 이태라고 소개한 예술가 단체 에틸의 대표였다.

“전시 허가를 얻을 때까지 방문할 생각인가 봅니다.”

급히 휴대 전화로 방문 허가 명단을 훑은 우혁이 안경테를 추어올리자, 남자를 내려다보던 건의 눈매가 가늘게 벼려진다.

“언제부터 동궁전이 관람 허가 구역이 됐지? 이우혁, 대답해.”

뒤늦게 문제점을 의식한 우혁은 사색이 되어 세자의 처소를 뛰쳐나갔다.

건은 우혁과 세자익위사들이 남자에게 다가서는 모습을 지켜보며 노트북 모니터를 열었다. 여전히 유연의 답장은 도착하지 않았고, 언론사들의 인터뷰 요청서들만이 메일함 상단을 채우는 중이었다.

화면을 노려보던 건은 무겁게 가라앉은 표정으로 처소를 나섰다.

‘읽씹이란 거지, 이게…….’

좋은 것만 먹고, 입고, 보고 들으며 귀하게 자라 차마 입에 올리고 싶지 않았던 욕이 입안에서 자글자글 끓는다.

살다 살다 X무시를 당할 줄이야. 그것도 첫사랑을 닮은 여자에게.

'젠장.'

역시, 걱정은 사치였다.

유연은 밀려드는 업무를 정신없이 소화하며 하루를 보내야 했다. 새로 배정된 최준일 전무의 비서를 교육했고, 그녀가 관리해야 할 임원들의 업무를 새롭게 인수 받아야 했다. 그러다 보니 자연스럽게 세자에 대한 걱정은 머릿속에서 사라져 버린 지 오래다.

파김치가 된 표정으로 의자 등받이에 기대 있던 그녀의 휴대 전화가 울렸다.

-나 청첩장 나왔어. 오늘 가볍게 맥주 한잔?

상견례를 했다더니, 벌써?

유연은 민주에게 답장을 보냈다.

-우리 둘이?

-아니, 애들도 불러야지. 조 과장님은 오늘도 바빠?

-바쁘긴 한데, 맥주 한잔 정도는 할 수 있어. 어디서 만나?

-내가 조금 이따가 주소 보내 줄게. 완전 설렘, 완전 기대됨! 우리 대체 얼마 만이냐?

-그러게. 주소 보내 놔. 이따가 보자.

-오케이~!

하트 눈을 한 스마일 이모티콘이 화면을 가득 채운다. 퇴근까지 앞으로 한 시간. 그녀는 뭉친 어깨를 툭툭 두드리며 다시금 업무에 집중했다. 그래서 비서실의 분위기가 달라진 것도 의식하지 못했다.

모니터로 빨려 들어갈 듯 집중한 그녀의 책상 위로 연고 한 통이 툭 놓였다. 그것은 실도 뜯지 않은 구내염 연고였다.

"상처 치료도 안 하고 뭐 했습니까. 발음이 뭉개지잖아."

연고를 가져온 사람은 최준일이었다. 비서실 직원들은 전무의 등장에 숨도 쉬지 못한 채 한쪽에 모여 서서 지켜보는 중이었다. 주위를 살핀 유연은 자리에서 일어나 준일에게 공손히 허릴 숙였다.

"연고 감사합니다. 그럼 내일 브리핑은 다른 분께 부탁드리겠습니다."

제발, 가라 가.

가뜩이나 최준일의 편애를 불편한 시선으로 보는 사람들이 있었다. 그런 사람들에게 씹을 거릴 던져 주고 싶진 않다. 그러자 그녀의 얼굴을 빤히 내려다보던 준일이 한숨을 내쉬더니 주머니 안으로 양손을 꽂아 넣으며 돌아섰다.

"오후 시간 비워요. 같이 갈 곳 있으니까."

오후? 놀란 유연은 급히 준일의 팔을 가볍게 붙들었다.

"죄송합니다. 퇴근 후엔 선약이 있습니다. 일정 알려 주시면 백업을……."

"선약? 무슨 선약."

"개인적인 약속이 있습니다."

그녀를 비스듬히 내려다보던 준일의 눈빛이 사나워졌다.

"취소하세요."

"네?"

“개인적인 약속, 취소하라고.”

일부러 곤란한 상황을 만들어, 거절하지 못하게 하려는 수다. 최준일의 얕고도 비겁한 수. 하지만 알면서도 지금은 그 장단에 맞춰줘야 했다. 여기서 평소처럼 대들었다간, 보나 마나 치정이니 뭐니 하는 소문이 잔뜩 퍼지겠지.

유연은 그의 팔을 놓으며 시선을 내리깔았다.

“그렇게 하겠습니다.”

원하는 답을 얻은 전무는 냉정하게 돌아서서 비서실을 나갔다. 그제야 비서실을 가득 채웠던 긴장된 공기가 풀어지고, 너도나도 유연에게 다가와 대체 무슨 일이냐며 한마디씩 건넨다. 유연은 대수롭지 않게 웃으며 어깨를 으쓱 올렸다.

“항상 동행하던 거래처랑 문제 생기셨나 보죠. 숙취 해소제 먹어놔야겠네.”

“그런 거라면 제가 백업할까요? 지금 좀 저기압이셔서 저러시는 거 같은데…….”

“아뇨, 괜찮아요. 친구들한테 좀 기다리라고 하죠, 뭐.”

“그래도 과장님이 걱정되셨나 봐요. 이 연고 밖에서 사 온 거 아니에요? 새거네요?”

유연은 이게 바로 병 주고 약 주는 일이라고 속삭이듯 말한 뒤 거울을 꺼냈다.

‘최준일, 미쳤어? 갑자기 왜 저래?’

하지만 정말로 업무적인 문제가 생긴 건 아닌지 걱정이 되기도 했다.

입술 안쪽에 연고를 바른 그녀는 노파심에 준일의 비서에게 메신

저를 날렸다.

-강훈 씨. 전무님 오늘 접대 있어요?

그러자 펑펑 우는 스마일 표시를 보낸 강훈이 본인도 모르겠다고 답신을 보내왔다.

-그냥 기분이 저기압이세요. 접대 일정은 없습니다.

-알겠어요. 제가 정리해 놓은 골프장 연락처 받아 보셨죠?

-네, 안 그래도 입력 중이었습니다. ㄱㅅㄱㅅ

유연은 두 눈을 가늘게 뜬 채 모니터를 노려보았다. 공식 일정이 없다는 건, 개인적인 스케줄이라는 뜻. 고민에 빠져 있던 그녀의 머릿속에 불현듯 한 남자의 얼굴이 스쳐 지나갔다.

머뭇거리던 그녀는 아침에 도착했던 왕실에서 온 메일을 열었다. 그러곤 답장 버튼을 눌렀다.

「오늘, 시간 되세요?」

이번에도 바로 답신이 올까? 만약 왕실에서 답변이 오면, 그녀는 그것을 핑계 삼아 최준일의 제안을 거절할 생각이었다. 그래서 답장이 도착하길 기다렸다. 하지만 5분, 10분, 30분이 넘도록 답장은 도착하지 않았다.

답답한 마음에 보낸 메시지 함을 클릭한 그녀의 입술 새로 헛웃음이 흘러나왔다.

"나, 설마 읽씹 당한 거야?"

결국, 답장은 오지 않았다.

저와 메일을 주고받은 상대가 누구인지 몰라도, 꽤나 자존심이 상했나 보다. 물론, 높은 확률로 세자를 의심하고 있었지만 먼저 읽고 무시해 버린 건 자신이었기 때문에 더는 생각하지 않기로 했다.

그렇다면 플랜B.

-주차장

막 짐을 챙겨 비서실을 나온 그녀는 최준일에게 메시지를 받았다.

간결하다 못해 오만함이 절절 흐르는 세 글자, 주차장.

"과장님, 그럼 수고하세요."

"네, 다들 내일 봐요."

다들 로비 층을 누를 때 유연은 지하 1층을 눌렀다.

임원 전용 주차구역인 지하 1층에서 내린 그녀는 시동이 걸린 채 대기 중인 최준일의 차를 쉽게 찾아냈다. 운전석 창문을 똑똑 두드리자, 차창을 내린 그가 고갯짓을 한다.

"타."

"어디 가실 건지 말해 주세요."

"타라고, 조유연."

"사적인 이유라면 거절해도 되지 않나요?"

"그럼 내가 널 강제로 태울 텐데, 그럼 뭐가 되겠어. 너 싫어하잖아, 그런 거. 시선 쏠리고 사람들 입에 오르내리는 거."

"그런 거 좋아하는 사람이 어디 있어요?"

"있어, 최설아."

아, 인정해 버렸다.

유연은 주변을 한번 둘러보았다. 이곳은 임원 전용 주차장이었기 때문에, 임원들을 보좌하는 기사들이 주로 대기 중이었다. 그러잖아도 한쪽에 마련된 기사 휴게실에서 대기 중이던 몇몇이 호기심 어린 표정으로 주시하는 게 보인다.

'그러고 보면 나도 참, 주변 시선 어지간히 의식하는 속물이란 말이지.'

그녀는 심기 불편이란 글자가 얼굴에 쓰인 듯한 최준일을 내려다보다, 마지못해 조수석에 올라탔다.

"탔으니까 말해 주세요. 어디 가는 건지."

안전띠를 매며 묻자, 준일은 대답 대신 차를 몰아 지하주차장을 빠져나갔다.

대답 듣기를 포기한 유연은 한숨 쉬며 준일의 옆얼굴을 빤히 보다가 휴대 전화를 만지작거렸다. 퇴근 시간을 맞아 복잡한 테헤란로에 갇혀 버린 뒤에야 준일은 말문을 열었다.

"지난번에 말한 곳으로 갈 거야. 너, 이제 독립해. 그 집에 있지 마."

그럴 줄 알았지. 휴대 전화를 만지작거리던 유연의 눈에 냉소가 스친다.

"독립을 응원해 주는 건 감사하지만, 제가 알아서 해요. 그렇지 않아도 생각하고 있었어요. 그러니까 저 앞에서 세워 주세요."

"응원하는 거로 보여?"

"아니면, 납치라도 하는 거예요?"

"뭐, 마음 같아선 그러고 싶네. 세자빈? 경합? 간택에 참여한다고? 하, 네가 미쳤지?"

그녀는 준일을 빤히 보며 고개를 끄덕였다.

"미친 건 인정해요. 그래서 안 세우겠다는 거예요?"

"그곳으로 가. 짐 옮기라고 해 놨으니, 어차피 성북동으로 가 봤자

네 짐 없어."

"되게 제멋대로네."

"몰랐어?"

"아니, 알고 있었어요. 어쩐지 이럴 것 같아서, 나도 좀 제멋대로 굴었어요. 미안해요."

미안하단 말에 준일의 미간이 구겨진다. 속도를 내기 시작한 도로 사정과는 별개로, 핸들을 쥔 그의 손이 하얗게 질려간다.

유연은 어딘가로 전화를 걸었다.

"신고라도 하게?"

코웃음 친 준일이 손을 뻗어 그녀의 휴대 전화를 빼앗으려 할 때였다.

"매니저님, 서화제약 비서실 과장 조유연입니다. 서연아 씨 오셨나요?"

자신의 약혼녀의 이름이 불릴지는 몰랐는지, 기함한 그가 두 눈을 크게 뜬다. 유연은 수화기를 가볍게 감싸며 '운전 똑바로 하세요.'라고 충고까지 했다.

[네, 지금 막 오셨네요. 그런데 혼자 오셨습니다. 일행분은요?]

"지금 약혼자분께서 가고 계세요. 그런데 차가 좀 막히신다네요? 제가 부탁드린 이벤트로 시간을 끌어 주실 수 있을까요? 오늘 특별한 날이라, 약혼자분께서 많이 준비하셨거든요."

[아! 그럼요, 저희 귀한 고객이신데요. 그럼 바텐더 직원에게 부탁해 놓겠습니다. 얼마나 더 걸리시죠?]

"20분 정도요. 빠르면…… 7분 안에도 도착하실 것 같아요."

[예, 그럼 나중에 뵙겠습니다.]

그녀가 전화를 끊자마자 부들부들 떨던 준일이 버럭 소리쳤다.

"너 뭐 하는 짓이야! 조유연!"

"뭐 하는 짓이냐면, 오늘 서연아 씨한테 특별한 날이에요."

"뭐? 무슨!"

"자식처럼 아끼는 아롱이 생일이요. 서연아 씨는 매년 아롱이 생일을 크게 열어 줬어요. 이제 부부가 되실 텐데, 같이 챙기셔야죠. 아롱이 생일."

유연은 환하게 웃으며 대각선에 보이는 버스정류장을 가리켰다.

준일은 식은땀까지 흘리며 안절부절 정신이 없었다. 제게 집착하는 것과 관계없이 준일은 자신의 약혼녀를 사랑한다. 서연아의 배경이든, 인물이든, 성격이든, 돈이든. 결국, 그 사랑을 놓지 못할 것이다.

"청담동 르꼬네르에 가시면 입구에서 꽃다발 주실 거예요. 그리고 선물 박스도 주실 텐데, 그 안에는 아롱이 간식이 잔뜩 들어 있어요. 하지만 간식만 들은 건 아니고, 서연아 씨 선물도 있어요. 뭐냐고 물으면 그냥 비밀이라고 하세요."

"너, 아주…… 작정했구나?"

"몰랐어요? 이제라도 알면 나한테 그만 집착하고 제발 약혼녀랑 알콩달콩 행복하게 사세요. 만약에…… 한 번만 더 나 내연녀 취급하면, 그땐 얼굴에 점 찍고 서연아 씨 부친 만나러 갈 거예요. 그 앞에서 헛구역질 몇 번 해 주면 게임 끝이야. 그러니까, 세워."

주먹으로 핸들을 내리친 그로 인해 묵직한 경적이 도로를 울렸다.

결국 최준일은 유연의 말을 들을 수밖에 없었다. 빠르면 7분, 늦으면 20분이라고 했으나 초행길임을 감안하면 그조차도 불분명했다.

가까운 보도블록 도로변에 비상등을 켠 채 멈춰 선 차에서 유연이 내렸다. 그러곤 문을 닫기 전에 준일을 보며 재차 일렀다.

"르꼬네르예요. 청담동 명품거리 쪽 아니니까, 잘 찾아가세요. 그럼, 내일 뵙겠습니다."

준일은 유연을 죽일 듯 노려보면서도 이렇다 할 말을 찾지 못했다. 목에 핏대가 서고 특유의 음울함과 서늘함이 뒤섞인 눈빛이 야속하다는 듯 그녀를 향한다. 유연은 그런 그를 향해 생긋 웃으며 문을 닫았다.

준일의 차가 출발함과 동시에 몸에 힘이 풀렸다. 최준일의 부탁으로 서연아의 개인사를 살뜰하게 챙긴 보람이 있었다. 애완견 생일을 이렇게 써먹을 줄이야.

도로변에 멀뚱하게 서서 몇 분이나 흘렀을까, 하얀 승용차 한 대가 그녀 앞에 급정거했다. 조수석 창문이 열리더니 얼굴에서 광이 나는 예비신부 민주가 환하게 웃는다.

"타!"

"뭐야, 엄청 빨리 왔네?"

유연은 기다렸다는 듯 차 문을 열고 올라탔다.

"너한테 메시지 받자마자 따라붙었지. 이 언니가 무사고 10년이야, 10년."

"아이고, 잘했다. 우리 민주 잘했네."

"고마우면 축의금 많이 내. 부케도 받을래?"

"뜬금없다, 너. 결혼 생각 자체가 없는데 어떻게 부케를 받아. 다른 사람한테 받으라고 해."

"으이구, 안 되겠다. 오늘 우리 조유연 해방의 날로 지정하고 달려야겠다."

민주는 심기일전한 표정으로 가속페달을 밟았다. 유연은 최준일의 차에 타자마자 민주에게 연락을 해 두었다. 최준일이라면 자다가도 치를 떨던 녀석이었기에, 따라오라는 말에 귀신같이 준일의 차를 찾아내 쫓아와 주었다.

"근데 어디로 가?"

"어, 우리 오빠 친구가 홍대에서 크게 포차를 하거든. 내 친구들한테 쏜대."

"……네 애인도 아니고, 애인 친구가 왜 우리한테 쏴?"

"뭐, 그거야 내 친구들은 다 예쁘니까?"

"됐다, 됐어."

유연은 키득키득 웃으며 르꼬네르 매니저에게 전화를 걸었다. 도착했냐는 질문에, 아주 멋진 분이라고 답하는 매니저의 목소리가 상기되었다. 그녀는 잘 부탁드린다고 말한 뒤 만족스러운 표정으로 시트 깊숙이 몸을 묻었다.

"도착하면 깨워 줘. 나 오늘 30년은 늙었으니까, 경로우대 부탁해. 알았지?"

몸을 흔드는 느낌에 번쩍 눈을 뜨자, 걱정스러운 표정의 민주가 유연의 눈앞에 손가락을 흔들었다.

"이거 몇 개?"

"백만 스물한 개. 아, 죽겠네."

온몸이 뻐근하고 물먹은 솜처럼 무겁다.

"너 괜찮겠어?"

"응. 말했잖아. 맥주 한두 잔은 괜찮아. 가서 쉴 거야."

"그래, 조금만 마셔. 안주로 배 채우면 되지. 가자."

들뜬 민주와 함께 찾은 곳은 실내 헌팅 포차가 밀집된 곳으로, 평일에도 엄청난 대기 줄이 있는 곳이었다.

유연에게는 생소한 광경이었다. 그러고 보니 친구들과 술을 마시기 위해 만나 본 게 몇 년 만인지. 가볍게 점심 식사를 한 적은 종종 있었지만, 술을 마시기 위해 만난 건 오랜만이었다.

그게 바로, 민주가 최준일을 싫어하는 이유였다.

"어서 와! 오오, 조 과장니임!"

"이야, 처제! 어서 와요. 오랜만이네."

"민주, 너는 얼굴이 더 폈다?"

"유연이 하나도 안 변한 거 봐. 저저저, 여우 같은 지지배."

시끌벅적한 실내. 조금 정신이 없었지만, 오랜만에 보는 얼굴들에 금세 기분이 좋아졌다. 그런데 성비가 참으로 묘하게 딱딱 맞아떨어진다. 여자 넷, 남자 넷.

이미 주문을 해 놓은 건지, 민주의 애인 동현이 직접 음식을 서빙해 가져왔다.

"많이 드세요, 유연 씨. 얘기 많이 들었습니다."

"네, 결혼 축하드려요."

"피로연이 엄청 기대되네요. 제 친구 놈들이 민주 친구들 예쁘단 소문 듣고 눈에 불을 켰거든요."

"에이, 볼 건 얼굴밖에 없어요."

"뭘 또 그렇게. 능력도 좋으신 분들이."

훈훈한 덕담이 오가고, 너스레도 떨고. 가볍고 친밀한 분위기가 좋았다.

유연은 500cc 맥주 한잔을 앞에 두고 천천히 홀짝이며 열심히 배를 채웠다. 그러고 보니 점심 식사도 거른 게 생각나 더욱 전투적으로 음식을 입에 넣었다.

"이거 작업은 아니고, 그렇게 드시는데 왜 살이 안 찌세요?"

직업은 치과의사. 나이는 서른둘, 외모 준수, 학벌 좋고, 말투 또한 사근사근한 편이고. 위로 형과 누나가 있는 완벽한 신랑감이라고 민주가 설명했던 남자다. 근데 이름이 뭐였더라?

"제가 운동을 좋아해서요. 평소에 많이 움직이는 편이고요."

"무슨 운동 하시는데요?"

"줄넘기랑 등산이요. 수영도 하고, 취미로는 실내 야구장 가서 공도 던져요."

"허, 대박. 서화제약 비서실 소속 아니세요?"

"그 스트레스 풀어야죠."

이름이 생각나지 않는 게 미안해 생글생글 웃으며 묻는 말에 착실하게 대답했다.

유연은 뻐근한 목덜미를 주무르며 주변을 둘러보았다. 정말이지 신기한 곳이다. 어떻게 저렇게 자리를 옮겨 다니면서 서슴없이 친해질까?

이리저리 둘러보며 사람들을 구경하던 그녀는 묘하게 낯설지 않은 얼굴을 발견하곤, 두 눈을 가늘게 떴다.

'잘못 봤나……? 이우혁 씨가 여기 있을 리가……'

헙. 헛바람을 들이켠 그녀는 순간 숟가락을 들고 일어나던 우혁과 눈이 마주쳤다. 평소 보았던 정장이 아닌 평범한 옷차림의 우혁이 로봇처럼 굳어 슬그머니 시선을 피한다. 그러다가 무언가를 느낀 듯 홱 돌아서더니, 유연의 테이블에 있는 사람들을 예리하게 훑었다. 그래서 이번엔 유연이 슬쩍 어깨를 틀어 우혁에게 등을 보이며 앉았다.

'그래, 세자는 없는 거겠지. 세자가 여기 있었으면 난리가 났지. 근데 쉬는 날인가? 왜 이런 데 있어?'

당혹스럽기도 했지만, 신기한 느낌도 들었다. 궁에서 일하는 사람들은 왜 궁에만 있을 거라고 생각한 걸까? 우리랑 똑같은 사람들인데.

"나 화장실 좀."

유연은 어색하게 웃으며 일어나 건물 외부에 딸린 화장실로 향했다. 차가운 물로 손을 닦은 뒤 열 오른 뺨을 꾹꾹 누른 그녀는 거울을 들여다보며 고개를 끄덕였다.

'괜찮네, 이 정도면.'

그때, 주머니에 넣어 둔 휴대 전화가 울렸다. 메일이 도착했다는 알림을 보자 이상한 불안감이 치민다. 밖으로 나온 그녀는 휘황찬란한 간판등 아래 서서 도착한 메일을 열었다.

「오늘 시간 됩니다.」

뭐야.

웃음이 튀어나와 입술을 깨물자, 지끈한 통증이 입안에서 번진다. 유연은 아픈 입가를 어루만지며 답장 버튼을 눌렀다. 하지만 어떤 말을 해야 할지 떠오르지 않았다.

타임아웃이라고 해야 하나? 그냥 평범하게 다음에 보자고? 아니지, 굳이 대답을 해야 해?

두 눈을 가늘게 뜬 유연이 미련 없이 화면을 꺼 버린 뒤, 주머니에 넣은 찰나였다.

"진짜 고의였습니까?"

머리 위로 진 그림자에 천천히 고개를 든 그녀의 눈이 아연하게 커진다.

"게다가 세자빈이 될지도 모르는 여자가 소개팅을 한다?"

아우, 머리야. 아우, 신이시여.

"말해 봐요, 조유연 씨. 나 지금 상당히 기분이 나쁜데, 잘못된 겁니까?"

그녀는 눈가를 살짝 가린 검정 머리카락 사이로 쏘아지는 남자의 눈동자를 응시하며, 입술을 꾹 다물었다.

한 번에 세 가지 질문을 하는 건, 반칙이다. 아무리, 세자 저하라 해도 말이다.

"어, 저기……."

유연은 딸꾹질이 나올 것 같은 명치를 꾹 누르다가, 아차 하는 마음에 꾸벅 허리 숙였다.

"안녕하세요. 세자 저하."

"예, 안녕하십니까. 조유연 씨."

건은 고개를 살짝 끄덕이며 유연을 내려다보았다. 입이 마르는 기분이었다. 하필 '읽씹'의 현장을 딱 걸릴 줄이야. 민망한 마음에 얼굴에 열이 올랐다. 하지만 조금 더 생각해 보니, 지금의 상황은 호감도를 깎아내릴 좋은 기회였다.

불쑥 고개를 치켜든 그녀의 눈빛이 반짝인다.

"무시할 의도는 아니었지만, 업무 시간 외 도착한 메일이라 답장할 이유가 없었습니다. 그리고 제가, 음…… 이런 자릴 좋아합니다. 소개팅이나 사람들 만나는 거요. 혹시, 경합에 좋지 않은 영향을 끼치나요?"

오늘 이건은 평소의 딱딱한 정장 차림이 아닌, 짙은 색의 셔츠에 일직선으로 떨어지는 코튼팬츠 차림이었다. 유연의 대답에 어처구니없다는 표정으로 실소한 그가 흘러내린 앞머릴 쓸어 넘겼다.

"좋지 않은 영향이라…… 왜 꼭 그러길 바라는 사람 같지?"

마치 속을 꿰뚫어 보는 듯한 눈빛에 유연은 슬그머니 시선을 피했다.

"그럴 리가요. 오해십니다. 그저 솔직하게 말씀드리는 편이 나을 것 같아서요."

"솔직?"

"네, 그래야 후환이…… 없지 않을까요?"

어느덧 그를 알아본 사람들이 하나둘 모여든다. 일정 거리를 유지한 채 너도나도 휴대 전화를 꺼내 들고 있었다.

"조유연 씨."

그녀의 이름을 부른 그가 한 걸음 다가온다. 그에 엉거주춤 물러서자, 그제야 커다란 기둥이 사람들의 시선에서 그녀를 자유로이 만들어 주었다.

예상외의 배려를 받아서인지 기분이 묘하다. 설마, 우연이겠지? 그 정도로 치밀할까……?

"나는 지금 여기서 조유연 씨를 곤란하게 할 수도, 아무 일 없이 무사히 돌려보내 드릴 수도 있습니다."

주머니에 손을 꽂아 넣은 채 반듯하게 선 이건의 입꼬리가 비스듬히 올라간다.

"내가 어떻게 할지 궁금하지 않습니까?"

"후자를…… 선택해 주시면 안 될까요? 제게도 사정이 있어서요."

"사정이라……."

"절대 미필적 읽씹이 아니었습니다. 제가 감히 세자 저하의 연락을…… 무시했네요."

변명하면 안 된다는 걸 깨닫고 순순히 인정한 그녀가 한숨을 깊게 내쉬자, 그가 주먹으로 입을 가리며 웃는다.

이어, 남자의 은은한 향수 냄새가 가까워졌다. 귓속말하듯이 상체를 기울인 그의 입술이 그녀의 귓가에서 움직였다.

"그럼, 이번 주 금요일 오후 7시 50분. 경복궁으로 오세요."

유연은 숨도 쉬지 못한 채 그의 어깨 부근을 바라보았다.

"경복궁으로요?"

"절차입니다, 사심이 아니라."

작은 속삭임 때문인지 귀 안이 간지러웠다. 마치 비밀을 속삭이는 듯한 태도. 긴장에 입술을 깨물던 그녀가 움찔하며 어깨를 떨자, 고개를 기울인 그의 시선이 빨간 입가에 닿는다.

순간, 이건의 눈매가 가늘게 접혔다.

"그런데 입술은 왜……."

"세자 저하!"

우혁의 목소리에 건은 유연의 입술 가까이 닿을락 말락 했던 손을 내렸다. 때마침 술집에서 뛰어나온 우혁이 건을 발견하곤 사색이 되어 다가온다.

“대체 언제 오신 겁니까? 좌익위 보고 놀라서…… 조유연 씨?”

뒤늦게 기둥에 가려져 있던 유연을 본 우혁의 낯빛이 창백해졌다. 그런 우혁을 비스듬히 돌아본 이건이 주머니에서 꺼낸 카드를 손가락에 끼워 내민다.

“계산이나 해.”

“예……. 그런데 뭐 하십니까, 저하?”

“세자빈이 될지도 모를 조유연 씨와 담소를 나누고 있지. 그렇게 안 보이나?”

“담소가 아니라, 취조의 현장 같습니다만.”

“이런, 티 나나?”

“예, 많이 납니다.”

“그럼 이유도 아나?”

“조유연 씨가 누구를 만나든, 누구와 연애를 하든, 자유입니다. 아직은 세자빈이 아니시니까요.”

“하, 그래?”

“예, 그렇습니다. 저하, 체통을 지키시죠. 보는 눈이 많습니다. 좌익위, 저하를 모시게.”

이우혁의 지시에 덩치 큰 남자가 다가와 세자의 곁에 섰다. 건은 이마를 짚은 채 어깨를 떨며 웃음을 참았다. 그러다가 시원하게 웃으며 고개를 든다.

“아니, 익위. 조유연 씨를 자리로 모셔다드려. 이미 나와 있는 걸 이곳 사람들에게 보였으니, 술자리 내내 불편할 거야. 지켜 드리게. 술자리가 파할 때까지.”

술자리가 파할 때까지라니? 유연의 두 눈이 사슴 눈처럼 커다래졌지만, 이건은 지시를 내린 채 돌아섰다.

그가 돌아서자 사방에서 비명이 쏟아진다. 마치 연예인이 등장한 것처럼 홍대 거리가 들썩였다.

"아, 맞다."

몇 걸음 내디딘 남자가 돌아서더니 뒷주머니에 꽂아 둔 모자를 꺼낸다. 그러곤 다시 돌아와 유연의 머리 위에 검정 모자를 푹 씌웠다. 자그마한 얼굴이 모자에 가려져 입술과 턱 말고는 보이지 않는다. 그 모습에 만족한 그가 싱긋 웃으며 이번에도 목소릴 낮춰 속삭였다.

"이게, 내 결정입니다."

딸꾹.

결국, 터졌다. 유연은 딸꾹질이 새어 나온 입술을 가리곤, 그를 째려보듯 눈을 치켜떴다. 하지만 그는 이해한다는 듯 고개를 주억인 뒤 돌아섰다.

이건의 결정은 '당신을 곤란하게 하겠다.' 였을까? 하지만 모자를 씌워 얼굴을 가려 준 걸 보면, 반대인 것 같기도 하고.

'미치겠네.'

유연은 사람들의 환호를 받으면서도 자연스럽게 의전 차량에 오르는 이건을 보며 달아오른 뺨을 문질렀다.

"저……."

난감한 표정의 그녀가 옆에 선 익위 장은호를 불렀다. 그러자 커다란 남자가 상체를 기울였다.

"말씀하십시오."

"술은 어차피 맥주 한 잔만 마시려고 했고, 공치러 가려고 했어요."
"치러 가십시오."
"저하께선 술자리가 파할 때까지만 지켜보라고 하셨으니, 이제 가셔도 돼요. 여기서 끝낼 거예요."
"짐 갖고 나올까요?"
"아뇨! 제가 할게요. 인사도 해야 하고……. 그냥 여기 계세요, 제발요."
떼어 놓으려는 건 실패인가. 동공 지진을 일으킨 그녀는 한숨을 푹 내쉬며 터덜터덜 기둥 밖으로 나왔다. 그러자 기다렸다는 듯 호기심 어린 시선이 쏟아진다.
'아, 울고 싶다.'
자리로 돌아온 유연을 본 민주는 그녀가 쓴 모자를 가리키며 물었다.
"너 그거 언제 샀어?"
"어? 아, 아니야. 내 거."
"아니라고? 그거 세자 저하 거랑 똑같은데? 짝퉁인가?"
황당한 말투에 유연은 모자를 더듬었다. 그러자 모자 옆면에서 도톰한 자수가 만져졌다.
'씨…… 이름 써 놓은 거 아니야?'
하지만 호기심의 시선이 너무 무서워 차마 확인할 수 없었다.
"민주야, 나 먼저 갈게. 다들 죄송해요, 재밌게 놀다 가세요."
"왜에! 야야, 조유연!"
"나 여기 있으면, 너희 술 못 마셔. 눈치 보여서."
"왜? 야, 우리가 누구 눈치를 봐. 설마, 최 또라이 왔니?"
"아니야, 아니야. 그런 거 아니야. 어쨌든…… 결혼식 날 보자, 축하해!"

가방을 챙긴 유연은 아쉬워하는 친구들을 뒤로하고 술집을 나섰다. 아까보단 나았지만, 흘깃거리는 시선은 여전히 그녀를 따라붙었다.

유연은 모자의 옆면을 가려 버린 뒤 버스정류장을 향해 뛰었다. 세자가 붙여 놓은 장은호는 산보하듯 가볍게 그녀를 따라왔다.

유연은 버스에 오르기 전, 손을 흔들었다.

"잘 가세요! 익위 씨!"

그러자 입술을 달싹인 장은호가 양손을 모아 유연에게 외쳤다.

"익위 씨가 아니고, 장은홉니다!"

그러자 창문을 벌컥 연 그녀가 모자를 던졌다. 은호는 혹여 모자를 떨어트릴까 허둥거리며 유연이 던진 모자를 받았다.

"은호 씨, 그거 주인한테 돌려드리세요. 부탁할게요."

손을 흔든 그녀가 창문을 닫자, 버스는 이내 출발했다.

세자의 모자를 품에 안은 채 멀뚱히 선 장은호의 앞으로 검은 세단 한 대가 도착했다. 장은호는 이내 정신을 차리곤 조수석에 몸을 실었다.

"곧장 파했나? 술자리는?"

세자의 시큰둥한 질문에 은호가 고개를 조아리며 모자를 내밀었다.

"청첩장을 받으러 오신 것 같습니다. 모자, 돌려주셨고요."

"으음, 그래."

건은 조금 전 그녀에게 씌워 주었던 모자를 받아 손가락 끝에 걸었다.

복잡한 서울 길. 그녀가 탄 버스를 스쳐 지나가며 건은 고개를 들었다. 창가에 앉아 먼 곳을 바라보는 여자의 얼굴이 보인다.

"천천히."

세자의 지시에 기사는 버스와 속도를 맞춰 달리기 시작했다.

기억의 오류는 무서운 거다. 처음엔 그 아이가 아닐까 하는 생각이 들었지만, 지금은 기억 속 그 아이와 똑같이 생겼다는 생각밖에 들지 않았다. 하지만 유연이 보내온 자료로는 왕립고등학교 재학 사실을 확인할 수 없었다.

'어디에 있을까, 넌.'

잊고 있던 기억을 자극받은 순간, 더욱 그 아이를 찾고 싶어졌다.

도로의 신호와 정체 상황이 바뀌며, 두 대의 차량이 자연스럽게 반대편으로 방향을 틀었다. 그제야 세자의 시선도 정면으로 돌아왔다.

'결국엔 찾겠지, 너니까.'

"이게…… 뭐야?"

벌떡 일어나는 바람에 최설아의 얼굴에 붙어 있던 팩이 떨어졌다.

SNS에서 빠져나온 그녀는 왕세자의 팬클럽인 〈궁걸〉에 접속했다. 팬클럽 사이트는 이미 원자폭탄을 맞은 것처럼 한 가지 주제의 게시물로 실시간 도배가 되는 상황. 그중 조회수와 댓글수가 가장 높은 게시물을 클릭한 최설아의 입술이 떡 벌어졌다.

「세자빈 후보! 우리 존잘 세자 저하가 모자 씌워준 거 실화? 완전 서윗해! 일반인이란 소리도 있고, 의사란 소리도 있는데 확실한 건 모름. 근데 직접 본 지인의 말에 따르면, 세자 저하 눈에서 꿀이 뚝뚝 떨어졌대. DOG 부럽!」

스크롤을 내려 한 장, 한 장 사진을 확인한 설아는 실소를 흘리며, 사진을 확대했다.

"그래, 세자빈 후보는 맞는데……."

조유연, 네가 왜 세자 저하랑 거기서 나와?

기둥 뒤에 가려진 여자를 보며 웃는 세자의 얼굴은 입을 틀어막아야 할 만큼 달콤했다. 그 얼굴을 조유연이 봤다고?

'근데 왜? 왜 저기서 만나는데?'

손톱을 물어뜯기 시작한 그녀에게로 매니저 재익이 달려왔다.

"어어, 손톱 물어뜯으면 안 되지. 설아야, 팩 떨어졌다. 오빠가 다시 올려 줄게, 누워."

재익은 들고 있던 쟁반을 내려놓으며 설아를 눕히려 했다. 하지만 냉정하게 쳐낸 설아는 계속해 다른 게시물을 눌러보며 탄식을 내뱉었다.

"하! 미쳤네? 나 결혼하게 도와준다면서 뭐 하는 거야, 얘는?"

"왜, 무슨 일인데?"

"아, 몰라! 근데 오빠는 아직도 여기 있어? 나 오늘 연습 끝났잖아."

시큰둥한 질문에 재익이 생글생글 웃으며 쟁반에 받쳐 온 한약 한 팩을 내민다.

"관절에 좋대. 통증에도 좋고, 풍이나 다름없는 거라서 이거 먹고 나은 사람 많다더라."

"뭐? 한약 못 먹어! 알잖아?"

"에이에이, 우리 설아 먹을 수 있어. 내가 사탕도 가져왔어. 네가 좋아하는 거로."

커피 맛 사탕은 탐이 났지만, 한약은 영 아니올시다다.

설아는 고민하다 재익이 빨대까지 꽂아준 한약 팩을 받았다. 어정쩡하게 일어난 재익이 아이를 대하듯 설아의 코를 잡더니 고개를 끄덕인다.

설아는 숨을 참은 채 한약을 꿀꺽꿀꺽 마셨다. 그러곤 오만상을 찌푸린 채 입을 벌리자, 재익이 커피 맛 사탕을 두 개나 까 입에 넣어 주었다. 입안에서 굴러가는 커피 맛에 한약 맛이 뒤섞여 끔찍한 맛이 두 배가 됐다.

"어우, 맛없어!"

재익은 울상이 된 설아를 사랑스럽다는 듯 쳐다보며 등을 쓰다듬었다. 퉤퉤, 거리며 괴로워하는 설아의 머릴 쓰다듬던 재익이 진지한 표정으로 그녀의 어깨를 꼭 잡았다.

"설아야, 너 꼭 세자빈 해야 해? 그럼 우린 어떻게 되는 거야……?"

"뭐? 우리가 왜?"

"난 우리가 같은 마음인 줄 알았는데……. 너랑 결혼, 할 줄 알았어."

"하, 뭐? 미쳤니? 야! 송재익!"

설아는 재익의 이마를 꾹 밀어내며 진절머리 난다는 듯 팔을 마구 쓸었다. 그러며 새빨개진 얼굴로 기죽은 그에게 소리 질렀다.

"주제도 모르고 어딜 넘봐! 야, 우리가 잠만 잤지, 사랑했니? 이 오빠가 미쳤나 봐? 내 팔자 망치려 하지 말고 나가! 연주회 전까지 찾아오지 마!"

이른 아침, 커튼이 걷히며 환한 빛이 세자의 얼굴에 강렬히 뿌려

졌다.

건은 인상을 쓰면서도 절대 눈을 뜨지 않았다. 그러자 부르르 떤 우혁이 세자를 깨웠다.

"저하."

"눈은 감아도 귀는 뚫려 있으니 보고부터 해."

"듣는 것보다는 직접 보셔야 할 것 같습니다."

평소답지 않게 진중한 우혁의 말투. 세자는 안대를 걷으며 인상을 찌푸렸다.

"무슨 일이야."

우혁은 대답 대신 들고 있던 리모컨으로 정면 TV를 틀었다. 건은 오늘도 속이 비치는 장의 한 장만 걸친 채였다. 비스듬히 기대앉은 그가 눈가를 가린 머리카락을 쓸어 넘기며 TV 화면으로 초점을 모았다.

「이희은 리포터, 직접 세자 저하를 본 사람들의 말이 분명합니까?」

「예, 바로 저 사진을 찍어 제보해 주신 분입니다. "세자 저하께서 여자분의 얼굴이 공개될까 봐 배려하시는 눈치였다. 또한, 지금껏 그토록 부드럽게 미소 짓는 세자 저하는 처음이다." 이렇게 말씀하셨고요.」

「어허, 간택제를 시행한다 하시더니 사실 내정자가 있던 건 아니겠지요?」

「원래, 간택제에 내정자가 등장하는 일은 종종 있었습니다. 국왕 전하께서 중전마마와 혼인하실 때 혹, 비밀 간택을 하신 것 아니냐는 추측이 있었던 것과 같습니다.」

「자, 그럼 여기서! 광고 보시고, 또 다른 세자빈 후보가 나타났다는 소식입니다. 2부에서는 온라인을 뜨겁게 달군 두 명의 세자빈 후보에 대해 알아보겠습니다.」

아나운서의 윙크와 함께 광고가 시작되었다. 그것도 경회루를 배경으로 찍었던, 세자의 경복궁 홍보영상이.

"조유연 씨와 찍히신 사진이 커뮤니티에 퍼졌습니다. 팬들 사이에선 신상을 지켜 주자는 의견이 대다수이지만, 몇몇 스트리머와 언론사에선 조유연 씨를 찾으려 혈안이 되어 있습니다."

건은 우혁이 내민 태블릿을 받아 시선을 내렸다.

"또한, 커뮤니티에 최설아 씨와 관련한 게시글들이 올라오기 시작하면서 '세자빈 후보 찾기'라는 놀이문화가 형성되려 합니다. 왕실에서 커뮤니티와 언론사에 자제요청을 해 놓은 상태이나, 아무래도 최설아 씨 관련 게시글은……."

"본인 등판이군."

건은 〈최** 씨야말로 진짜 세자빈 후보이자 유력한 후보!〉라는 게시글을 가리켰다. 그 게시글은 새벽 시간에 올라와 핫이슈가 되어 버린 것으로 익명의 누군가가 올린, 최설아의 모든 것이나 마찬가지였다. 그것도 최설아 본인의 휴대 전화를 털어 온 것 같은 수많은 셀프카메라 사진과 함께.

"예. 자료가 너무도 정확해 IP 추적 결과, 최설아 씨 본인으로 밝혀졌습니다. 아마, 조유연 씨의 기사 내용에 자극받으신 것 같습니다."

"뭐, 거짓말을 하는 것도 아니고 자화자찬 정도는 그냥 둬."

"조유연 씨는 어떻게 할까요. 얼굴을 가렸다고 하지만, 알아보는 사람들도 분명 있을 겁니다."

"그렇겠군."

건은 화면 속 유연의 사진을 확대해 보았다. 모자를 눌러쓴 여자의 얼굴이 화면 가득 확대된다.

다행히 턱과 입만 보였으나, 우혁의 말마따나 알아볼 사람은 알아볼 터. 침대 아래로 내려온 건은 걸치나 마나 한 침의를 벗으며 우혁에게 지시했다.

"각 부 담당자들 모두 호출해. 오전 10시 30분, 사정전에서 보자고."

우혁은 세자의 처소를 나와 전동 킥보드에 올랐다. 일상에선 사용이 금지되어 있었지만, 바쁜 일이 있을 땐 예외다.

서둘러 동궁전을 빠져나와 궐내각사 방향으로 달리던 우혁은 잔디밭에 누워 있는 한 사람을 발견했다. 브레이크를 밟은 우혁이 안경 코를 추어올리며 전동 킥보드를 멈추었다.

"저기, 이태 대표님! 거기 그렇게 누워계시면 안 됩니다!"

이번에도 저 남자다, 이태. 나른한 표정으로 일어난 이태가 우혁을 발견하곤 부스스 일어나 손을 흔든다. 그러곤 마른 풀을 털어 낸 뒤, 잔디 밖으로 걸어 나왔다.

"안녕하세요, 이 실장님."

"예, 대표님. 그런데 오늘도 찾아오신 겁니까? 날이 더운데요."

"얼마 전까지 추운 곳에 있었더니, 이렇게 따뜻한 게 좋네요."

"이렇게 버티셔도 작품 전시는 힘들 겁니다. 미술관에서는 가능하지만, 궁 내에서는 허락된 적이 없어요."

"이렇게 매일 저를 보시면, 언젠가는 허락해 주시겠죠. 그리고 저는 궁이 좋아서 오는 겁니다. 정말 소름 끼치게 아름다워서요."

소름 끼칠 것까지야. 우혁은 어색하게 웃으며 잔디를 사랑해 달라고 말한 뒤, 다시 킥보드를 몰았다. 그때였다. 어딘가에서 불쑥 튀어나온 차 내관이 우혁의 앞을 위험하게 가로막았다.

"어어어!"

"이 실장!"

급히 브레이크를 잡은 우혁은 사색이 되어 소리쳤다.

"상선 영감! 위험하실 뻔했습니다!"

"미안하네, 미안. 내 너무 급하여!"

"무슨 일이십니까? 전하께 무슨 일이라도……."

"아, 그것이 아니라……."

말끝을 흐린 차 내관이 고개를 쭉 빼며 이태가 있던 자릴 흘끔댔다. 우혁은 덩달아 고개를 돌려 미술관 방향으로 걷는 이태를 가리켰다.

"저분 보시는 겁니까?"

"어, 그래요. 누구십니까? 누구시지요?"

"예술 하시는 분이십니다. 에틸이라는 무슨, 예술 하는 사람들 대표라고 하던데요."

"성함은요?"

"이태라는 분이십니다. 왜요, 아는 분이세요?"

입술을 달싹인 차 내관은 우혁의 질문엔 대답도 않은 채 헐레벌떡 뛰기 시작했다. 강녕전 방향으로 뛰는 차 내관의 발이 꼬일까 봐 안절부절못하던 우혁은, 묘한 예감에 고개를 갸우뚱 기울였다.

'뭐가 있는데……. 뭐, 숨겨진 왕족 뭐 그런 거야? 왜 저러셔?'

차 내관의 행동에 궁금증이 일었지만, 해결해야 할 일이 산더미처럼 쌓여 있었다.

사정전에 도착한 그는 곧장 궐내에 있는 각 부 담당자들에게 호출을 넣었다. 그러자 호출을 받은 이들이 하나둘 모여든다. 그중에서도 내명부에 소속된 최고상궁인 서 상궁의 등장에 다들 긴장했다.

대비마마를 모시던 서 상궁은 명실상부 차 내관과 어깨를 나란히 할 궁궐의 실세였다. 조용한 카리스마라고 할까? 엄한 외모와 엄격한 성격을 가졌지만, 속은 따뜻한 서 상궁은 경복궁의 대모라 불렸다.

모두 모인 뒤에야 사정전에 모습을 드러낸 이건. 몸에 딱 맞춘 정장에 검은색 용포를 망토처럼 걸친 그가 익위들을 이끌고 어좌에 오른다.

"세자 저하를 뵙습니다."

"다들 모인 건 오랜만이군요. 다들 앉으세요."

건은 자리에 앉는 사람들을 훑으며 우혁이 가져온 커피를 받았다.

"다들 아시다시피, 세자빈을 들이려 합니다."

상궁부의 눈빛이 유난히 번뜩이고, 홍보부 직원들은 노트북을 꺼내 세자의 말을 한마디도 남김없이 받아 적었다.

"하여, 세자빈의 간택을 시작합니다. 서 상궁님."

"예, 저하."

"초간과 재간의 규칙은 상궁부에 맡기지요. 마지막 삼간택은 제가 합니다."

"예, 받잡겠습니다."

건은 고개를 끄덕인 뒤, 앞에 놓인 서류를 들었다. 세자의 명으로 시행될 공식 일정에 관한 내용으로, 간택이 시작될 날짜와 끝날 날짜가 적혀 있었다.

건은 이름 옆에 옥새를 찍은 뒤, 그것을 넘겨주었다. 그런 세자의 입가에 선명한 미소가 그려지듯 머무른다.

"그럼, 기대하겠습니다. 귀안의 여인을 꼭 찾아내셔야 할 겁니다."

아, 머리야…….

오늘따라 두통이 심했다. 이마에 차가운 물수건을 올린 채 고개를 젖히고 있던 유연은 또다시 시간을 확인했다.

세자와 만난 날 찍힌 사진이 전국, 아니 전 세계로 퍼져 버렸다. 물론 알아보지 못하는 사람들이 더 많았지만, 불행하게도 한 번에 눈치챈 사람들도 있었다. 덕분에 회장은 그녀에게 일주일짜리 휴가를 지시했다. 정확하겐 재택근무. 불같이 화를 내기도 했으나, 전과는 달리 쉽게 손찌검하지 못했다.

멍하니 시간을 보던 유연은 하필 왜 오늘이 금요일인 거냐며 중얼거렸다.

"7시 50분이 평생 안 오길 바랄 수는 없겠지?"

소설이나 만화에서처럼 과거로 돌아갈 수 있었으면 좋겠다고 생각했다. 그러다가 불현듯 요 며칠 조용한 최준일이 궁금해졌다. 그래서 준일의 약혼녀 서연아의 SNS에 접속했다.

'그럼 그렇지.'

서연아의 SNS는 핑크빛 러브러브 모드에 물들어 있었다. 이벤트 당일 찍은 사진엔 온갖 사랑 태그가 넘쳐났고, 속옷만 입은 채 거울

앞에 선 사진도 있었다. 다소 민망하긴 했지만, 그 속옷은 제가 준비해 준일을 통해 서연아에게 선물한 것이었다.

화룡점정은 두 사람의 발가락 사진이었다. 발 크기를 비교한답시고 침대에 나란히 누운 발 사진. 사진 한쪽에는 TV 화면에 비친 두 사람이 있었다. 가운만 아슬아슬하게 걸친 서연아와 상의를 탈의한 최준일이.

의도적인 연출이었던 건지, 누군가 언질을 했음에도 사진은 내려가지 않았다. 사람들은 환상의 커플, 또는 아름다운 예비부부라며 두 사람을 치켜세웠다. 기분이 아주 좋지만은 않았다. 씁쓸하다고 할까? 어쨌든 이상했다.

유연은 업무용 메신저를 끈 뒤, 일어나 경복궁에 갈 준비를 했다. 금요일 오후 7시 50분. 한숨이 푹푹 새어 나온다. 요 며칠 지나치게 시달려서인지 문밖을 나서는 것도 조금 무서웠다.

「팔방! 고객님이 찜한 매물이 계약 완료되었습니다. 아쉽네요.」

한숨을 푹 내쉰 유연은 고개를 절레절레 저으며 심기일전했다. 이제 독립이 코앞이다. 엄마도 하루가 다르게 좋아지고 있으니, 이제 곧 진짜 독립을 할 수 있겠지.

이를 닦던 그녀는 휴대 전화 화면에 뜬 한 건의 메일을 열어 보며 실소했다.

「예궐까지 40분 남았습니다.」

유연은 기자들로 바글바글한 담장을 지나 주차장 구석에 차를 댔

다. 그러자 주차장에 들어서는 차들을 일일이 감시하던 기자들 중 누군가 유연의 차를 가리키며 귓속말을 한다.

서로 귓속말을 나누던 기자들이 차에서 내리는 그녀에게 슬그머니 다가왔다.

“저기, 안녕하세요.”

차 문을 잠근 그녀는 핸드백을 어깨에 건 채 건춘문 쪽으로 성큼성큼 걸음을 내디뎠다. 그러자 끈질기게 따라붙은 기자 두 명이 질문을 하기 시작한다.

“세자빈 후보 맞으시죠? 말씀 좀 해 주세요.”

“방송 보셨죠? 억측이 난무합니다. 그냥 두시면 안 될 것 같은데, 뭐라도 한마디 해 주시면 해명이 될 수도 있지 않겠습니까?”

“저기요, 아가씨. 나 아가씨 어디서 많이 본 것 같은데. 저기요오.”

“그래그래, 나도 본 거 같아.”

보긴 언제 봐. 저렇게 관심을 얻어 한마디 붙여 보려는 심산인가?

그들 때문에 눈길이 끌려 다른 사람들도 하나둘 모여들기 시작했다. 유연은 더욱 걸음을 빨리했다. 그러자 멀리 건춘문 앞, 수행부 직원들이 나와 기다리는 게 보였다.

그들은 서두르는 유연을 보며 어딘가로 무전을 넣었다. 그러며 기자들에게 쫓기듯 걷는 유연에게 다가왔다.

“예궐을 돕겠습니다. 기자분들께서는 출입이 불가합니다.”

안심한 그녀가 안도의 한숨을 내쉬며 건춘문 방향으로 한 걸음 내디딜 때였다. 거대한 붉은 성문이 열리고, 시커먼 양복을 입은 남자들이 일렬로 늘어선다. 그러곤 그 중심에 서 있던 남자가 성큼성큼 유연에게 다가오더니, 에스코트하려는 듯 손을 내민다.

"기다렸습니다. 예궐을 환영합니다. 조유연 씨."

더 캐슬

VOL. 1 The Castle

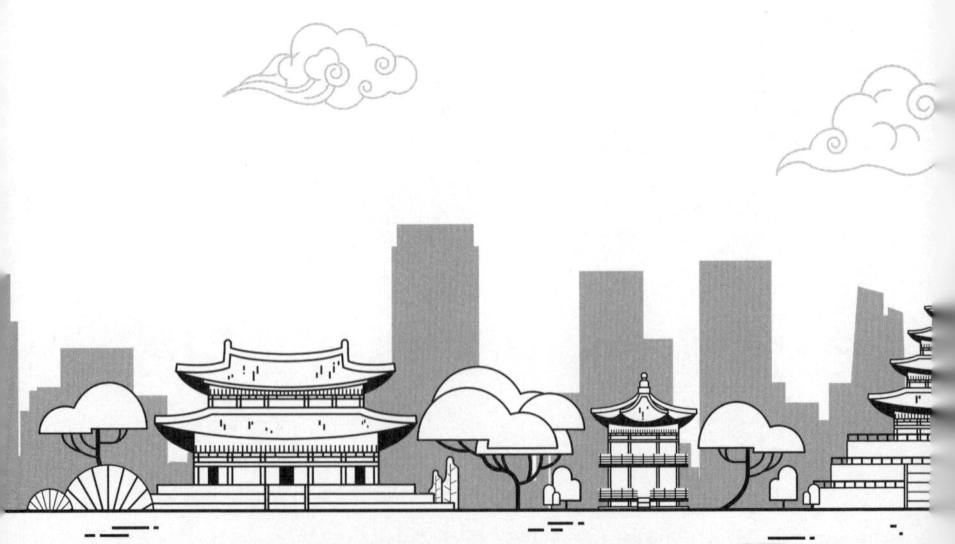

CHAPTER 5

첫사랑입니다

5

첫사랑입니다

"안녕하십니까, 조유연입니다."

그녀는 이건의 손을 잡는 대신, 최대한 사무적이면서도 정중하게 인사했다. 그러자 그럴 줄 알았다는 듯 옅게 눈웃음을 띤 그가 자연스럽게 옆으로 비켜섰다.

"밤의 궁궐에 와 본 적 있습니까?"

"아뇨, 한 번도 없습니다."

"그럼, 오늘이 처음이겠군."

궁 안으로 걸음을 내디디며 괜스레 하늘을 올려다보았다. 이제 곧 해가 질 시간이다. 눈 깜짝할 새 어둠이 밀려들면, 산책로 꼭대기에서 바라보기만 했던 밤의 궁궐을 가까이서 볼 수 있을 것 같았다.

두 사람이 궁 안에 발을 들이자, 거대한 궐문이 서서히 닫힌다. 그 틈새로 벌떼처럼 몰려든 기자들의 질문이 쏟아졌지만, 긴장한 건 그녀뿐이었다.

"잘 지냈습니까?"

식은땀이 배어 나온 정수리 위에서 세자의 나직한 목소리가 들렸다. 유연은 최대한 뒤따르는 사람들을 의식하지 않으려 노력하며 대답했다.

"잘 지내지 못했습니다. 저하께서는요?"

"저는 바빴습니다."

짧게 답한 그의 입매가 호선을 그린다.

그렇게 바쁘신 분이 저를 왜 초대하셨냐는 질문이 목구멍을 간질이며 튀어나오려 했다. 자신은 덕분에 팔자에도 없는 반 감금 신세가 되어 버리고 말았다고. 간택이 끝날 때까지는 정상적인 생활이 불가능할 텐데 어떻게 책임질 거냐고도 묻고 싶었다. 하지만 현실은 방싯방싯 웃으며 제게 향해 있는 그의 시선을 피하는 일에만 급급할 뿐.

걸음을 내디딜수록 어둠이 짙어지고 전각마다 불이 들어왔다. 신기하면서도 웅장하며, 아름다운. 숨 막히게 압도적인 존재감이 어깨를 짓누른다. 유연은 감탄사가 절로 나오는 광경에 지금껏 해 왔던 고민을 잠시 잊었다.

"듣자 하니 언론에서 조유연 씨를 괴롭혔다던데."

"그래서 재택근무 중입니다. 최설아 씨도 마찬가지고요."

"조유연 씨는 왜 최 회장과 함께 지내는 겁니까."

"예?"

"어째서 같은 집, 같은 공간에 함께 지내느냐고 물었습니다. 그저 비서실에서 근무하는 직원 아니었습니까? 혹시 실례되는 질문인가?"

묘하게 불쾌해 보이는 건 기분 탓일까?

최설아에게는 그녀보다 낮은 점수를 받아 주겠다고 했지만, 구체적인 계획을 세운 건 아니었다. 그런데 지금 이 순간, 조금이나마 답이 보이는 기분이었다.

“부모님이 모두 안 계신 건 아닙니다만, 어머니가 몸이 많이 안 좋으세요. 아버지는 돌아가셨고요. 회장님은 아버지의 친구셨습니다. 그래서 미성년자였던 제 후견인이 되어 주셨어요. 그때의 인연으로 지금까지 신세를 지고 있습니다.”

솔직하게 자신에 대해 밝히면 된다. 금수저를 쥔 신데렐라라 불렸던 자신을.

“아버지는 언제 돌아가셨습니까?”

“13년 전에 돌아가셨습니다.”

“13년이면…….”

“고1 때 사고가 있었습니다. 두 분이 함께 사고를 당하셨는데, 아버지는 그날 돌아가셨고 어머니는 아직까지 의식이 없는 상태로 중환자실에서 치료받고 계십니다. 그래서 저는 회장님의 도움이 필요합니다. 대답이 충분할까요?”

그녀는 최대한 산뜻하게 대답하며 고개를 들었다. 그와 눈이 마주치는 순간, 시야가 흔들리는 느낌이 들었다. 예상치 못하게 찾아든 울렁거림. 그것은 달갑지 않은 기시감이었다. 여름, 더위 그리고 빛.

‘왜 갑자기…….’

당황한 그녀를 내려다보고 있던 세자의 입꼬리 끝에 자그마한 보조개가 새겨진다.

“충분합니다.”

그녀는 먼저 고개를 숙여 시선을 피했다.

왜지? 밤이었으나 순간, 한낮의 중심에 서 있는 기분이었다. 경복궁은 생각했던 것보다 훨씬 더 위험한 곳인 것 같다. 여러모로, 여러 이유로.

얼씨구?

한 여인이 세자가 내민 손은 본 체도 안 하더니, 혼자 쪼르르 앞서가 근정전 돌짐승의 형태를 요리조리 살핀다. 그럼 또 세자는 그런 여인에게 사방신의 이름을 알려 주고, 십이지신을 만져 보라고 하는 등 어처구니없는 짓거리(?)를 자행했다. 그런데도 일부러 엇박자로 걸으며 보폭을 맞추지 않는 여인의 태도에, 서 상궁의 이마에 주름이 늘었다.

"세자 저하의 명이 아니었다면, 당장에 저 여인을 궐에서 내쫓아버렸을 걸세."

서 상궁이 나직하게 읊조리자, 나란히 걷던 우혁이 웃음을 꾹 참으며 속삭였다.

"그럼 세자 저하께옵서 찾으러 나가셨을 겁니다."

"저하께선 어찌 저런 여인을……! 어이구야."

"마음에 안 드십니까?"

"당연하지! 누가 보아도 저 여인은 세자빈이 될 생각이 없지 않은가. 그 자리는 아무나 오를 수 있는 자리가 아닐세!"

우혁은 흥분한 서 상궁을 진정시킨 뒤, 태블릿 가득 적힌 마이너스 점수에 한숨을 내쉬었다.

완벽하게 이건이 예상했던 대로다. 조유연은 세자빈이 되고 싶지 않은 듯 보였다. 아니, 세자빈이 되지 않으려 부단히 노력하고 있었다. 그리고 세자는 그 사실을 알면서도 조유연을 궁으로 초대했다.

이유가 무엇일까? 이건은 대체로 다정하고 상냥한 편이었지만, 그것이 모두 진심이라고 할 수는 없었다. 동전의 양면처럼 그에게도 상반된 면모가 존재했다. 지금의 저 모습도 반은 진심, 반은 거짓일 터.

첫울음을 터트리는 순간부터 세자는 삶의 모든 선택을 통제받았다. 아무리 세상이 바뀌고, 사람들의 인식이 달라졌다 한들 바뀌지 않는 것도 있었다. 그것은 뿌리. 그들의 선조는 왕족이었으며, 이씨 왕조의 일원으로 태어난 이상 정해진 숙명을 받들어 살아가야 했다.

과거 언젠가 제게 세자는 꿈이 무어냐고 물었던 적이 있었다. 왕실을 보필하는 것이 꿈이었다는 대답에 세자 저하는 '너는 꿈을 이루었군.'이라고 대답했다. 그래서 '세자 저하의 꿈은 무엇입니까.'라고 물었다. 그날의 대답은 처음으로 세자 이건을, 평범한 남자 이건으로 보이게 만들었다.

'꿈이라……. 꾸어 본 적 없어. 있다면 옹알이할 때쯤이었겠지.'

그날 이후 알았다. 세자가 보이는 모습의 반은 정해진 틀에 맞춰 가공된 행동이었다는 것을.

하나, 지금. 조유연에게 보이는 저 모습과 행동들은 정말, 가짜일까? 아니면…….

우혁은 혼란스러웠다. 최설아를 초대할 땐 귀안을 가졌는지 기필코 확인해야 한다며 미술관 전체를 봉인한 이매들로 채웠다. 그것들을 옮기던 RSA 요원 몇몇이 어지럼증을 이기지 못해 구급차에 실려 가는 일이 발생할 정도였다. 하지만 오늘은 단 한 마리의 이매도 눈에 띄게 하지 말라는 엄명이 내려졌다. 확인할 필요가 없는 것인지, 확인하고 싶지 않은 것인지. 아니면 이미 알고 있는 것인지.

"혹, 저 아가씨…… 귀안을 갖고 계시는가?"

서 상궁의 질문에 우혁은 고개를 저었다.

"저도 모릅니다, 아직은요."

"저하께서도 모르시나."

"의심은 하고 계십니다."

"하면, 시험을 해 봐야 하지 않겠는가."

"하지만 한 마리의 이매도 눈에 띄게 하지 말라는 엄명이 있었습니다."

"우리는 상궁부일세. RSA가 아니야."

"상궁 마마님!"

우혁의 만류에도 서 상궁은 뒤따르던 내인을 불러 지시했다.

"준비하거라."

"예, 제조상궁 마마님."

"잘 보이는 길목에 가져다 놓으면 된다."

"예."

지시를 받은 내인이 종종걸음으로 처소로 향하는 모습에 우혁은 머리털이 쭈뼛 서는 걸 느꼈다.

"저하께 보고하겠습니다! 저는 보고 해야 할 의무가 있습니다."

"하시게. 상관없네."

"마마님!"

"어딜 감히 큰 소리를 내! 저하가 계신 자릴세. 조용히 따르게."

"마마님, 저하께선 조유연 씨를 평범한 여인으로 보고 계시는 겁니다. 귀안과는 상관없이, 관심을 보이고 계십니다. 그 이유는……."

우혁이 말끝을 흐리자 그제야 서 상궁이 걸음을 멈추고 관심을 보였다.

"이유가 있는가."

"이유는, 그분이…… 저하의 첫사랑일지도 모릅니다."

"뭐라?"

마른 입술을 축인 우혁이 서 상궁의 귀에 소곤거렸다.

"그러니까 조유연 씨가 저하의 첫사랑이 맞는다면, 시험 같은 건 볼 필요 없습니다. 눈을 가진 게 확실하니까요."

안 통해.

어떤 짓을 해도 세자에겐 안 통한다. 바보 같은 질문을 해도, 멍청한 행동을 해도 이건은 끔찍하게 다정한 미소와 태도로 반응했다.

얼마나 바보 같은 짓을 했는지 차근차근 떠올리는 것만으로도 얼굴이 화끈거리는 관계로, 유연은 더 이상 망가지지 않기로 했다.

"궐이…… 정말 넓네요."

처음으로 꺼낸 가식 없는 진심이었다.

오늘 경복궁으로 호출한 이유는 체력을 확인하려는 것이었을까? 그녀는 근정전을 지나 궐내각사 전체를 빙 돌아 경회루 외곽을 따라 아미산 뒷길로 향했다.

밤의 궁궐을 구경시켜 주겠다더니, 세자는 정말로 불 켜진 전각을 모두 소개했다. 그저 아름다운 전각 몇 곳을 둘러보는 것으로 끝날 줄 알았는데…….

유연은 이를 악다문 채 걷고 또 걸었다. 그러며 제발 다들 불 끄고

잠자리에 들어주길 기도했다. 그러는 와중에도 틈틈이 한심한 질문에, 바보 같은 행동까지 했으니 소모된 체력은 도무지 회복될 기미를 보이지 않았다.

그렇게 넓디넓은 궐을 한 바퀴. 먼 곳에 세워진 전동 킥보드를 부러운 듯 바라보던 그녀는 허기까지 찾아온 배를 내려다보며 참담함에 빠졌다.

망했다, 조유연. 이러다 꼬르륵 소리까지 나면 망신이 따로 없지.

"힘듭니까?"

유연은 바로 옆에서 들려온 목소리에 고개를 들었다. 할 수만 있다면 흙바닥에 주저앉고 싶은 그녀와 달리, 이건은 땀 한 방울 흘리지 않았다. 얄미우리만치 태연한 표정에 유연은 제일 가까이에 있는 건물을 가리켰다.

"솔직히 너무 지칩니다. 실례가 되지 않는다면, 저곳에서 잠깐 쉴 수 있을까요?"

그녀가 가리킨 건물을 돌아본 그의 눈빛이 깊어졌다.

"잠깐이면 돼요. 발이 너무 부어서, 신발이 벗겨지지 않……."

"괜찮겠습니까?"

"네?"

"괜찮겠냐고."

고개를 비스듬히 치켜든 세자의 입매가 비스듬히 호선을 그린다. 그녀는 잠시 쉬어가는 것이 괜찮지 않을 이유를 찾아 빠르게 머릴 굴려보았다.

이유. 쉬어 가면 안 될 이유?

뭘까. 유연은 영문을 모르겠다는 표정으로 고개를 갸우뚱 기울였다.

이건은 피식 웃으며 한 걸음 다가가 그녀에게 손을 내밀었다. 그와 마주 서게 된 그녀가 고개를 들어 검게 빛나는 시선을 마주했다. 말없이 내려다보는 시선이 한없이 다정하고 애틋하여 당혹스러울 지경이다.

내민 손을 잡아야 할지, 아니면 말아야 할지. 어떻게 해야 할지 짧은 순간 수많은 고민을 했다.

한여름 밤, 와락와락 울어 대는 풀벌레 소리. 이마에 맺힌 땀과 머리카락 사이를 부드럽게 헤집는 눈빛이 내려와 그녀의 눈동자를 꿰뚫었다.

마치 덫에 걸린 것 같았다. 생각보다 행동을 앞서게 만드는, 묘한 충동에 실은 조금 설레는 기분이다.

"조유연 씨."

"네."

고작 이름 한 번 불렸을 뿐인데, 물속에서 건져진 사람처럼 정신이 번쩍 들었다. 혹시 그림 도깨비에게 홀리기라도 한 걸까?

"배 안 고픕니까?"

"아, 조금……. 오래 걸어서 그런지 조금 허기가 지네요."

기어들어 가는 목소리로 답하자, 고개를 끄덕인 그가 재차 손을 내민다. 마치 저곳에 들어가기 위해선 손을 꼭 잡아야 한다고 말하는 것 같았다.

"저곳은 동궁입니다. 정확하게는 내 처소."

……처소, 침실?

그녀는 천천히 눈을 크게 떠 대각선에 있는 건물을 돌아보았다.

"어, 그러니까……. 저기, 그게 아니라."

유연은 헛바람을 들이켰다.

"걱정 마십시오. 쓸데없는 오해는 안 하니까. 설마 침실인 줄 모르고 한 말이겠죠. 안 그래요?"

얼굴을 빨갛게 붉힌 그녀가 당황한 마음에 고개를 빠르게 끄덕이자, 슬쩍 상체를 기울인 그가 아슬아슬한 거리에서 속삭였다.

"이왕 이렇게 된 거, 라면 먹고 갑시다. 우리."

'라면 먹고 갑시다.'라는 말을 작업 멘트로 만든 드라마 작가에게 경외의 박수를 보내는 바이다.

그의 손은 크고 따뜻했으며, 놀라울 정도로 부드러웠다. 길고 곧게 뻗은 손가락과 보기 좋게 도드라진 혈관. 그래서인지 유연은 그에게 잡힌 제 손이 마치 아이의 손처럼 보이기까지 했다.

그녀의 시선이 잡힌 손에 고정된 걸 본 그가 피식 웃으며 걸음을 내디딘다. 그에 그녀도 이끌리듯 발을 움직였다.

"동궁전은 외부인에게 공개된 적 없다고 들었습니다."

"동궁은 예로부터 지켜야 할 곳이었습니다. 후계자의 공간이자, 외부의 위협에 취약한 곳이죠. 물론 지금은 개인적으로 시끄러운 건 질색이라 막아둔 거지만."

하긴. 언론에 오르내리는 횟수로만 따져보아도, 그는 어지간한 톱 연예인들보다 노출이 많았다. 연예인보다 유명한 일반인. 아니, 일반인은 아니지.

유연은 동궁 안으로 들어갈수록 어째서 그가 손을 잡으라고 했는지 알 것 같았다. 동궁은 미로나 다름없었다. 길을 잘 외우는 그녀였지만, 똑같이 생긴 통로를 몇 개씩 지나는 구조에 벌써부터 나갈 일이 걱정되었다.

"걱정 마십시오. 퇴궐까지 제가 배웅할 테니."

귀신같네. 속을 어떻게 이렇게 빤히 알까? 속내를 들켜 빨개진 뺨을 문지른 그녀는 그와 함께 좁은 돌계단을 올라 어느 건물의 후원으로 들어갔다.

조금 전 지나온 자선당과 똑같이 생긴 건물. 휘영청 굽어 오른 처마와 가운데 3간짜리 대청이 있는 곳이었다. 다른 점이라면 사방이 막혀 폐쇄적인 느낌의 자선당과는 달리, 이곳은 사방이 탁 트여 북쪽으로는 북악산이 동쪽으로는 도심의 건물이 담장 너머 풍경처럼 펼쳐진다는 점이었다.

"이곳입니다. 우리가 라면을 먹을 곳."

멋있다, 근사하다, 대단하다 같은 수식어조차도 아쉽다. 이곳은 세자를 닮은 곳이었다. 무심한 듯, 꾸며내지 않은 품위가 느껴지는 곳이다. 사탕발림이나 낯간지러운 회유 없이 존재만으로도 충분한. 마치 이 남자의 존재감을 닮았다.

그는 멍하니 주위를 둘러보는 그녀를 이끌고 계단을 올라 대청에 앉혔다. 도톰한 비단 방석에 엉덩이를 붙이자마자 절로 앓는 신음이 새어 나온다. 발바닥이 저릿저릿하며 '살 것 같네'라는 말이 절로 나왔다.

행복해하는 그녀를 본 이건이 멀찍이서 대기 중인 이들에게 고갯짓을 하자, 어디론가 뛰어간 이들이 쟁반 위에 따뜻하게 데운 수건 두 개를 가져와 내려놓고 사라졌다.

"손, 닦으라는 건가요?"

핸드 타월 치고는 큰…….

"아뇨."

슬쩍 웃어 보인 그가 태연하게 한쪽 무릎을 바닥에 대더니 그녀의 플랫슈즈를 벗긴다. 그녀의 두 눈이 토끼처럼 커다래졌다. 한 줌밖에 안 되는 발목을 잡히는 순간부터 유연은 할 말을 잃었다.

'하!'

머리로는 그의 손을 밀어내야 한다고 생각하고 있었지만, 몸이 움직여지지 않았다.

숨은 쉬고 있는 거 맞나?

"진짜 부었네."

상처까지 난 뒤꿈치를 보며 쯧, 하고 혀를 찬 그가 까만 눈을 느릿하게 치켜뜬다.

두 사람의 눈이 마주쳤다.

"뜨거운 수건으로 감싸고 있으면, 좀 나을 겁니다."

수건의 용도는 손이 아니라 발이었다. 허브향이 나는 수건으로 발을 감싼 그가 조심스럽게 내려놓더니 무릎을 털며 일어났다.

유연은 그를 따라 고개를 치켜들었다. 그러자 가만히 그녀를 응시하던 세자가 진지한 표정으로 뇌까린다.

"숨."

숨?

"조유연 씨, 숨."

"……숨."

"그래요, 숨!"

그녀의 뒷덜미를 감싼 그가 반대편 손으로 턱 아래를 감싸 고개를 치켜들게 했다. 그제야 꾹 다물어져 있던 입술이 벌어지며, 정체되어 있던 숨이 터져 나왔다.

"하……."

"미쳤습니까? 왜 숨을 안 쉬어요?"

"제가요?"

"예, 조유연 씨가요."

미쳤나 봐. 이게 다 이 남자 때문이다. 유연은 발을 감싼 따뜻한 수건으로 시선을 내렸다. 그제야 고개를 저으며 앞머릴 쓸어 넘긴 그가 그녀의 옆자리에 나란히 앉았다.

"대령숙수께서 라면에 꽤 진심이시라, 시간이 좀 걸릴 겁니다."

라면은 4분인데……. 아무리 진심이어도.

"네……."

"혹시, 제가 실수한 겁니까?"

"예?"

멍하니 고개를 들자, 그의 귀가 조금 붉었다.

"미안합니다. 허락도 없이 발, 만진 거."

"아, 아뇨. 그게 조금 놀라서."

"기분 나빴습니까?"

"아뇨, 아뇨. 나쁜 게 아니라, 말 그대로 놀랐어요. 누가 발을 만진 게 처음이라."

턱을 괸 그의 얼굴 위로 밤빛이 쏟아진다. 입꼬리만 비스듬히 올려 웃을 때, 남자는 조금 야하게 느껴졌다.

"나도 처음입니다. 남의 발에 손댄 거."

그의 시선이 뺨에 닿는다. 그녀는 무의식중에 숨죽여 시선을 피했다. 그러며 멀리서 지켜보는 사람들과 한 명 한 명 눈을 맞췄다. 차라리 그편이 나았다. 세자처럼 다정한 눈빛보단, 저렇게 머리부터 발끝까지 자신을 평가하듯 훑어 내리는 시선이 더욱 대하기 편하다.

'이러려고 온 거 아니잖아. 홀리지 마. 정신 차려.'

괜히, 경복궁의 요물이 아니라니까? 다들 이건을 경복궁의 걸작이라 부른다지만, 그녀의 눈엔 요물로 보일 뿐이었다.

헛바람을 삼키며 고개를 젓는 그녀의 모습에 웃음을 참은 그가 이번에야말로 제대로 나온 핸드 타월을 그녀에게 건네주며 묻는다.

"조유연 씨. 혹시, 이직할 생각 없습니까?"

레몬 향이 나는 물수건을 받은 유연은 귀를 의심하며 되물었다.

"이직이라뇨?"

설마, 농담이겠지.

"아니면 세자빈이 될 생각은요."

입술을 달싹인 그녀는 대답하는 대신 물수건을 꼭 움켜쥐었다. 그러자 타월로 손을 닦은 그가 다리를 꼬더니 먼 곳을 응시하며 담담히 말을 이었다.

"조유연 씨도 알겠지만 세자빈이라는 자리에 오르는 것. 왕실의 일원이 된다는 건 그리 호락호락한 일이 아닙니다. 보통의 책임감이나 사명감으로 오를 수 있는 자리가 아니에요. 얻는 건 열정 페이보다 박하고 온갖 수모를 당하기도 합니다. 왕실의 화려함은 잠시뿐이며 명예는 글쎄요……. 과연 조유연 씨가 그런 세자빈의 자리에 어울린다고 생각하십니까?"

조금 전과는 180도 달라진, 서늘하면서도 첨예한 눈빛. 유연은 목덜미를 스치는 한기에 고개를 저었다.

"아니요, 한 번도 생각해 본 적 없습니다."

예상했던 대답이었는지 세자는 입술 끝을 늘려 웃었다.

"아쉽네요. 내가 그렇게 매력이 없나?"

"농담하지 마세요. 그런 뜻이 아니잖습니까."

발끈해 대꾸하자, 순간 그의 손이 그녀의 눈가에 닿았다. 뺨을 감싼 그가 느릿하게 그녀의 눈가를 어루만진다.

손목에서 맡아지는 은은한 목련 향에 얼굴이 확확해진다.

"말했듯이 난 조유연 씨에게 관심 있어요. 그것도 아주 많이."

또 나왔다. 무서운 직진, 이건. 하지만 이미 한번 당해 본 전적이 있던지라, 크게 놀랍진 않았다.

"그래서 조유연 씨를 궁궐이라는 감옥에 가두고 싶지 않습니다. 그거야말로 최악의 결말이 될 테니까."

생각지도 못한 제안에 두 눈을 내리뜨자, 미지근하게 식어 버린 발 타월이 보인다. 뜨거웠던 타월이 식는 데까지 걸린 시간은 고작해야 1분이나 걸렸을까?

"하지만 문제는 당신이라는 여자한테 욕심이 난다는 거야."

완벽하게 찾아든 정적을 곱씹듯 그가 말을 이었다.

"마음 같아선 막무가내로 내 거 하고 싶은데…… 그럼 도망칠 것 같고. 호기심을 누르자니 조유연 씨가 아무래도 내가 찾는 그 여자인 것 같아서."

"혹시, 제가 돈 떼먹고 도망이라도 갔었나요?"

분위기 전환을 꾀하려 농담을 건넸지만, 그는 휘둘려 주지 않았다.

"여름, 교복, 하나로 묶은 머리카락, 살짝 찡그린 눈. 그리고 예쁜 얼굴.”

차례차례 읊조리는 말에 그녀의 입술이 살짝 벌어졌다. 그러자 입술에 붙은 머리카락을 떼어 준 그가 옅은 미소를 지어 보인다.

“이제, 나 좀 기억해 줄래요?”

초계라면이 나왔다. 두 개의 라면 그릇을 쟁반에 받쳐 들고 온 대령숙수는 두 사람의 진지한 분위기에, 면이 퉁퉁 불 때까지 말 한마디 붙이지 못한 채 하염없이 서 있었다.

“다시 해 올리겠습니다.”

“부탁드리겠습니다.”

대령숙수가 라면을 들고 돌아가자 곁에서 지켜보던 서 상궁마저도 침음을 삼키며 돌아섰다.

“오늘 일은 함구하겠네. 하지만 저 아가씨는 세자빈의 그릇이 아니야. 알겠나, 이 실장.”

“참고하겠습니다.”

“감옥이라……. 세자빈의 자리에 앉히지 않으시겠다? 허허, 저하께옵서 실망을 주시는구나.”

“상궁 마마님.”

“게다가 여인의 발을……! 세자께서, 귀한 손으로! 하, 더는 못 보겠네. 그래, 시험할 가치조차 없어. 나는 이만 가 볼 테니 저하께 전하게. 궁중의 법도를 따르실 때가 되셨다고.”

엄중히 경고한 서 상궁이 이마를 짚은 채 비틀거리자, 나인들이

다가와 그녀를 부축했다.

우혁은 다른 이들에게도 눈빛을 보냈다. 동궁전에 내려진 함구령. 우혁은 눈앞이 아찔했다. 세자의 속내는 항상 반밖에 알 수 없다고 생각했다. 그런데 이번엔 그 반마저도 예측에 실패했다.

'세자빈으로 맞이하실 생각이 없으시다고?'

대체 왜! 제때 봉인하지 못한 이매가 날뛰고, 사람들이 다칠 것이다. 그것을 누구보다 가장 잘 아는 사람이 세자 본인이었다. 혹 그 아이가 아닐지도 모른다고 생각하시는 건가? 그렇다면 시험을 해 보면 되는 일 아닌가?

우혁은 두 사람에게 다가갔다. 그러자 유연에게 시선을 고정했던 이건이 눈동자를 조금 움직여 우혁을 본다.

"대화 중 죄송합니다만, 대령숙수께서 라면이 불어 다시 끓여오신다고 하셨습니다."

"그렇군."

그러자 발을 감쌌던 타월을 집어 든 유연이 신발을 신더니 굳은 얼굴로 몸을 일으켰다. 두 남자는 그런 유연의 행동을 처음부터 끝까지 눈에 담았다.

"그 라면, 실장님이 드세요. 저는 세자 저하와 라면 못 먹을 것 같습니다. 정말, 죄송합니다."

"허기진다고 하지 않으셨습니까?"

"제가 변덕이 심해서요. 지금은 라면보단 치맥이 먹고 싶네요. 그래서 치맥 시켜 먹으러 가려고요."

갑자기? 이렇게 불쑥? 우혁은 넋 나간 표정으로 두 사람을 번갈아 보았다. 그러자 입을 다문 이건은 픽 웃으며 자리에서 일어나더니 고개를 가볍게 끄덕인다.

"퇴궐을 허락합니다."

욕조의 물이 넘쳐흐른다. 욕조 가장자리에 양팔을 걸치고 고개를 젖힌 건의 목울대가 느릿하게 움직였다.

"조유연은."

감겨 있던 긴 속눈썹이 들린다. 건은 눈을 치켜떠 욕실 입구에 선 이우혁을 쳐다보았다.

"퇴궐하셨습니다."

"너도 퇴근해."

"저하."

"남의 목욕 엿보는 게 취미야? 왜 자꾸 샤워할 때마다 들어오는데?"

"저하!"

우혁은 버럭 소리 지르며 세자에게 다가왔다. 건은 뻔뻔하리만치 태연히 눈을 감았다. 우혁이 왜 화를 내는지, 길길이 날뛰는지 알고 있다.

이우혁은 하루빨리 귀안을 가진 세자빈을 들이길 바라고 있었다. 그리고 그것이 법도였으며 세상을 이롭게 하고 평온하게 하는 지름길이었다. 하지만 이건은 오늘 비혼을 선언한 것이나 다름없다. 다른 사람은 몰라도 이우혁은 세자의 의중을 정확하게 파악했다.

"저는 저하께서 간택제를 열어 그 아이를! 귀안을 가진 그 여자분을 찾아 세자빈으로 맞으시려는 줄 알았습니다. 그런데 이직이라니요!"

"목소리가 너무 커. 궁에는 듣는 귀가 많아, 이 실장."

"그걸 아시는 분이 조유연 씨에게 그리 말씀하셨습니까? 설마, 조유연 씨가 그 아이가 아닌 겁니까? 귀안을 갖지 않아서 그러신 겁니까?"

"이우혁."

"저하! 귀안을 가진 여인을 세자빈으로 들이셔야지요!"

순간, 우혁의 눈앞으로 세자의 젖은 얼굴이 불쑥 나타났다. 수건을 당긴 그가 하반신을 수건으로 두르더니 우혁을 스쳐 지나간다. 들은 체도 않는 태도에 우혁의 속이 까맣게 문드러졌다.

"저하!"

차 내관은 자신의 눈이 결코 잘못되지 않았음을 확신했다. 눈앞의 사내는 분명 30여 년 전 종적을 감춘 의언군 이송을 똑 닮은 사람이었다.

말수가 적고 시화를 사랑하는 문인. 갑갑한 왕실에 갇혀 있고 싶지 않다고 하며 사라져 버렸던 아우. 아우와 똑같이 생긴 사내를 눈앞에 둔 이숙은 감격에 말을 잇지 못했다.

"이태라고 하였나."

얼떨떨한 표정의 이태가 공손히 고개를 숙인다.

"예, 이태입니다."

"아버지의 성함이…… 이 송자 맞으신가."

"예, 그런데 전하께서 어떻게 아십니까?"

"허! 내 어찌 아우를 잊는단 말인가!"
"아우요?"
"그래! 이송! 송이는 내 아우일세!"
이숙은 고개를 절레절레 저으며 놀란 이태의 손을 불쑥 잡았다.
"그래, 송은 어디 있는가. 우리 의언군은 잘 계신가? 대체 언제 혼인을 하여 이리 장성한 아들을 보았단 말인가! 왜 궁에 연락도 없이……!"
쏟아진 질문에 놀라움으로 들떴던 이태의 낯빛이 씁쓸하게 가라앉았다.
"저기, 제가 좀 놀라서……. 죄송합니다. 그러니까, 아버지께서는 돌아가셨습니다. 전하."
이숙의 상기되었던 얼굴이 서서히 질려 갔다. 기쁨도 잠시, 차 내관은 휘청거리는 이숙에게 달려와 그를 부축했다.
"전하!"
"괜찮네, 차 내관. 나는 괜찮아. 어느 정도 예상하지 않았는가. 살아서는 만나지 못하리라 생각하지 않았는가……."
"게 누구 없느냐! 차가운 물과 수건을 가져오거라!"
차 내관의 지시에 강녕전 밖에 대기 중이던 이들이 일사불란하게 움직인다.
차 내관은 이태와 함께 이숙을 부축해 의자에 앉혔다. 재차 괜찮다며 손을 들어 보인 이숙은 당황했을 이태를 보며 고개를 주억였다.
"미안하네. 내 자네에게 앞뒤 설명도 없이 너무 몰아붙였구먼. 미안하네……."
"아닙니다. 놀라긴 했지만, 조금 미심쩍었던 부분이기도 했고요.

그런데 정말, 제 아버지가 전하의 동생이었습니까? 왕자군이었다는 거네요?"

"그래, 내 동생이지. 내 아우, 송이지. 우리 의언군이었지."

이숙은 축축하게 젖은 눈가를 훔쳤다. 그러자 차 내관이 얼떨떨해하는 이태에게 눈짓해 맞은편 의자를 가리켰다.

어색하게 웃으며 이숙과 마주 앉은 이태는 언제 그랬냐는 듯 단정한 표정으로 강녕전 내부를 둘러보았다. 급히 불려온 사람치곤 제법 담담하고 사태 파악이 빠른 자였다. 그래서 차 내관은 더욱 놀랐다. 차 내관이 이태를 관찰하는 동안 평정을 되찾은 이숙이 물었다.

"이태라고 했나. 자네, 괜찮다면 아비에 대해 말해 보게. 우리 송이가 어찌 지냈는지……. 자네의 모후는 어떤 분이신지, 어쩌다 자네는 이곳에 있는 건지, 왜 이제야 궁을 찾아온 것인지. 내 이제야 묻는 안부가 죄짓는 것 같아 마음이 쓰리네."

"그렇지 않습니다. 죄라니요. 아버지는 미국에서 선생님이셨던 어머니를 만나 저를 낳으셨고, 병환으로 돌아가셨습니다. 암이었습니다. 돌아가시기 직전까지도 궁궐에 대한 이야기를 많이 해 주셨습니다. 그것이 제가 작업을 시작하게 된 계기이기도 합니다."

"허어……."

이숙이 두 눈을 질끈 감자, 이태는 안타깝다는 표정으로 오래도록 그를 응시했다.

'닮았구나, 세자 저하와…….'

차 내관은 순간이었지만 심장이 떨어지는 것 같은 충격을 느꼈다. 그 핏줄이 어디 가겠느냐마는, 저리 닮은 얼굴을 하고도 지금껏 모르고 살아왔다는 사실에 오한이 들었다.

"언제, 의언군은 언제 별세하셨는가."

"6년 전입니다."

"6년씩이나!"

가슴을 친 이숙은 이태의 손을 잡고 많은 것을 묻고 들었다. 이태는 성격인 양 살뜰하게 대답하였고 이숙의 말을 경청하였다. 세자와는 확연히 다른, 강인한 구석은 없으나 다정하면서도 살가운 사내였다.

한참 동안이나 울고 웃던 중, 이태가 궁금증이 생긴 표정을 지었다.

"그런데 전하, 외람될지 모르겠으나 궁금한 게 있습니다."

"무엇이?"

이태가 고개를 갸우뚱 기울이더니 자신의 눈과 코를 차례로 가리킨다.

"혹, 세자 저하께서도 눈으로 보고 코로 느끼십니까?"

"그게 무슨 소린가. 무엇을 보고, 느낀단 말인가?"

이숙의 목소리가 미세하게 떨리고, 창백해진 차 내관은 서둘러 주위를 살폈다.

"저는 가끔 그림에서 기이한 냄새를 맡습니다. 그리고 힘을 가진 사람들을 봅니다. 아버지께서는 제가 '귀안을 알아보는 눈'을 가졌다고 하셨습니다. 혹, 세자 저하께서도 저와 같은 병을 앓으십니까? 그리고 귀안이란 무엇입니까?"

근신과도 같았던 재택근무 내내 유연은 동궁에서 있었던 일들을

A4용지 가득 도표로 만들어 정리했다. 그렇게라도 하지 않으면 세자의 말들을 도무지 이해할 수 없었기 때문이었다.

물론, 정리한다고 해도 납득하기 어려운 건 마찬가지. 유연은 〈라면〉이란 글자에 빨간 줄을 그은 뒤, 〈이직〉이란 글자에도 빨간 줄을 그었다. 그다음 〈신발〉, 〈맨발〉, 〈관심〉, 〈교복〉, 〈기억〉, 〈여름〉, 〈욕심〉이란 단어들을 모두 붉게 칠하자, 종이 전체가 볼품없이 변해 버렸다.

아픈 관자놀이를 꾹꾹 누른 유연은 쓸모 잃은 종이를 구겨 버린 뒤 오전 업무 준비에 돌입했다.

-회의하죠, 우리. 서 상무님이랑 최 전무님. 부회장님 스위스 제약 콘퍼런스 일정표 나왔으니 담당이신 분들 자료 챙겨서 회의실로 모이세요.

다행히 각종 사회적인 이슈들로 인해 세자빈을 향한 관심은 빠르게 잦아들었으나, 회사 내의 시선은 여전했다.

-네!!

-저 30초 만요. ㅎㅎ

-ㅜㅜ 일정표 어디 떴죠? 저는 아직 못 받았는데요.

-아, 공용 메일이었네요. 찾았어요. 죄송 ㅋ

차례차례 올라오는 채팅창을 보던 유연은 최 전무의 비서인 강훈이 여전히 부재중임을 확인하고 주위를 둘러보았다. 이미 출근을 하고도 남았을 시각. 혹 제가 모를 외근이 잡혀 있나 싶었다.

-강훈 씨는 아직 출근 안 했어요?

단체 창에 묻자, 다들 어리둥절한 표정으로 너도나도 일어나 강훈을 찾아 두리번거렸다. 얼마 뒤, 단체 창에 엉엉 우는 스마일 표시와 함께 강훈의 토로가 이어졌다.

-전무님이 호텔 방문을 안 열어 주십니다. 미치겠어요. 도와주세요. 지금 일주일째, 외부에서 출퇴근 중이세요!! ㅠㅠㅠ

채팅창에 뜬 메시지를 확인한 직원들은 누가 먼저랄 것도 없이 유연에게로 시선을 모았다.

벌써 오전 9시 20분. 비서 회의가 끝나면, 이제 임원 회의가 시작된다. 아직 강훈이 최준일의 비서로 완벽하게 자리매김하지 못한 상황. 회의에 차질이 생긴다면 그 책임은 모두 그녀가 져야 했다.

이마를 짚은 유연은 짜증스러운 한숨을 내쉬며 핸드백을 챙긴 뒤 가까이에 있는 윤 대리에게 자료를 건네주었다.

“저 없이 회의 진행하세요. 임원 회의 시작 전에 올 테니까 30분 정도 회의 늦추고, 누가 전무님 찾으면 서화의료원에 다녀오신다고 전해 주세요.”

“예, 알겠습니다. 다녀오세요.”

무시해도 될 일이다. 머리로는 알고 있다. 최준일이 욕을 먹든, 강훈이 권고사직을 당하든 말든 사람들이 자신을 욕해도 그냥 두라고. 그런데 그게 잘 안 된다.

유연은 그 길로 지하주차장으로 내려가 세워 둔 차에 시동을 걸었다.

‘여름, 교복, 하나로 묶은 머리카락, 살짝 찡그린 눈. 그리고 예쁜 얼굴. 이제, 나 좀 기억해 줄래요?’

대체 나를 어떻게 안다는 건데?

‘혹시, 이직할 생각 없습니까?’

세자빈으로 맞고 싶진 않지만, 직원으로는 맞이하고 싶다고? 결혼은 하기 싫고, 연애는 하고 싶은 심리일까? 어째서 세자에게 궁궐은 감옥일까. 답을 내리지 못한 질문들이 또다시 머릿속을 떠다니며 괴롭혔다.

유연은 고개를 절레절레 저으며 가속페달을 밟았다. 9시 30분. 회의까지 1시간, 서둘러야 한다.

건물 5층 높이의 거대한 소나무가 중심이 된 로터리. 서량호텔 로비 앞에 왕실의 상징인 황룡이 새겨진 SUV 두 대가 멈춰 섰다.

차에서 내린 사람들은 하나같이 검은 정장에 라펠엔 도깨비 얼굴 모양의 배지를 달고 있었고, 귀에는 이어 마이크를 착용한 상태였다.

RSA의 명찰을 본 호텔 직원들이 긴장한 표정으로 도열해 왕세자를 맞이했다.

"방문을 환영합니다, 세자 저하."

"느닷없이 찾아와 미안합니다. 급히 볼일이 있어서."

"아닙니다. 호텔 서량은 언제든 세자 저하를 환영하는 바입니다."

총지배인의 음성은 지극히 정중하며 부드러웠다. 이건은 고마움의 표시로 턱 끝을 까딱여 보인 뒤 RSA의 요원들과 함께 로비 안으로 성큼성큼 걸어 들어갔다.

회전문 안으로 들어서자마자 느껴지는 이취. 이매의 향이다.

"경복궁에서 온 연락입니다. 이태라는 분 말입니다, 주상 전하와 독대 중이랍니다."

"아버지와?"

“예. 확실하진 않으나, 사라지셨던 의언군 이송 님과 관련이 있는 것 같습니다.”

고개 숙인 우혁의 눈이 떨렸다. 건은 짤막하게 실소하며 검은 가죽장갑을 꺼내 천천히 당겨 끼웠다.

어쩐지 묘한 느낌이 든다 했더라니, 그랬군…….

“그래서, 그림은 어디 있지?”

세자의 등장에 로비가 술렁이기 시작했다. 사람들의 눈에 RSA 요원들은 평범한 경호원으로 보일 뿐이었다. 그래서 세자가 특별한 일정, 또는 사적인 만남을 위해 호텔을 방문했을 거라고 생각했다.

곁에 서 있던 박 팀장이 험악하게 인상 쓰며 위를 가리킨다.

“위에 있습니다. 아주 위입니다. 확실하진 않지만 아직 잠신 상태인 것 같습니다.”

“이번에는 왜 확실하지 않은 겁니까.”

“그게…… 죄송합니다.”

“게다가 요즘 잡것들이 자주 출몰합니다.”

“힘을 숨기는 이매들이 늘었습니다, 저하. 점점 놈들도 지능적으로 변해 갑니다.”

빨리 세자빈을 들이든, 귀안을 찾든 해야겠군. 아니, 귀안을 가진 여자를 스카우트해야겠지.

서늘한 눈빛으로 정면을 노려본 세자가 승강기 홀 방향으로 걸음을 내디딜 때였다. 멀리, 승강기 앞. 익숙한 여자의 옆모습이 보인다. 누군가와 대화를 하며 머리카락을 쓸어 넘기는 모습에서 짙은 짜증이 배어 나왔다.

우혁도 그녀를 발견하곤 화들짝 놀라 세자를 돌아보았다. 역시 세자는 조유연을 보며 두 눈을 가늘게 뜬 채였다. 하지만 유연의 곁엔 다른 남자가 있었다. 뭔가 몹시 억울한 표정으로 유연에게 하소연하던 남자가 그녀보다 먼저 세자 일행을 발견했다.

"그러니까 전무님이 과장님 아니면 문 안 여신다고…… 세자 저하?"

남자의 눈이 커다래지는 걸 본 그녀가 세자의 방향으로 고개를 튼다. 그는 태연히 그녀의 곁에 다가가 섰다. 어차피 전력 절약 정책 때문에 한 번에 도착하는 승강기는 한 대였다. 승강기 탑승 인원 열여섯. 현재 인원 여덟. 충분하다.

"안녕하세요, 조유연 씨."

결국 또 먼저 인사하게 하는군.

그녀도 고개를 불쑥 숙였다.

"아, 안녕하세요. 저하."

"그런데 호텔에는 무슨 일로."

저건 또 뭐고. 건은 그녀 곁의 어리바리하게 생긴 남자를 지그시 응시했다. 그러자 차렷 자세로 긴장한 강훈이 마른침을 꿀꺽 삼킨다.

"전무님을 모시러 왔습니다. 저하께서는요?"

"저도 업무의 일환으로 왔습니다."

도착한 승강기에 차례차례 몸을 싣고 강훈과 우혁이 카드를 대자 22층과 24층에 불이 들어왔다.

숨소리조차 들리지 않는 승강기 내부. 건은 바짝 긴장해 양손을 모은 그녀를 내려다보며 자신의 눈을 가볍게 눌렀다.

요기가 짙어질수록, 홍채의 색이 변해 가고 있었다. 하지만 그로서는 잠신 상태인 이매가 어디에 숨어 있는지 정확하게 알아낼 수는 없었다. 게다가 예전처럼 갑작스럽게 환동한 이매가 힘을 쓰기라도 한다면, 일반인인 남자와 조유연이 다칠 수도 있다. 그때처럼.

건은 본인도 모르는 사이 그녀를 응시하고 있었다. 그것도 무섭도록 집요하게 색이 연한 머리카락을, 동그란 이마와 콧날을. 그리고 살짝 붉어진 눈가와 도톰한 입술을. 그러다가 투명하게 비치는 승강기 벽을 통해 눈이 마주쳤다.

'젠장.'

건은 사납게 일렁이는 눈을 애써 휘어 미소 지으려 했지만, 목 안쪽이 타들어 갈듯 뜨거워지고 가을볕에 함부로 내동댕이쳐진 것처럼 얼굴이 화끈거렸다. 다시 지그시 올려 뜬 눈동자가 맞닿는다. 만약 3초만 더 눈을 마주치고 있었다면, 그녀의 어깨를 잡아 돌렸을지 몰랐다.

어느덧 22층에 다다른 승강기가 멈춰 섰다. 먼저 내린 강훈이 꾸벅 인사하더니 오른쪽으로 꺾어 뛰었지만, 유연은 망설이는 사람처럼 걸음을 내딛지 못했다. 승강기의 열림 버튼을 꾹 누른 채 멈춰 서 있던 그녀가 정면의 그림을 노려보며 입술을 뗀다.

"저하. 혹시 그 업무. 24층이 아니라, 22층에서 보셔야 하는 게 아닐까 싶은데요."

건은 그녀의 시선이 향한 복도를 훑으며 주머니 안으로 손을 꽂아 넣었다.

"왜 그렇게 생각합니까?"

"22층에서 북유럽의 저명한 작가들의 작품들을 기획 전시 중이라는 홍보물을 봤습니다. 게다가 24층은 실상 고객들의 접근이 어려워 그림이 걸려 있는 걸 본 적이 없고요."

"호텔 구조나 실상을 잘 아나 봅니다."

명백한 심술이다. 제가 생각해도 황당한 반응을 보인 것에, 입안이 말랐다. 자신의 냉정한 태도가 민망했는지 그녀의 귀 끝이 붉어졌다.

“당연히…… 회장님 가족분들의 호텔 및 리조트 회원권 일체를 제가 관리하고 있습니다. 그리고 최설아 씨와 함께 지내면서 저도 보고 들은 것이 있어서…….”

“그렇군요.”

“주제넘은 참견이라면 죄송합니다. 그럼, 먼저 실례하겠습니다.”

건은 비스듬히 내리뜬 눈으로 고개 숙여 인사하는 그녀를 보았다. 망설임 없이 승강기에서 내려 오른쪽으로 꺾어 걷는 유연을 따라 세자의 시선이 따라붙는다. 한숨을 내쉰 우혁과 박상철은 그런 이건을 보며 눈빛을 주고받았다.

“저하, 조유연 씨의 말에도 일리가 있습니다. 22층의 이취가 몹시도 강합니다.”

“우연 같은가? 정말…… 센스가 좋아서라고 생각해?”

“그것은 저희도 잘…….”

“눈뜬장님이 된 기분이군.”

오늘따라 유독 싸늘하게 읊조린 그가 한 걸음 밖으로 내디딜 때였다. 귀멸자의 등장을 느낀 이매가 환동하기 시작한다. 중력이 증가한 것처럼 피부를 압박하는 거대한 힘에 RSA 요원들의 움직임이 급박해졌다.

“저, 저하!”

“찾아.”

건은 양쪽으로 갈라진 홀 중심에 섰다. 정면에 걸린 석 점의 그림을 노려보는 눈동자가 서서히 금빛으로 변해 간다.

유연의 말대로 22층 전체가 갤러리나 마찬가지였다. 예상했던 것보다 그림의 수가 너무 많다. 그래서 이매가 어느 그림에 숨어 현신을 준비하는지 알 수 없었다.

건은 조금 전 유연이 향한 방향으로 걸음을 내디뎠다.

"전무님, 조유연 과장입니다. 문 여세요."

제법 사무적인 투로 말한 그녀가 문을 두어 번 두드리자, 기다렸다는 듯 문을 열더니 남자의 손이 불쑥 튀어나왔다.

"이 비서는 대기해."

고압적인 명령과 함께 당겨지듯 끌려 들어간 유연.

"전무님!"

강훈의 외침이 공허하게 울리고, 건의 얼어붙은 눈길은 조금 전 그녀가 끌려들어 간 방문에 들러붙었다.

그녀의 팔을 잡아끈 남자는 최우식의 아들 최준일이다. 서화제약의 전무이자 그녀의 상사. 하지만 최준일이 보인 모습은 보통의 상사가 할 행동이 아니었다.

이건의 눈초리에 냉소가 어린다.

"저하! 현신했습니다!"

빠르군.

박 팀장이 세자를 부르자 그 외침을 들은 비서 이강훈의 두 눈이 동그랗게 뜨인다.

"세자 저하?"

"잠시, 비상구로 피해 주십시오."

영문을 몰라 어리둥절해하는 강훈에게 반듯하게 웃어 보인 이건은 빠르게 달려드는 기운의 방향으로 돌아섰다.

"멈추어라."

힘이 깃든 귀멸자의 명령에 불분명하게 휘몰아치던 기운이 하나로 모여 형태를 이루기 시작한다. 그것은 피를 뒤집어쓴 날개에 사람의 몸과 얼굴을 가졌고, 새의 다리와 눈을 가진 기괴한 형태였다.

처음 보는 이매의 모습에 건의 눈매가 가늘게 접혔다.

"꼴이 아주 볼만하군."

–너를…… 죽여야…… 한다.

"너도 대화를 시도할 요량인가? 요즘 것들이란."

그가 혀를 차는 사이, 이매가 그를 베고 지나갔다. 눈 깜짝할 새였다. 허공으로 붕 뜬 머리카락 몇 올이 날카롭게 잘려 나가 흩날린다. 피하지 않았다면 자칫 몸 어딘가를 베이고도 남았을 속도.

–세…… 자를 죽여야…… 해.

쇳소릴 내며 뇌까리던 이매가 순식간에 눈앞에서 사라졌다. 잿빛의 카펫이 깔린 복도를 노려보는 이건의 눈빛이 매섭게 벼려진다.

이매가 시야에서 사라지자 사색이 된 박 팀장이 사위를 예리하게 살폈다. 하지만 너무 빨라 동체 시력이 따라가질 못했다. 눈을 감았다가 뜨면 넥타이가 잘려 나가고, 숨을 들이켜는 사이 허벅지를 깊게 베였다.

빛처럼 빠른 이매의 속도에 오랏줄을 움켜쥔 RSA의 요원들이 외쳤다.

"5급 영루를 품은 놈입니다! 저희가 유인하겠습니다!"

그러자 어깨높이로 손을 든 세자가 피곤한 표정으로 눈 앞머리를 꾹 누르며 한숨을 내쉰다.

"하다 하다, 잡것한테 살인 예고를 받을 줄은 몰랐군."

"저하!"

아무도 없는 듯 보이는 카펫이 미세하게 기울어짐과 동시에 건은 그곳으로 손을 뻗었다.

"가뜩이나 별로인 기분, 심히 불쾌하고."

쾅! 무언가 이건과 충돌한 순간 강하게 움켜쥔 손아귀에서 붉은빛이 치솟는다. 그것은 염화처럼 뜨겁고 겁화처럼 아득한 빛이었다.

–끼아아아악!

"더럽게."

가죽 타는 냄새와 함께 소름 끼치는 비명이 공간을 찢는다. 폐부를 짓누르던 이매의 기운이 사라진 자리에 서 있던 우혁은 질끈 감았던 눈을 떴다. 다들 넋이 나간 채 복도 곳곳에 널브러져 있는 게 보인다. 아무리 세자라 해도, 상급 이매를 맨손으로 소멸시킨 것은 처음이었다. 경탄 어린 눈빛이 세자를 향해 쏟아진다.

짧은 적막이 끊어진 건 5급 영루가 발아래로 툭 떨어졌을 때였다.

"저하!"

세자에게 달려온 우혁은 기절할 듯한 표정으로 녹아 버린 이건의 가죽 장갑을 벗겼다.

조금 전, 그는 무기도 없이 힘을 사용했다. 장갑이 녹을 만큼 큰 힘을 썼으니 손바닥이 무사할 리 없었다. 아니나 다를까, 끔찍한 냄새와 함께 화상을 입어 새빨개진 피부가 드러났다.

"제중원에 연락해!"

"아니. 이 정도는 궁의에게 보이면 돼."

"상처가 덧나면 어쩌시려고 그러십니까!"

"내 회복력을 무시하나?"

"그런 게 아니잖습니까!"

건은 되레 상처 입은 요원들을 제중원으로 보내라고 지시한 뒤 조금 전 유연이 들어간 객실 방향으로 걸음을 내디뎠다.

내내 저 문 안으로 끌려 들어가던 모습밖에 생각나지 않았다. 이 감정이 무엇인지는 모른다. 한 단어로 정의하고 싶지도 않았다. 연민, 죄책감, 동정심 그리고 첫사랑. 그따위 알량한 단어의 나열로 설명하기엔 부족한, 그런 답답함이 조유연의 이름 앞에 붙는다.

"어디 가십니까? 저하, 저하!"

"치료보다 중요한 거 해결하러."

"예?"

그가 객실 앞에 다가서자, 비상구로 몸을 피했던 강훈이 슬그머니 빠져나와 얼떨떨한 표정을 짓는다. 건은 그에게 턱 끝을 까딱였다. 그에 후다닥 다가온 강훈이 마치 누구처럼 고개를 바짝 조아리며 지시를 기다린다.

"노크하세요. 이 안에 내 것이 있어서 찾으러 왔다고 전하든, 그냥 문을 열든."

유연은 해열제와 생수를 꺼내 내려놓고, 워킹 클로젯 안에 걸린 넥타이 하나를 꺼냈다. 그러자 입을 가린 채 기침한 준일이 약을 삼킨 뒤 다가와 넥타이를 받아 든다.

"회의는 화상회의로 전환한다고 해."

"네. 그런데 왜 이강훈 씨는 못 들어오게 하신 겁니까? 아프시면 아프다고 말씀을 하셔야죠."

"나 아플 때 예민해지는 거 몰라? 이 비서는 네 백업이지, 내 전담으로는 안 돼."

전담으로 안 둔다고? 최준일의 말은 최 회장의 지시를 완벽하게 무시한 꼴이었다. 유연은 창백하게 질려 책상 앞에 앉는 준일을 노려보며 가져온 서류를 내려놓았다.

"저는 이제 전무님 직속 아닙니다. 자꾸 이러시면 이직할 거예요, 부담스러워서."

"이직?"

두 눈을 치켜뜬 준일이 피식 웃는다. 명백한 조롱조였다.

"예, 이직이요. 좋은 곳에서 스카우트 제안 받았습니다. 고민 중이었고요."

"네가 아버지와 어떤 거래를 했는지 뻔히 아는데, 그 말을 믿으란 소리야?"

"반대로, 엄마가 깨어나지 못하면 저도 약속 안 지킬 거예요. 그 생각은 안 하시나 봐요."

준일은 말없이 그녀를 노려보며 노트북 덮개를 열었다.

유연도 준일의 시선을 피하지 않았다. 물론 그의 말이 맞다. 엄마의 치료가 걸린 이상, 함부로 이직을 결정할 수는 없었다. 그러나 제멋대로 구는 최준일을 향한 소소한 반항과 오기를 부렸다. 그러자 한숨을 내쉬며 시선을 내린 준일이 문 방향으로 턱 끝을 까딱이며 말했다.

"이 비서도 들어오라고 해. 아니면 본사로 복귀 명령 내리든."

"제가 본사로 복귀합니다. 회의 진행해야 해서요."

"조유연."

"저, 서화제약에서 오래오래 일하고 싶습니다. 이 나이에 과장 직함 달고 이 정도 대우받으며 일하는 거. 과분하게 생각하고 있어요. 그러니까 제발 저 긁지 마세요."

준일의 험악한 눈빛에도 물러서지 않은 그녀는 할 말을 마친 뒤 내려놓은 핸드백을 찾아 들었다. 다행히 밖에서 느껴지던 그림 도깨비의 기운은 완벽하게 사라진 뒤였다.

'역시, 그 그림이었나?'

조금 전 그녀는 승강기가 열리자마자 정면에 붙은 그림 속 붉은 날개를 가진 도깨비와 눈이 마주쳤다. 도깨비는 놀라는 대신 눈을 굴려 세자를 보았다. 새의 날개와 다리를 가졌고 사람의 얼굴과 몸을 가진, 기괴하고 소름 끼치는 도깨비였다. 하지만 더 이상한 점은 입술을 움직여 말을 걸려 했다는 것. 그래서 저도 모르게 겁이 나 이건을 22층에 붙들었다.

딩동–.

그녀가 막 문을 열려던 그때였다. 유연은 기다렸을 강훈을 생각하며 미안한 마음에 객실 문을 활짝 열었다.

"미안해요, 강훈 씨. 전무님께서……."

서서히 말끝을 흐린 유연은 문 앞에 서 있는 남자를 발견하곤 고개를 치켜들었다.

닿을 듯 가까운 그에게서 곱씹을수록 달콤쌉싸름했던 그날의 향기가 났다.

레몬과 목련, 그리고 궁궐의 향기가.

"저하……?"

"방해해서 미안합니다만, 내가 찾는 게 여기에 있는 것 같아서요."

"네? 뭘 찾으시는……."

그가 긴 다리로 한 걸음 내딛자 그녀는 두 걸음 물러섰다. 또 한 걸음 내딛는 그로 인해 두 걸음 물러나고, 주춤주춤 물러난 유연은 등 뒤에 닿은 벽에 흠칫 놀라 헛바람을 들이켜며 두 눈을 크게 떴다.

"여기 있었네요, 내가 찾는 게."

이건은 천천히 벽을 짚었다. 열을 품은 손끝이 액자 표면에 닿는다. 오전의 기울어진 햇살이 그의 옆얼굴로 쏟아졌다.

이게 아니다. 유연은 그렇게 말하고 싶었다. 이 그림이 아니라 4번 승강기 바로 앞에 걸려 있던 그림이야말로 당신이 찾는 거라고. 하지만 이상하게 입술이 잘 떼어지지 않는다.

"저기, 저."

그제야 그녀에게 눈길을 준 그가 묘하게 가라앉은 음성으로 물었다.

"괜찮습니까?"

"네?"

"그쪽이 자발적 신데렐라인지, 불공정 갑질에 당하는 절대 을인지, 또는 이 방 주인과 정리가 덜 된 연인 관계를 이어가는 중인지. 조유연 씨가 이 안으로 끌려 들어가는 모습을 보자마자 머릿속에 든 생각들입니다. 이 중, 뭐가 맞습니까."

느리게 깜빡이는 눈시울이 떨린다. 그의 질문에 반박하지 못한 이유는 세 가지 질문 모두 '아니다'라고 명쾌히 대답할 수 없기 때문이었다. 뜻밖의 자아 성찰이 가져온 민망함에 그녀는 천천히 시선을 피했다.

고집스럽게 비틀린 남자의 입가에 희미한 짜증이 묻어난다고 느껴질 때쯤이었다.

"제 비서에게 뭐 하시는 겁니까."

한쪽 구석에서 들려온 목소리에 두 사람은 동시에 고개를 돌렸다. 그제야 유연은 세자와의 거리가 지나치게 가깝다는 것을 의식하곤 제가 먼저 자연스럽게 옆으로 비켜섰다.

"전무님, 이분은."

"압니다, 세자 저하. 안녕하십니까, 서화제약 전무 최준일입니다."

다가온 준일이 악수를 청했지만, 건은 두 눈만 보기 좋게 휘었다.

"이건입니다."

"그런데 무슨 일이십니까. 여긴 제 방이고, 조유연 씨는 제 비서입니다만."

오만불손하군.

건은 피식 웃으며 정면에 걸린 그림 속 진주 귀걸이를 한 소녀의 얼굴을. 그 아래 작가의 사인을, 액자 모서리에 생긴 상처를 지나 대각선 방향에 선 그녀의 말간 얼굴을 지그시 응시했다.

"최준일 씨에겐 볼 일이 없고 조유연 씨는 지금 내게 절실히 필요한 여자라 데리러 왔다면, 설명이 되겠습니까?"

제게는 볼일이 없단 말에 준일은 자존심을 구긴 듯한 얼굴로 서서히 주먹을 말아 쥐었다. 하지만 다행히 세자에게 맞서는 불상사는 일어나지 않았다.

"강훈 씨, 전무님 회의 들어가셔야 하니까 어서 준비하세요. 감기가 심하시니까 따뜻한 물 떨어지지 않게 지켜보시고요."

두 남자의 대치를 번갈아 보던 유연은 입구에 서 있던 강훈을 불렀다. 그제야 후다닥 들어온 강훈이 어색하게 웃으며 준일을 부축하려 했다. 하지만 준일은 강훈의 부축을 거부하곤 유연을 똑바로 보며 지시했다.

"세자 저하와의 면담이 끝나면 업무 복귀 똑바로 해요. 요즘 근무 태도 영 마음에 안 듭니다, 조 과장."

"죄송합니다."

딱히 죄송하진 않으나, 고개를 까딱 숙여 보인 유연은 준일에게 등을 보이며 이건의 팔을 잡았다.

"이 작품은 인쇄본입니다. 저하께서 원화를 찾으시는 거라면 제가 도움을 드릴 수 있습니다. 그러니까 원화에서만 도깨비가 나온다고 들어서……."

건의 시선은 그녀에게 잡힌 팔에 고정되어 있었다. 그의 얼굴을 올려다본 뒤에야 제가 함부로 세자의 몸에 손댔음을 깨달은 그녀가 흠칫 놀랐다.

머쓱한 마음에 팔을 놓으려 하자 입매를 올린 그가 유연의 손목을 지그시 잡는다.

"부축해 주는 겁니까? 다친 건 어떻게 알고."

"다치셨어요?"

세자는 어깨를 으쓱 올렸다.

"글쎄요. 다친 것 같은데, 어디가 어떻게 다쳤는지는 잘 모르겠습니다."

"병원에 가 보셔야 하는 거 아닌가요?"

"궁의에게 보이는 거로 충분해요."

어쨌든 부축할 정도는 아니란 소리.

쑥스러워진 유연은 그의 팔을 쓱 놓아 버렸다. 그에 세자가 즐겁다는 듯 피식피식 웃는다. 냉랭한 외모와는 어울리지 않게 순수하고 달착지근한 미소였다.

'하, 왜 저렇게 웃어.'

객실 밖, 복도에는 뒷수습을 마친 RSA 직원 몇 명이 두 사람을 기다리고 있었다. 이우혁이 유연을 발견하곤 꾸벅 고개 숙여 인사한다.

"그림을 찾았습니다."

"수고했어. 이거였군, 엘리베이터 앞에 있던."

유연은 박상철이 들고 있는 그림을 보며 입술 안쪽 살을 잘게 깨물었다. 남자가 찾아낸 그림은 정확하게 도깨비가 숨었던 것이었다. 그럼 이건은 최준일의 객실에서 어떤 물건을 찾으려 한 것일까?

무엇을…….

"조유연 씨."

이건이 부르는 목소리에 생각에 잠겨 있던 그녀는 물에서 건져진 사람처럼 불쑥 고개를 들었다.

"네?"

"솔직히 걱정했습니다. 내가 감히 그래도 될지 모르겠지만, 화가 났어요."

비스듬히 고개를 기울인 그가 갈색 눈동자를 응시하며 말을 잇는다.

"낯선 남자가 당신 손을 함부로 잡아끌어서. 또 당신이 무력하게 끌려 들어가는 모습에."

규칙적으로 뛰고 있던 심장이 발등까지 떨어졌다가 튀어 올랐다. 귀를 막고, 눈을 감고, 숨을 참으면 좀 나아질까? 그럼 이렇게 두근거리는 마음이 좀 가라앉을까?

"그만하시면 안 될까요……? 부탁드려요."

"뭘?"

아, 제발. 정말로 유연은 얼굴을 빨갛게 붉힌 채 귀를 막았다.

"더 들으면, 진짜 큰일 날 거 같아요. 그만 들을래요."

잠자코 그녀를 응시하던 그가 실소를 터트렸다. 그녀의 손목을 잡은 이건이 귀를 막은 손을 떼어 내더니 상체를 기울였다. 뜨거운 체온과 강인한 악력에 손목의 피가 데워지고 짓궂은 음성이 귓가에 흩어진다.

"내가 무슨 소릴 할지 아나 봅니다? 미리 입 막는 걸 보니."

뭐겠어. 또 직진 이건이겠지. 마음에 든다는 둥, 욕심이 난다는 둥. 아니면…….

심장이 터질 것 같아서 발을 동동 구르고 싶어질 때였다. 그녀의 휴대 전화에서 짧은 진동이 울린다. 이어 그의 재킷 안쪽에서도 규칙적인 기계음이 울렸다. 두 사람은 동시에 각자의 휴대 전화를 꺼내 도착한 메시지를 확인했다.

-조유연 님. 명일 미시(未時), 경복궁 내 자경전으로 모십니다.

내일, 미시? 미시면…… 오후 1시쯤?

"상궁부에서 움직이기 시작했군."

놀란 그녀가 찡그린 눈을 들었다.

"이만 돌아가죠. 회사까지 모셔다드려야 합니까?"

"맞다! 회의! 죄송합니다, 먼저 가 보겠습니다!"

다급해진 그녀는 휴대 전화를 핸드백 안에 쑤셔 넣은 뒤 승강기 방향으로 뛰었다. 그러자 여유롭게 따라붙은 이건이 승강기를 기다리는 그녀의 곁에 섰다.

"모셔다드리겠습니다. 차 막힐 시간이에요. 나랑 가는 게 좋을걸요."

"아뇨, 제 차가 빨라요."

그는 더 이상 권유하지 않았다.

도착한 승강기에 올라탄 유연은 마지막으로 문 너머에 서 있는 이건에게 꾸벅 인사했다. 그러자 주머니에 손을 꽂아 넣은 그가 턱 끝을 가볍게 까딱인다.

"내일 봅시다."

문이 닫힌 뒤에야 그녀는 벽에 기대 얼굴을 쓸어내렸다. 상궁부에서 온 연락이 아니었다면 저 여우 같은 남자한테 홀딱 넘어가 버렸을지도 모르겠다. 경복궁에 사는 꼬리 10개 달린 여우 같은 왕세자에게.

'나……. 어떻게 하지? 미치겠네.'

-최설아 님. 명일 미시(未時), 경복궁 내 자경전으로 모십니다.

담당 셀러가 내려놓은 핸드백들을 하나씩 들어 보던 설아는 휴대 전화에 도착한 메시지를 보여 주며 물었다.

"명일이 뭔지 알아요, 언니? 이건 무슨 한자지? 내가 한자에는 좀 약해서."

"음…… 내일, 미시에 오시라는 것 같은데요? 미시가 뭐지? 그런데 경복궁에는 왜 가세요?"

그 질문에 '아아.' 하며 고개를 끄덕인 최설아는 휴대 전화를 내려놓고 두 개의 핸드백을 집어 들었다.

"왜 가겠어요. 나 세자빈 후보잖아, 몰랐어요?"

"네? 어머! 그럼, 혹시 그 세자 저하가 홍대에서 모자 씌워 주셨던 그분이 고객님이셨어요?"

둘 중, 좀 더 쨍한 블루 컬러의 핸드백을 유심히 들여다보던 최설아의 눈매가 구겨진다. 직원은 다소 신경질적으로 가방을 내려놓는 그녀의 태도에 무언가를 잘못 건드렸다는 걸 짐작했다.

"그거, 나 아닌데."

"네?"

"언니, 안목이 썩 좋지 않네요? 그런 사람이 추천해 준 물건을 믿고 사도 되나?"

"어머, 제가 착각했나 봐요. 어휴, 어쩐지. 고객님은 이목구비도 선명하고 한번 보면 잊을 얼굴이 아니라 이상하다 했죠."

직원은 애처로울만치 밝은 얼굴로 까르르 웃었다. 그제야 최설아는 내려놓았던 가방을 두 개 다 가리키며 말했다.

"나 아니어도 핸드백 살 사람 널렸으니 사는 거예요. 두 개 다 줘요. 아, 그리고 남자 선물로는 넥타이가 나을까, 벨트가 나을까? 손수건은 좀 그렇죠?"

"혹시, 세자 저하 선물……."

"내일 예궐하는 김에 사다 드리면 좋잖아요. 전에 보니까 듣도 보도 못한 브랜드 타이를 메고 계시더라고. 추천 좀 해 봐요, 이번엔 제대로."

직원은 마른침을 꿀꺽 삼키며 남성복 코너로 설아를 안내했다. VIP룸을 나선 그녀는 선글라스를 낀 채 직원을 따라 움직였다. 최설아는 보통의 VIP가 아닌지라, 직원들은 모두 조심스럽게 그녀를 대했다. 세계적인 피아니스트에 알아주는 셀럽. 금수저를 물고 태어난 데다

세자빈이 될 가능성까지. 잘만 하면, 브랜드 가치 격상이 코앞이다.

극진한 대우를 받으며 남성복 코너에 도착한 설아는 제일 처음 발견한 푸른 계열의 넥타이를 꺼냈다. 고급스러운 촉감부터 언뜻언뜻 드러나는 무늬가 정말이지 마음에 들었다.

"아시다시피 저희 원단은 모두 최고급 페르시아산 실크예요. 지금 보시는 건 이번 신상인데, 며칠 전에 배우 이수하 씨가 착용하고 나오셔서 문의가 많아요."

"흠…… 우리 세자 저하께 더 잘 어울릴 거 같은데. 이거로 줘요, 포장도 예쁘게 해 주시고요."

오래 생각할 필요도 없었다. 세자에게 첫눈에 반했던 그때처럼, 넥타이를 처음 보자마자 그가 생각났을 만큼 완벽했다.

직원들이 물건을 포장하는 사이, 설아는 소파에 앉아 조금 전 도착한 메시지를 다시 살폈다.

며칠 전, 경복궁에 다녀온 조유연은 마치 뭐에 홀린 사람처럼 굴었다. 그곳에서 무슨 일이 있었냐고, 세자를 직접 만났냐고 물어도 묵묵부답. 답답한 마음에 계약에 관해 떠들며 다그치자, 아무 일도 없었다고 말하는 뺨이 붉었다.

'대체 무슨 일이 있었는데 그래?'

세자가 조유연에게 관심이 있다는 건 알고 있다. 그래, 인정한다. 조유연은 예쁘고 똑똑하고 성격도 좋으니까. 걔는 친구도 많았고 어딜 가도 사람들의 시선을 사로잡았다. 그러니까 어딘지 모르게 뒤틀린 자신과는 다른 부류의 사람이다. 아무리 괴롭히고 못되게 굴어도 눈 하나 깜짝 않는 그런 부류. 그래서 더 악착같이 괴롭히게 되고 더 미워하게 된달까.

물론 제 성격에 문제가 있다는 건 알고 있지만, 귀염성 없이 꼿꼿하게 구는 조유연이 그렇게 만드는 거다. 게다가 잘해 주고 싶어도 오빠 앞에서 귀 끝을 붉히는 모습을 보면 속에서 열이 올랐다.

'제까짓 게 뭔데 나를 무시해? 뭐, 반말하지 말라고?'

그래서 꼬박꼬박 언니라고 불러 줬고, 세자랑 그런 사진이 찍혀 온 날에도 화나는 걸 꾹 참았다. 그런데 생각하면 할수록 자존심이 상해 견딜 수가 없었다.

"고객님, 포장하시는 동안 결제 도와드리겠습니다."

생글생글 웃으며 다가온 직원이 패드를 내민다. 설아는 계산을 위해 카드를 건넨 뒤 재익에게 전화를 걸었다.

"어디야?"

[주차장이지. 쇼핑 끝났어? 차 뺄까?]

지난번 좀 쏘아붙였다고 지금까지 풀 죽어 있긴.

"1분 뒤에 차 빼면 될 것 같고, 뭐 먹고 싶은 거 있어? 나온 김에 브런치라도 먹을까?"

[브런치? 그럴까? 너 먹고 싶은 거로 골라.]

"내가 사 줄게. 나 내일 경복궁 들어가거든. 며칠 못 만날 수도 있는데……. 호텔 가서 룸서비스 먹어도 되고."

어물거리는 말에 수화기 너머로 마른침 삼키는 소리가 넘어왔다.

재익은 곧장 예약부터 하겠다며 전화를 끊었다. 한숨을 내쉬며 고개를 들자 입구에 포장한 물건을 들고 대기 중인 직원들이 보인다.

그녀는 그중 세자에게 줄 선물만 따로 챙겨 고개를 까딱였다.

"차까지 들어다 줄 거죠?"

이번엔 제법 피해가 컸다. 이매에게 직접적인 상처를 입은 것은 처음인지라 RSA 전체에 비상이 걸렸다.

탁 트인 창가 자리에 앉은 건은 총지배인이 내놓은 자료를 훑었다. 그것은 22층 전시를 주관한 업체에 관련된 서류들이었다.

"국내외에서 유명한 업체입니다. 전시 일정의 경우는 최소 1년 정도의 대기가 필요하고, 저희 같은 경우는 운 좋게 4개월 정도 걸렸습니다."

호텔의 총지배인은 식은땀을 삐질삐질 흘리며 세자의 대답을 기다렸다.

RSA는 세관과 함께 국내로 들여오는 모든 예술 작품들을 검열했다. 공항과 항만마다 RSA의 직원들이 파견되어 있었고, 그들의 승인 없이는 어떠한 작품도 한국 땅에 발 들이지 못했다. 그래서 호텔 측은 서류에 찍힌 RSA의 직인을 믿고 전시를 진행했다. 하지만 이매가 잠신해 있던 작품은 총지배인이 내민 작품 목록에는 없는 것이었다.

"작품이 바뀌었군."

서류를 훑은 건의 말에 우혁이 고개를 끄덕인다.

"예, 확실합니다. 그리고 이 업체는 저도 잘 아는 곳입니다. 대표와 접촉해 보도록 하겠습니다."

"이 그림은 예화에서 회수해도 되겠습니까?"

세자의 질문에 총지배인은 다급히 인계 서류부터 내밀었다.

"작품이 바뀐 건 업체의 실수이기 때문에, 저희가 업체와 해결하겠습니다."

"이해해 주셔서 고맙습니다."

"당연히 그래야지요."

건은 우혁에게 서류를 넘긴 뒤 일어났다. 점점 이상한 일들이 벌어지고 있었다. 역사에 기록되지 않은 이매들이 등장하기 시작하더니, 이지도 갖고 있었다.

더욱더 세자빈의 역할이 중요해진 상황. 이 사실이 아버지의 귀에 들어간다면 지금의 잔소리는 결코 잔소리만으로 그치지 않을 것이 분명했다.

"그런데, 저하. 가벼운 문제가 생긴 것 같습니다."

"뭐?"

극진한 배웅을 받으며 로비로 내려온 이건이 우혁의 목소리에 고개를 들 때였다.

"저하!"

쨍한 음성과 함께 최설아가 뛰어오는 게 보였다. 건은 본능적으로 한 걸음 물러서며 박 팀장의 재킷을 끌었다.

"막아."

더 캐슬

VOL. 1 The Castle

CHAPTER 6

현실엔 마녀 할머니가 없다

6

현실엔 마녀 할머니가 없다

차창 밖으로 도심의 풍경이 빠른 속도로 스쳐 지나간다. 우혁은 눈 깜짝할 새 SNS에 퍼진 사진들을 훑으며 홍보실에 연락했다.

“지금 최설아 씨와 호텔에서 찍힌 사진이 돌 겁니다. 삭제 요청하세요.”

홍보실 직원들은 생전 없던 세자의 스캔들 기사를 다루게 될 줄 몰랐다며 신기해했다. 그건 우혁도 마찬가지였다. 한 장소에서 세자빈 후보를 둘이나 만나게 될 줄이야.

당혹스러운 만큼 아쉽기도 했다. 만약 귀안을 가졌다는 최설아를 더 일찍 만났다면 일이 수월했을지도 모른다. RSA 요원들도 다치지 않았을 테고, 세자도 상처 입지 않았을 테지.

‘아무도 다치지 않았을지 모르는데…….’

저도 모르게 움켜쥔 주먹이 떨렸다. 그런 우혁의 상태를 눈치챈 건지 뒷좌석에 앉아 있던 이건이 말했다.

“조바심 내지 마. 최설아가 왔어도 결과는 같았을 테니까.”

그 태연한 말투에 돌아본 우혁이 발끈했다.

“적어도 저하께옵서 맨손으로 힘을 쓰진 않으셨겠지요!”

“그건, 흠…….”

감정을 이기지 못하고 힘 조절에 실패한 탓이다. 유연이 최준일에게 잡혀 들어가는 모습에 화가 났고, 이매를 상대로 분풀이를 했다.

건은 우혁이 세자빈에 집착하는 이유를 알고 있었다. 우혁은 걸음마도 떼기 전, 이매에 의해 부모를 잃었고 왕립 보육원에서 자랐다. 그러니 우혁이 보이는 이매를 향한 적의는 본능이나 다름없었다. 누구도 다치지 않고 무사히 살아가기를 바라는 보통의 심리.

건은 벌써 물집이 잡힌 손바닥을 내려다보며, 다쳤냐고 묻던 순한 얼굴을 떠올렸다. 그러다가 제게 달려들던 또 다른 여자를 떠올리곤 피곤한 한숨을 내쉬었다.

“어쨌든 서 상궁에게 연락이 왔어. 내일 초간이 열린다니, 윤곽이 잡히겠지. 과연 누가 거짓말을 하고 있는지.”

“그 전에 주상 전하부터 뵈야 합니다. 곧장 강녕전으로 들라는 지시가 내려왔습니다.”

사촌 형제란 사내를 소개하실 생각이신가? 달갑지 않은 상황, 반갑지 않은 사람이다.

“하지만 저는 어의부터 만나 뵐 생각입니다. 저하의 몸은 소중하니까요.”

우혁의 뻔뻔한 말투에 건은 웃음을 터트렸다. 역시, 이우혁다운 모습이었다.

“어의께서 또 상처를 만든 거냐며 한소리하시겠군.”

❀

세자의 손에 감긴 붕대를 본 이숙의 눈빛에 노기가 섞였다. 이숙은 동행한 이들을 책망하듯 훑은 뒤 다시 세자를 보며 말했다.

"이번엔 상처가 크구나."

"별거 아닙니다. 처음 보는 이매와 맞닥뜨리는 바람에 조금 당황한 것뿐입니다."

"이번에도? 허어……."

"점점 이지를 가진 이매들이 늘어나고 있습니다. 하지만 걱정 마십……."

"잘 되었구나! 그래."

"예?"

"이참에 태의 도움을 받아야겠어."

벌써 잘도 이름이 불리는군. 이태.

"무슨 뜻입니까, 아버지."

생각에 잠긴 이숙은 상선을 호출해 이태를 데려오라 하였다. 벌써 전각을 내어 준 것인지 지시를 받은 상선이 강녕전 북쪽으로 걸어 나간다.

"건아, 내 아우 송이 알지?"

"예, 압니다."

"송이의 아들이다. 의언군의 아들. 허허, 놈이 결혼을 해서 아이를 낳았어. 한데, 말도 없이 홀로 먼 타지에서 그 고생을 하며 지내다가……."

"그 말을 믿으십니까. 왕족 사칭의 죄. 벌이 존재하는 이유는, 죄를 짓는 이가 있기 때문입니다."

냉랭한 건의 태도에 천천히 고개를 끄덕인 이숙이 대답했다.

"안다. 그런데 말이다, 이태가 의언군과 똑같은 힘을 갖고 있지 뭐냐. 녀석도 코와 눈을 갖고 있어. 이취를 맡고 귀안을 알아본다. 그러니 어찌 의심할 수 있겠느냐."

건은 차분하게 들고 있던 찻잔을 내려놓았다. 뜨거워진 손끝에서 유리 찻잔의 달그락거리는 소리가 이어졌다.

대대로 내려오는 멸첩(滅帖)에 의하면, 분명 귀안을 알아보는 눈이 존재해 왔다. 하지만 멸첩은 전쟁을 거치며 반 이상이 소실된 터. 정확한 사실을 확인할 수 없는 유물과도 같은 존재로 남아 있었다. 그런데 갑작스럽게 나타난 사내가 귀안의 여인을 알아본다?

'흥미롭군.'

얼마간의 시간이 흐르고 상선과 함께 이태가 강녕전에 들었다.

"어서 오시게."

환대하는 이숙과 달리 건은 반갑지 않은 사촌을 말없이 올려다보았다. 그러자 먼저 다가온 이태가 불쑥 마주 앉더니 고개를 납작 숙인다.

"세자 저하. 오늘도 뵙습니다."

"예. 이런 자리에서 뵙게 되는군요, 이 대표님."

"어쩐지 궁이 너무 편하고 마음 쓰인다 했더니, 제 아버지께서 주상 전하의 동생이라고 하시지 뭡니까?"

"그렇다고 들었습니다. 당황스럽긴 하나, 잃었던 혈육을 찾아 기쁘군요."

건은 이태의 눈을 빤히 응시했다. 저 눈으로 무언가를 본다면, 제게도 무언가 보이지 않을까 하는 생각에서였다. 하지만 이태의 눈동자는 그저 짙고 어두웠다. 그리고 자신을 제법 많이 닮았다.

생글생글 웃는 낯으로 자세를 바로잡은 이태는 정교하게 빚은 인형처럼 멀끔했다. 그런 이태를 애틋하게 바라보던 이숙이 불쑥 제안한다.

"내일 초간이 열린다고 하네. 오늘 사냥을 나간 세자가 크게 상처를 입어 내 마음이 좋지 않아. 하여, 자네에게 부탁이 있네."

건은 설마 하는 마음으로 이숙의 말에 귀 기울였다. 노골적으로 불쾌한 심중을 드러낼 수는 없는 일.

"뭐든 돕겠습니다. 전각도 내어주시고, 전시도 허가 내어주셨는데 무엇이든 못 하겠습니까?"

"전시라니요."

날 선 세자의 말투에 이숙의 표정이 굳었다.

"다른 이도 아니고 종친이다. 건아, 내 이 아이에게 군의 자릴 내릴 생각인데, 혹 반대하는 게냐."

"종친의 세력을 기어이 만드시겠다는 겁니까?"

"지금은 종친의 세력이 활개 칠 수 있는 시기가 아니다. 알잖느냐."

"하지만 제게는 한마디 상의조차 없으셨고요. 게다가 엄연히 예화와 RSA의 업무는 제가 맡고 있습니다! 그런데 궐내의 전시를 허가하신다니요!"

"이건!"

이토록 강한 반발은 예상하지 못했는지, 이숙은 엄한 목소리로 세자의 이름을 불렀다.

건은 이만 몸을 일으켰다.

안다. 아버지가 잃어버린 형제에게 얼마나 애틋한 마음을 품고 있는지. 하여, 지금 몹시 기뻐하고 계신다는 것도. 하지만 건은 이태를 간택제에 끌어들이고 싶지 않았다. 그것이 가장 정확한 이유였다. 저 눈이 유연을 훑고 경탄할 것이 뻔해 싫었다.

"저는 이만 돌아가서 쉬겠습니다. 그리고 전시의 경우는 이미 벌어진 일, 제가 한 수 접겠습니다. 하지만 간택은 안 됩니다. 도움받지 않겠습니다."

"건아! 어찌 쉬운 길을 두고 돌아가려 해! 기회를 기회로 여기고 받아들일 줄도 알아야지!"

하아, 젠장.

건은 한숨을 내쉬며 무심한 표정으로 이태를 돌아보았다.

"미안합니다. 내 속이 좁고 의심이 많아, 그쪽을 내명부 일에는 끌어들이고 싶지 않습니다. 그러니 궐 구경 잘하고 돌아가시기를. 배웅은 훗날에 하죠."

강녕전을 나선 건은 곧장 목을 죄었던 넥타이 매듭을 끌어 내렸다. 그 서슬 퍼런 기세에 뒤따르는 이들 중 누구도 말을 걸지 못했다.

수정전으로 향하는 그의 뒤로 그림자가 길게 늘어진다.

"멸첩이 있는 곳으로 가지."

이른 아침 눈이 떠졌다.

'이상한 꿈…….'

꿈에 세자가 나왔다. 그런데 묘하게 지금보다 훨씬 앳되어 보이는 얼굴로, 자신을 보며 무언가를 다그쳤다.

그게 뭐였더라…….

유연은 아픈 관자놀이를 만지작거리다가 샤워를 하기 위해 방을 나섰다.

"조유연!"

최설아?

"이 시간에 웬일로……."

히죽히죽, 웃음을 참지 못하는 얼굴로 설아는 그녀 앞에 휴대 전화 화면을 불쑥 내밀었다. 화면 속에 보이는 건, 세자에게 안겨 있는 설아였다. 배경은 호텔. 마치 오랜만에 만난 연인 사이처럼 허리춤을 꼭 끌어안은 설아를 웃으며 내려다보는 이건의 옆모습이 찍힌 사진이었다.

"이게 뭔데."

"뭐긴 뭐야. 나 어제 세자 저하랑 따로 만났어. 혹시 기사 못 봤어?"

"기사 안 났던데."

"네가 못 본 거야. 스캔들 터질까 봐 바로바로 처리한 것 같더라고."

"그럼, 혹시 세자 저하랑 잘됐어?"

"어?"

싱글벙글하던 설아의 두 눈이 동그랗게 뜨였다. 유연은 복도 선반에 놓인 수건을 꺼내 팔에 걸며 말을 이었다.

"내가 안 도와줘도 될 만큼 잘됐냐고 묻는 거야. 저하와 호텔까지 드나들 정도면, 나 이제 간택에 손 떼도 돼?"

"아니, 뭐…… 친해진 거랑 간택은 다르지 않나?"

"그래서 계속 도와 달라고?"

"당연하지! 당연히 도와줘야지……."

결국, 꼬리 내린 강아지처럼 말끝을 흐린 설아는 휴대 전화를 품에 안고 도망치듯 지하를 빠져나갔다.

유연은 그런 설아의 뒷모습을 보며 고개를 저었다. 어쩌다가 저런 사진이 찍혔는지 몰라도, 최설아와 이건은 우연히 만났을 테고 사진이 찍힌 건 의도적이었다.

욕실로 들어간 그녀는 옷을 벗고 미지근한 물 아래 서서 생각했다.

'조유연 씨를 궁궐이라는 감옥에 가두고 싶지 않습니다.'

'솔직히 걱정했습니다. 내가 감히 그래도 될지 모르겠지만, 화가 났어요.'

'내가 무슨 소릴 할 줄 아나 봅니다? 미리 입 막는 걸 보니.'

미쳤다, 미쳤어. 나도, 그 남자도 미쳤다. 당시를 떠올렸을 뿐이건만, 또 손끝 발끝에 힘이 들어가고 심장이 빠르게 뛰어댔다.

'그래 놓고 최설아를 그런 눈으로 쳐다볼 건 또 뭐야?'

이건과 가까워질수록 죄책감은 짙어지고, 가슴 뛰는 일은 더욱 많아졌다. 게다가 제가 기억하지 못하는 과거를 기억하는 그였다. 만약 과거의 자신이 그 앞에서 능력을 보인 적이 있다면……?

불현듯 든 생각에 유연은 젖은 눈꺼풀을 들었다.

'설마…… 그래서였나?'

"연이, 너는 오늘 출근하지 말고 호텔에 가서 최 전무 데려와. 책임지고 집에 데려다 놔."

출근 준비를 마치고 1층으로 올라온 유연을 부른 최 회장의 지시였다. 유연은 난처한 표정으로 대답했다.

“제가 어떻게 전무님을 설득합니까? 차라리 경호원들을…….”

“그놈이 네 말만 들으니 하는 소리 아니냐! 너 궐에 보냈다고 집나간 놈이야!”

정신 나간 놈이라고 중얼거린 최 회장의 눈동자가 분노로 번들거린다.

“그럼 오늘 초간은 어떻게…….”

“참석할 필요 없어. 필요하면 내가 연락하마. 이참에 미운털 박히고 좋지 뭐.”

“미운털이요?”

“그럼, 잘 보여서 뭣해. 쓸모도 없는 거. 그리고 초간엔 집안과 행색, 학벌 같은 걸 보는 거야. 아마, 네 눈은 필요 없을 거다.”

통명스러운 최 회장을 빤히 쳐다보던 유연은 나직하게 한숨을 쉬며 고개를 끄덕였다.

“알겠습니다. 그럼 엄마를 좀 만나 뵐게요. 차도가 있다고 들었는데, 원장님과 면담할 수 있을까요.”

“뭐, 그래. 내가 연락해 놓으마.”

“아뇨, 제가 연락드리고 찾아갈게요.”

지나치게 담담한 그녀를 내려다보던 최 회장이 물고 있던 이쑤시개를 빼더니 어깨를 움켜쥐었다.

“요즘, 세자와 부쩍 가까워졌단 소리가 들리던데……. 아니지?”

의심이 가득 담긴 최 회장의 눈초리. 유연은 핸드백을 고쳐메곤 그의 손을 떼어 낸 뒤 꾸벅 인사했다.

"설아는 어제 사진도 찍혔던데, 못 보셨어요? 세자 저하와 꽉 끌어안고 좋아 보이던데요?"

"그래?"

"네, 설아한테 물어보세요. 그럼 전 집에 있다가 오후쯤 전무님 찾아뵙겠습니다."

의뭉스러운 표정으로 고개를 끄덕인 최 회장은 위층에 대고 설아를 불렀다. 그러자 활짝 문이 열리더니, 화사한 한복을 차려입은 설아가 후다닥 뛰어 내려왔다.

발목이 보일 듯 말 듯 한 길이의 치마, 살갗이 살짝 비치는 저고리에 백옥으로 만든 노리개를 찬 설아는 같은 여자가 보아도 정말이지 예뻤다. 책에서 튀어나온 공주님 같다고 할까.

"가요, 아빠. 숍 예약 시간 늦겠어. 조유연, 출근 잘 해!"

"어, 그래."

유연은 얼떨결에 고개를 끄덕였다. 이러니 꼭 무도회에 초대받아 놓고 새엄마의 심술로 인해 참석하지 못한 신데렐라가 된 기분이었다. 물론, 현실엔 마녀 할머니가 없다.

두 사람을 배웅한 그녀는 집 안으로 돌아와 텅 빈 소파에 털썩 앉았다. 그러자 핸드백 안에 넣어둔 휴대 전화에서 짧은 진동이 울린다.

-예궐까지 4시간 남았네요.

모르는 번호였지만, 누가 메시지를 보냈는지 알 것 같았다. 고민하던 유연은 무릎을 모은 채 답장을 보냈다.

-못 가요.

그러자 기다렸다는 듯, 답문이 도착했다.

-어디 아픕니까?

-아뇨. 바쁜 일이 생겨서요.

-데리러 갈게요.

-못 가요, 세자 저하.

더 이상 울리지 않는 휴대 전화를 만지작거리던 그녀는 소파 위에 길게 누웠다. 답장을 보내지 않는 걸 보니, 바쁘거나 받아들였거나. 아니면 단호한 거절에 화가 났거나. 셋 중 하나일 터. 괜스레 답답한 마음이 든다.

저도 모르게 스르륵 감기는 눈. 밤잠을 설쳐서인지 유연은 눈을 감자마자 얕은 잠에 빠져들었다.

-못 가요, 세자 저하.

휴대 전화 메시지 화면을 가늘어진 시선으로 내려다보던 건은 이내 고개를 들었다.

“계속하세요.”

그러자 커다란 스크린 앞에 선 감찰부 이명진 부장이 설명을 이어 나갔다.

“이 작품은 작가 미상으로 국내에서 제작되었습니다. 호텔에 전시를 주관한 업체 A:TEAM의 대표를 호출해 조사한 결과, 전시를 준비하던 도중 작품이 훼손되었고 급히 대체해야 했다고 합니다. 그런데 이 작품이 유일하게 인증을 받은 작품이었고요.”

“인증이 거짓이었나?”

“아무래도 그런 듯싶습니다.”

“그렇군……. 최근 들어 나타난 이매들은 이지를 갖고 목적이 분명한 놈들입니다. 파괴의 목적을 가진 이매는 위험합니다. 감시망을 늘리도록 해요. RSA의 인원을 확충하고, 지역구마다 순찰부를 파견하십시오.”

“예, 명 받잡겠습니다.”

오전 회의의 끝을 알리자 참석했던 이들 모두 피곤한 얼굴로 자리를 벗어났다.

건은 다들 떠난 빈청에 홀로 남아 덩그러니 놓인 그림을 노려보았다. 탁 트인 공간 특유의 건조한 공기가 전신을 훑는다. 높다란 천장을 화려하게 수놓은 단청 아래 놓인 액자 속엔, 고작해야 검은 바탕에 하얀 점 하나가 찍혀 있을 뿐이었다.

작품명은 雪夜(설야). 거창한 제목에 비해 그림에서 받는 감동은 지극히 뻔했다. 흑과 백의 조화, 또는 거대한 어둠을 압도하는 자그마한 흰 빛. 고작해야 그 정도. 의미조차 불분명한 작품을 위대한 고전의 대체품으로 넣었다?

자연스럽지 않다.

‘눈 내리는 밤이라…….’

게다가 저 그림에서 현신한 놈은 지금까지 보아온 이매와는 확실히 달랐다. 폭주하다시피 모든 것을 파괴하거나, 눈에 보이는 모든 것을 보듬으려 하거나, 어둠으로 숨어 들어가려고만 하던 이매의 습성이 놈에게는 보이지 않았다. 마치 지시를 받은 것처럼 자신을 없애려 했던 이매를 떠올리자 또다시 머리가 아파 온다.

“저하, 계속 이곳에 계실 겁니까?”

생각에 잠겨 있던 건은 우혁의 목소리에 느긋하게 눈동자를 움직였다.

"왜, 급한 일이라도 있어?"

"항상 바쁘신 분이 이러고 계시니 이상하지 않습니까. 어디 아프신 것 같기도 하고."

삐딱한 말투에 건이 웃음기를 지운 표정으로 대답했다.

"조유연 씨 모친이 서화의료원에 13년째 입원 중이셔. 어떻게 생각해."

"13년이면…… 날짜가 너무 딱 맞아떨어지는 것 같습니다만."

"그런데 왜 기억을 못 할까. 혹시, 기억을 잃은 걸까?"

"세자 저하, 외람되오나 다른 분일 수도 있습니다."

"어제 일을 겪고도 그렇게 말하나?"

"그거야 정말 우연일 수도 있잖습니까. 굳이 귀안을 숨길 이유도, 아니라고 거짓말할 이유도, 조유연 씨에게는 없습니다."

일순, 이건의 눈매가 언뜻 일그러졌다.

테이블 위를 기름한 손가락 끝으로 톡톡 두드리던 그가 몸을 일으켰다. 어깨에 걸치고 있던 검정 용포가 부드럽게 흘러내리고, 양팔에 수놓아진 두 마리의 용이 살아 있는 듯 꿈틀댄다. 세자가 걸음을 옮길 때마다 주인을 알아본 궁궐의 기운이 요동쳤다.

"이태는 지금 어디에 있지?"

"이 대표님은 집경당에서 지내고 계십니다."

유난히 날이 맑다. 밖으로 나온 이건은 그림 같은 하늘을 올려다보며 말했다.

"그 친구를 좀 만나 봐야겠군."

건춘문 앞, 최 회장과 함께 내린 설아는 또 다른 여자들을 보며 당혹스러운 표정을 감추지 못했다.

"어떻게 된 거야? 후보는 나랑 조유연, 두 사람 아니었어?"

그에 최 회장 역시 예상치 못한 상황에 놀랐는지 어딘가로 연락을 취한다.

설아는 저 못지않게 우아한 차림의 여자들의 모습에 움켜쥔 손을 덜덜 떨었다. 그녀들은 머리부터 발끝까지, 완벽하게 꾸며진 인형 같았다. 단정한 걸음걸이부터 흐트러짐 없는 자세, 아무나 견줄 수 없는 브랜드의 보석으로 치장한 여자들의 등장에 설아는 울고 싶었다.

'이럴 줄 알았으면 유연을 데려올걸! 조유연은 저런 여자들 앞에서도 눈 하나 깜짝 안 했을 텐데.'

설아는 유난히 여자들과의 관계에 약했다. 오히려 남자들이 편하고, 혼자 지내는 게 좋았다. 그래서인지 적이나 다름없는 여자들이 다섯이나 좌우로 늘어서자 눈앞이 아득해져 갔다.

"설아야, 괜찮아. 아빠가 다 손 써 놨어. 걱정하지 말고 들어가."

"아빠, 유연이 불러 주면 안 돼……?"

"오늘은 유연이 없이 해내야지!"

강제로 등 떠밀리듯 앞으로 나선 설아는 엄격한 표정의 궁인들을 보며 입술을 깨물었다.

모두 진짜인데 자신만 가짜가 된 기분. 한없이 작아지는 그 기분에, 수행부를 따라 예궐하던 그녀는 결국 유연에게 메시지를 전송했다.

-당장 궁으로 와. 내 약 좀 가져다줘. 그리고 여기, 이상한 여자들

이 너무 많아.

자미당 앞마당. 노란 황룡이 수놓인 차양이 드리운 그곳에 여섯 명의 여인이 다소곳이 섰다. 그 주위로 상궁부 서른 명이 엄숙한 자세로 제조상궁의 지시를 기다린다.

서 상궁과 김 상궁은 아직 도착하지 않은 한 명의 자릴 노려보며 혀를 찼다.

"역시, 조유연 씨는 세자빈이 될 그릇이 아니었군요."

"혹 오시는 길에 사고가 있는지 알아보라 하겠습니다."

"그러시지요. 하나, 그럴 가능성은 없다고 봅니다."

싸늘한 서 상궁의 말에 김 상궁이 인자하게 미소 띤 얼굴로 여인들을 훑었다. 그러다가 최설아의 창백한 얼굴을 오래도록 바라보았다.

"저 아가씨군요. 주상 전하께옵서 점찍으셨다던."

김 상궁이 두 눈을 가늘게 뜨며 웃자, 여전히 노한 표정의 서 상궁이 코웃음을 친다.

"저 아가씨도 딱히 마음에 들지는 않습니다. 껍데기는 우아하나 속이 비었지. 내 다른 여인들을 불렀으니, 비교해 보면 전하께서도 아시겠지요. 이번 간택제는 틀렸다는 것을요."

세자의 명으로 간택제를 열었으나, 서 상궁의 눈에는 최설아도, 조유연도 성에 차지 않았다. 무책임하게 궐을 떠난 중전마마로 인해 수많은 이들이 고초를 겪지 않았던가. 그런 일이 번복되지 않으려면 철저하게 세자빈의 자질을 갖고 태어난 여인이 자리에 앉아야 한다.

서 상궁은 그런 면에서 세자와 뜻을 같이하였다. 귀안을 가진 여인이라면 더없이 좋겠으나, 도저히 찾을 수 없다면 세자빈의 다른 역할이라도 해내 줄 여인을 찾는 것이 더 나을지도 모른다. 그런 면에서 최설아와 조유연은 낙제생이다.

"듣기로, 저 아가씨에게 귀안이 있다고 합니다."

김 상궁의 속살거리는 말에 서 상궁의 눈이 커다래졌다. 세계적인 피아니스트답게 자세는 꼿꼿하니 합격점이지만, 시선이 불안하다. 어떻게든 이 무료한 시간을 버텨 내려 하는 주위의 여인들과 달리 최설아는 시간이 흐르는 것도 모르는 듯한 눈을 하고 있었다. 불안에 질려 잠식되어 버린 눈.

'그런데 귀안을 가졌다?'

대왕대비를 모셨던 서 상궁은 이매의 기운 앞에서 눈 하나 꿈쩍 않던 선대들을 떠올리며 고개를 저었다.

"아닐 겁니다. 아니에요. 저런 느낌이……."

서 상궁이 혼잣말을 속으로 삼킬 때였다. 자경전 꽃담을 스쳐 지나가던 한 무리가 모두의 시선을 사로잡았다. 한 손을 바지 주머니에 꽂아 넣은 채로 어깨엔 검정 용포를 걸친 세자와 익위사, 동궁전의 실무진들이었다. 그리고 지난 밤 궐을 발칵 뒤집은 의언군의 아들인 이태가 세자의 곁에 있었다.

이건의 등장만으로 공기의 흐름이 바뀌었다. 그는 무심한 듯한 걸음걸이와 표정만으로도 타인을 압도했고, 누구보다 우월했다. 몸에 밴 우아함은 흉내 낼 수 없으며, 냉랭한 눈빛에도 귀티가 흘렀다. 머리 꼭대기부터 발끝까지. 섬세하게 그려 낸 듯한 실루엣에 시선을 빼앗긴 사람들의 입술 새로 희미한 탄식이 흘렀다.

걸음을 멈춘 세자는 천천히 그녀들을 한 명, 한 명 훑은 뒤 차갑게 벼려진 얼굴로 돌아섰다. 그제야 정신을 차린 이들이 서로의 얼굴을 보며 어색하게 웃는다.

“정신 차리세요! 오늘의 시험은 인내입니다. 무가치한 시간을 견뎌 내는 힘. 나는 오늘 그대들의 인내를 시험할 겁니다. 자신 없는 분들은 돌아가셔도 좋습니다.”

유연은 차에서 내려 핸드백 안에 넣어 둔 약을 꺼냈다.

‘공황장애가 도졌나……?’

최설아를 마냥 미워할 수만도 없는 이유가 바로 이 때문이다. 마음속 어딘가가 아픈 아이. 그게 바로 최설아였고, 아프다는 이유로 많은 것들을 배려해야 했다.

유연은 차에 비친 제 모습을 다시 한번 살폈다. 습관처럼 구김진 곳을 털고 반듯하게 편 그녀는 살굿빛 펜슬 스커트에 속이 비칠 듯 말 듯 한 블라우스 차림이었다. 귀에는 팥알보다도 작은 진주 귀걸이가 물려 있었고, 가느다란 손목엔 오늘도 창립기념으로 제작된 시계를 찼다.

그녀에겐 평범한 출근 차림이었지만, 남들 눈엔 아니었다. 졸라맨 듯 가는 허리와 그 아래로 곧게 뻗은 다리. 작은 얼굴에 꽉 찬 오목조목한 이목구비는 다른 사람들이 궐 앞에 선 그녀를 한 번 더 돌아보게 만들기 충분했다.

반듯한 걸음으로 건춘문 앞에 서자 그 앞을 지키던 수문장이 통행증을 요구했다.

"혹시, 통행증이 이건가요?"

유연은 상궁부에서 도착한 간택 안내문을 내보였다. 그러자 놀란 수문장이 꾸벅 인사하더니 머쓱하게 웃으며 안쪽에 무전을 넣었다.

"안에 들어가셔서 잠시만 기다리시면 수행부에서 사람이 나올 겁니다."

"저기, 그러지 않으셔도 돼요. 금방 나올 거라서요."

"예?"

"오늘은 물건만 전해드리러 온 거라. 그러니 호출 취소해 주세요."

"아, 예……."

수문장은 생긋 웃는 유연의 얼굴에 잠시 얼빠진 표정을 지어 보였다. 가느다란 손가락으로 흘러내린 머리카락을 귓바퀴에 건 그녀는 안도의 숨을 내쉬며 궐에 들어섰다.

'이제 어쩐다…….'

사실, 요란한 등장은 하고 싶지 않았다. 초간에 늦은 것도 모자라, 참석조차 거부한 채 퇴궐한다는 것이 어떤 의미로 비칠지 알기에 조심스러웠다.

'게다가 다른 여자들도 있다고?'

시끌시끌한 소리가 들리는 방향으로 담장을 따라 걸음을 옮기던 그녀는 이내 무언가 잘못되었다는 걸 깨달았다.

'설마, 이 길이 아니던가……?'

살면서 길치라는 소린 한 번도 들어 본 적 없건만, 궁에만 들어오면 방향 감각이 소실되는 진귀를 경험한다.

흔들리는 눈빛으로 주위를 살피던 그녀가 다시 정신을 바짝 차려

회랑을 빠져나가려 할 때였다. 기둥과 맞닿은 문이 열리더니 누군가 불쑥 그녀의 팔을 잡아끌었다.

"꺅!"

"쉿."

순식간에 남자가 품은 향이 그녀의 전신을 휘감았다. 달콤한 목련과 묵직한 목단, 그리고 끝도 없이 자라난 울창한 숲 한가운데 선 듯한 서늘한 향이 검은색 비단 너머로 선명하게 전해진다.

"바빠서 초간에도 참석하지 못하신다던 분이……. 나 보러 온 거 아니라면 서운할 것 같은데요, 조유연 씨."

나직한 음성과 함께 갑작스레 쏟아지는 소낙비 같은 시선이 그녀를 흠뻑 적셨다.

"저하……."

얼빠진 목소리로 그를 부르자, 이건의 입꼬리가 희미하게 호선을 그린다.

"말해 봐요. 어떻게 된 겁니까. 갑자기 이런 곳에 나타나면, 내가 놀라지 않겠어요?"

"죄송해요. 여기가 어딘지……."

"말했을 텐데. 여긴 내 구역이라고."

"동궁전인가요?"

두 눈을 동그랗게 뜬 모습에 그는 결국 웃음을 터트렸다. 유연은 여유로운 그의 태도에 창호지 문밖을 살피며 몸을 숨기려 애썼다. 그림자가 비칠까, 혹 소리가 들릴까 봐 겁에 질린 모습이었다.

"말해 봐요. 왜 왔습니까. 지금이라도 초간에 참석할 겁니까?"

그녀의 얼굴에 빠른 속도로 당혹감이 들어찼다. 쉽게 대답하지 못한 채 입술만 달싹이는 그녀를 빤히 응시하던 그가 움켜쥐고 있는 약통을 발견하고 손목을 잡아 올렸다.

"뭡니까, 이건."

"아, 그게…… 설아한테 필요한 약이라."

"최설아 씨한테 전해 주면 되는 겁니까?"

"네."

"전해 주면?"

"돌아가야죠."

"그럼, 전해 주지 않으면."

"설아가 힘들 겁니다."

"조유연 씨가 돌아가면, 난."

가느다란 손목에 닿아 있던 그의 시선이 그녀의 눈동자를 찌르듯 파고들었다. 유연은 흠결 없이 순수하고 곧은 그 시선에 결국 한숨을 내쉬는 대신 입술을 열었다.

"놀아…… 드려요?"

혹시, 실수라도 한 걸까? 놀아 주냐는 질문에 가늘어지는 그의 눈을 빤히 쳐다보며 유연은 해야 할 변명들을 생각했다. 하지만 가지 말라며 애처롭게 쳐다본 건, 분명 그였다.

숨 막힐 듯한 침묵에 타는 듯한 갈증을 느낀 그녀가 그에게 잡힌 손을 빼려 할 때였다.

"나랑 놀아 주려면, 보통의 체력으론 안 될 텐데."

혼잣말처럼 흘러나온 말에 그녀가 두 눈을 치켜뜨며 미소 지었다.

"제 체력 무시하지 마세요. 저 육상 했던 사람이에요."

"지금도 합니까?"

"지금은 기분전환으로 실내 야구장에 가거나, 아주 가끔 도시마라톤 대회에 나가요."

"음…… 애초에 그런 의미는 아니었지만, 흥미롭네요."

속을 가늠할 수 없는 까만 눈빛이 그녀의 분홍빛 뺨과 입술을 더듬고 내려와 다시 손목으로 움직였다. 싱긋 웃으며 그녀가 움켜쥔 약통을 가져간 그의 눈매가 예리하게 벼려진다.

"예술가는 예민하다더니."

약의 종류를 알아챈 그의 읊조림에 유연은 그 손을 다시 움켜쥐었다.

"누구에게나 약점은 있어요. 이 약을 먹는다고 해서 설아가 나쁜 사람은 아니잖아요."

"하지만 세자빈이 되기 위해선 숨겨야 할 증상이기도 합니다."

알고 있다. 그 자리가 얼마나 보여지는 것이 중요한 자리인지.

그는 제 손을 감싼 그녀의 손을 떼어 내더니 무언가로 꽉 찬 전각 내부를 둘러보았다.

"어쨌든 이건 사람을 시켜 보낼 테니, 나랑 같이 숨어 있죠."

"저하께서 왜 숨으세요? 간택은요?"

"내명부의 일에 벌써부터 끼어들면 안 됩니다. 여기, 낮잠 자기 좋은 곳인데. 어때요?"

그제야 유연은 서가로 보이는 내부를 찬찬히 둘러보며 희미한 감탄사를 흘렸다. 아까는 정신이 없어서 알아채지 못했던 곳. 은은한 햇살이 들이치는 원형의 창문 밖으로 둥근 연못이 보이고 그 주위로 빼곡하게 심어진 나무마다 농익은 살구가 매달렸다.

마치 볕 좋은 반지하의 느낌이라고 해야 할까? 월넛색의 반듯한 선반과 미색의 벽지. 바닥엔 어두운색의 포세린 타일이 깔려 있었지만, 천장에는 보가 설치되어 독특한 분위기를 자아냈다. 대체로 한국 전통 가구들을 배치했음에도, 서양식 소파와 조명 때문인지 잘 꾸며진 북촌 쇼룸을 찾은 느낌도 든다.

유연은 신기하단 표정으로 사위를 둘러보았다. 그러자 용포를 벗어 리클라이너에 걸친 그가 재킷과 넥타이마저 벗더니, 답답한 듯 단추 하나를 푼다.

"여긴 이궁입니다. 우리가 전에 라면을 먹을 뻔했던 전각 아래."

"아…… 전혀 몰랐어요."

"나라고 판소리만 좋아하고 가야금만 예술이라 생각하진 않습니다. 침대에서 잠들고, 좌식보단 입식이 편해요."

"그러실 것 같았어요."

책꽂이에 꽂힌 책을 보면 주인의 성격을 알 수 있다고 했다. 하지만 유연은 경영학과 동양 예술, 문학 서적으로 빼곡한 책꽂이 앞에서서 더욱 혼란스러움을 느꼈다.

정말로 모르겠다. 이건이 어떤 남자인지, 어떤 생각을 하고 있는지도.

책장 앞에 물끄러미 서 있는 그녀의 뒤로 스쳐 지나가는 기척이 느껴졌다. 잠시 서가를 나선 이건은 누군가에게 설아의 약을 전해 준 뒤 돌아왔다.

달칵 잠금쇠 돌아가는 소리에 저도 모르게 마른침이 삼켜졌다. 입가를 가리며 웃는 그에게 눈을 흘긴 그녀는 손에 잡히는 책 한 권을 들고 푹신해 보이는 소파로 향했다. 최대한 그와 멀리 떨어져 앉은 그녀가 책을 펴자, 무표정한 그 옆얼굴로 세자의 시선이 집요하게 파고든다.

“바쁜 일이 있었다더니. 뭐가 그렇게 바빴습니까.”

겨우 숨만 고르게 내쉬는 그녀의 귓가에 그의 음성이 들려왔다.

“그게⋯⋯ 엄마 일이었어요. 전에 말씀드린 엄마요. 깨어나실 것 같단 연락을 받아서요. 이사할 집도 두어 군데 둘러봤고요.”

“깨어나셨습니까?”

“아니요, 오늘은 허탕이었어요. 집은 생각보다 괜찮은 것 같아서 계약을 고민 중이고요.”

반은 진실, 반은 거짓이었다. 괜찮은 집을 구한 건 진실, 병원의 연락을 받은 건 거짓이다.

병원에 들르기도 전, 설아의 연락을 받았고 부동산에 들러 매물 몇 개만 추린 뒤 곧장 궁으로 왔다.

“나랑 결혼할 생각은 진짜 없는 겁니까?”

묘하게 시큰둥한 대꾸에 웃음기를 머금은 얼굴의 그녀가 고개를 끄덕였다.

“네, 없어요. 저는 세자빈 안 합니다.”

너무나 스스럼없는 대답이라 오히려 농담 같았을까?

“그럼 최준일 전무와는 무슨 사입니까? 물어보면 실례인가?”

어떤 이유에서인지 올 것이 왔다는 느낌이 더럭 밀려들었다. 유연은 가지런히 모은 무릎 위에 덮어 버린 책을 올리며 대답했다.

“상사와 부하직원 사이예요. 과거엔 그보다 좀 더 가까웠고요. 개인적인 질문의 대답은 이 정도만 해도 될까요?”

애써 어색하지 않게 미소 지은 그녀가 그제야 세자에게로 고개를 틀었다. 살짝 치켜진 듯 깊은 눈매와 마주한 순간, 지금껏 시선을 맞추기 위해 일부러 질문했단 걸 깨달았다.

흐트러져 흘러내린 앞머리 사이로 검은 보석 같은 눈동자가 견고하게 빛난다.

만약, 그의 눈이 보석이라면 블랙다이아몬드일까? 아니면 흑요석일까. 섬세하게 세공된 보석처럼 근사한 형태의 눈매와 파고들수록 그윽한 시선, 가책이라고는 느껴본 적 없을 남자의 흔들림 없는 눈빛에 오히려 그녀의 눈동자가 떨렸다.

눈가를 살짝 찌푸리자 얇게 진 쌍꺼풀이 짙어진다. 동그란 창을 거쳐 쏟아진 볕이 두 사람의 무릎 아래 드리우고, 의식하지 못한 사이 서로를 탐색하는 눈빛에 열이 들어찼다.

"저……."

무릎에 올린 책 표지를 움켜쥔 그녀가 떨리는 음성으로 정적을 깼다.

"이번엔 내가 대답할 차례인가?"

"궁금한 게 있어요. 실은 제 기억이 온전하지 않거든요. 아버지 돌아가신 날, 기억 하나가 통째로 날아갔어요. 한 학기 동안 왕립고등학교에 다닌 건 맞지만, 전 세자 저하를 몰라요."

"학교에 다녀 놓고, 나를 모른다? 그게…… 가능합니까?"

"그러니까 이상하죠. 저도 이상하게 생각해요."

입술을 잘게 깨문 그녀가 흘러내린 머리카락을 귓바퀴에 걸어 넘긴다. 건은 그녀의 도톰한 귓불과 홍조 띤 뺨을 보며 몸 어딘가에 열이 고이는 느낌을 받았다.

"모르는 게 아니라, 기억을 못 하는 거겠지."

질문이 아니라 혼잣말에 가까운 읊조림이다. 그래, 모르는 게 아니라 기억을 못 하는 게 맞다.

그녀가 고개를 트는 순간, 눈앞에 그는 불쑥 얼굴을 가까이 가져갔다.

"미술실 앞, 내 첫사랑. 그리고 우리의 첫 키스. 이렇게 말하면 기억을 되살리는 데 도움이 되겠습니까?"

첫 키스란 말에 놀란 건지 화등잔만 하게 커진 눈이 토끼처럼 사랑스럽다. 살짝 벌어진 입술, 달큼하게 흘러나온 숨결. 어지간히 놀랐나 보네.

그는 짓궂은 마음에 고개를 비스듬히 기울여 웃으며 말을 이었다.

"왜 이렇게 놀랍니까? 당연히 거짓……."

그는 입술에 닿은, 푹신하면서도 부드러운 감촉에 할 말을 잊은 채 순간 멍해졌다. 상체만 앞으로 기울여 입술을 포갰던 그녀가 잘 모르겠다는 표정으로 천천히 물러난다.

"아, 죄송합니다. 기억이 정말 날 것도 같아서……. 그냥, 이상하게 그랬던 것 같기도 하고. 그래서."

무언가에 홀린 듯 입 맞췄던 그녀는 당황한 마음에 변명을 이어 나가다 불현듯 시선을 들었다. 암갈색 시선 끝에 걸린 어둡고 깊은 남자의 시선. 그는 아무런 소리도 들리지 않는 사람처럼 오래도록 그녀를 응시했다.

서서히 당겨지는 턱 근육. 어떠한 동요도, 흔들림도 없이 서로에게 맞물려 있던 눈동자에 파문이 일어난 순간, 그녀의 허리춤으로 단단한 팔이 감겼다.

"!!"

입술이 닿고 숨이 겹쳐지더니, 달콤한 감각이 전신으로 퍼진다. 조금 전의 입맞춤은 아이들의 장난이었다는 것을 알려 주듯 거칠게 파고들었다. 눈앞이 하얗게 질리더니, 머릿속이 핑 돌았다.

그녀의 등이 소파 팔걸이에 닿아 비스듬히 기대어진다. 그녀는 단단하게 굴곡진 그의 팔을 잡아챘다. 숨을 쉬기 위해 있는 힘껏 고개를 젖히자, 아랫입술을 깨물어 당긴 그가 목덜미에 입 맞추며 사납게 속삭였다.

"대체, 나한테 왜 이래요. 분명, 당신한테 반했다고 경고했을 텐데……. 그쪽이 내 첫사랑이라고, 위험하다고."

자미당이 내려다보이는 전각. 바람이 잘 드는 중앙에 다과상이 차려졌다.

'한 명이 없군.'

그녀가 없다. 이태는 다시 한번 여자를 찾아 주변을 두리번거려 보았지만, 조유연은 정말로 간택에 참가하지 않았다.

'그래서 세자의 표정이 그렇게 별로였나?'

두 눈을 가늘게 뜬 이태는 줄곧 쥐고만 있던 찻잔을 입술에 댔다.

"주상 전하께옵서 납시었습니다."

계단 오르는 묵직한 소리와 함께, 뒤늦게 합류한 이숙이 이태를 보더니 환하게 웃는다.

"내 늦었네. 세자는 아직인가."

이태는 자리에서 일어나 이숙을 맞았다.

"오셨습니까, 전하. 세자 저하께서는 잠시 자리를 비우셨습니다."

"어허…… 내 그리 참석하라 일렀거늘. 그래도 세자가 자네를 먼저 호출하였다 들었네."

"예. 아마, 제 눈을 시험해 보고 싶으셨던 게 아니셨을까 싶습니다."

이태는 머쓱하게 웃으며 머릴 긁적였다. 그러며 간택이 열리는 곳으로 흘깃 시선을 주었다. 그의 짙은 갈색 눈동자 속에 찰나 간 붉은 빛이 피어오른다. 파충류의 눈처럼 가늘어졌다가 이내 확 번졌다. 그 모습을 지켜본 이숙은 고개를 끄덕이며 차 대신 술을 따랐다.

"세자의 어깨가 무겁네. 하여, 자네를 아직 인정하지 못하는 거겠지. 하나 이해해 주게나. 많이 도와줘."

"제가 무엇을 돕겠습니까. 저는 일개 예술가일 뿐입니다."

"아닐세. 난 귀안을 가진 여인을 세자빈으로 들일 게야. 하여, 우리 세자의 짐을 덜어 줄 걸세. 암, 그래야지."

고개를 주억인 이숙이 술잔을 기울일 때였다. 전각 1층에 세자의 익위사들이 하나둘 등장해 주변을 경계하기 시작한다. 이어 세자가 전각에 도착해 모습을 드러냈다.

"늦었습니다."

"왔냐, 어서 와라."

이숙은 술잔을 들어 보였고, 이태는 벌떡 일어나 공손한 자세로 세자를 맞았다. 건은 고개를 까딱 숙여 보인 뒤 이숙의 맞은편에 앉았다.

묘하게 기분이 좋아 보이는 세자의 얼굴을 관찰하던 이태가 입술의 상처를 가리키며 물었다.

"저하, 혹 상처입니까? 아까는 없으셨는데……."

그에 입술을 엄지로 문지른 세자가 인상을 찌푸리며 고개를 끄덕인다.

"실수로 깨물었습니다."

건의 앞에 세작을 우린 찻잔이 놓였다. 그러자 쯧쯧, 혀를 찬 이숙이 은근한 목소리로 이태에게 물었다.

"그럼 이제 말해 보게. 누구인가. 어떤 여인이 귀안을 가진, 세자빈의 그릇인지."

건은 짧게 코웃음을 쳤다. 최 회장이 어떤 말로 아버지를 홀렸는지 몰라도, 최설아에게는 귀안이 없다. 오늘 그가 이태를 부른 이유는, 최 회장의 거짓말을 확인하기 위함이었다.

"정말로 말씀드려도 됩니까?"

이태는 답지 않게 머쓱한 얼굴로 세자의 눈치를 보았다.

찻잔을 든 건은 선뜻 고개를 끄덕였다. 그러자 몸을 반쯤 틀어 후보들이 모여 있는 곳을 지그시 응시하던 이태가 생긋 웃으며 한 여자를 가리켰다.

"저분입니다. 저기 계신, 하얀 한복을 입고 계신 여자분의 눈이 다른 분들과 다릅니다. 귀안을 가지셨습니다."

"거짓!"

순간 이건이 찻잔을 움켜쥔 채 그대로 상에 꽂았다. 찻물이 튀고 도자기가 깨져 조각조각 갈라진다.

삽시간에 내려앉은 서늘한 정적. 건은 시퍼런 분노로 일렁이는 눈빛을 하곤 이태를 노려보았다.

"무슨 헛소립니까."

그러자 지켜보던 주상이 세자를 엄하게 꾸짖는다.

"여봐라, 당장, 깨진 것을 치우지 않고 뭣 하느냐!"

하지만 건은 다가오는 사람들을 손을 들어 막았다. 그러며 재차 이태에게 물었다.

"무슨 헛소리냐고 물었습니다. 누가…… 귀안을 가졌다고?"

피가 뚝뚝 떨어지는 세자의 손을 걱정스럽게 응시하던 이태가 두 눈을 묘하게 휘며 고개를 든다.

"경하드립니다. 세자빈을 찾으신 것 같네요. 저분이십니다. 이름이……."

"최설아?"

"예! 그 피아니스트분. 제 어머니의 눈과 똑같습니다. 아, 말씀드리지 않았었나요? 전하, 제 어머니도 귀안을 갖고 계십니다."

악의도 적의도 없는 단조로운 말투에 누구도 답을 하지 않았다.

멍하니 이태를 바라보는 이숙의 눈동자가 흔들린다. 건은 그런 아버지의 모습에 실소를 숨기지 않으며 옆에 놓인 수건으로 손을 닦았다. 하얀 면사가 찻물이 섞인 피로 물든다.

'거짓이다.'

진실일 리 없다.

서서히 분노를 가라앉힌 그는 피식 웃으며 새 잔에 따라지는 찻물을 응시했다.

"그 말, 책임질 수 있습니까?"

"당연합니다. 제 눈은……."

"왕가의 명예를 걸고! 책임을 묻는 겁니다. 난 세자의 이름을 걸고 그 책임을 단단히 물을 거라서."

예리한 칼날이 베고 지나간 것처럼 오싹한 기운이 스쳤다. 이태는 두 눈을 빛내며 주먹을 움켜쥐었다.

"예, 장담합니다. 저하."

턱 끝에 맺힌 땀이 뚝뚝 떨어진다.

이른 아침부터 공들인 헤어와 메이크업은 엉망이 된 지 오래고 생각지도 못한 수치심에 몸이 떨렸다. 땀이 배어 나온 손을 꽉 움켜쥔 설아는 저와는 달리 담담한 여자들을 보며 더욱 조바심을 느꼈다.

'쟤네들은 왜 멀쩡해? 서 있는 연습이라도 한 거야?'

게다가 약을 가져다 달라고 했던 조유연은 감감무소식. 설아는 습관처럼 입술을 쥐어뜯으며 바닥을 노려보았다. 숨이 점점 벅차오르고, 할 수만 있다면 멀리멀리 도망치고 싶었다.

"자, 다들 여기까지! 잠시 휴식 시간을 갖도록 하지요."

설아는 지척에서 들려온 김 상궁의 목소리에 구세주를 만난 양 고개를 번쩍 들었다. 정말로 김 상궁은 설아의 바로 앞에 있었다. 피가 배어난 입술을 찡그린 눈으로 살핀 김 상궁이 저고리 안쪽에서 손수건을 꺼내 내민다.

"고맙습니다……."

"그늘에 가서 쉬십시오. 시원한 음료라도 드셔야겠습니다. 안색이 안 좋으시네요."

김 상궁이 내민 손수건을 받아든 설아는 한쪽 귀퉁이에 수놓아진 비둘기 자수를 발견했다. 그것은 서화제약 설립 당시, 처음으로 내건 간판의 로고였다.

'혹시, 아빠가 말한 사람이……'

설아는 혹여라도 누가 볼까, 김 상궁의 손수건을 치마 주머니에 쑤셔 넣었다. 그러곤 한층 밝아진 얼굴로 후보들이 모인 곳으로 걸어갔다. 그곳엔 앉을 수 있는 좌석과 함께 다과상이 마련되어 있었다. 하지만 누구도 다과에 손대는 사람은 없다. 마치 고고한 백합처럼 다소곳이 앉아 보는 것만으로도 끔찍한 뜨거운 차를 홀짝일 뿐.

몸을 부르르 떤 설아가 찬 음료를 찾아 두리번거릴 때였다.

"최설아 님."

내시부의 복장을 한 남자가 다가와 약통을 올린 작은 쟁반을 내밀었다. 설아는 유연에게 부탁한 약을 보곤 흠칫 놀랐다.

"최설아 님께 전해 드리라고 하셨습니다."

"이, 이걸 누가요? 유연이가요?"

"세자 저하께옵서 제게 부탁하신 일입니다."

이걸 왜 세자 저하가?

떨리는 손으로 약을 받아 든 설아는 수치심에 뺨이 달아올랐다. 세자가 전해 주라 했다는 것은, 자신의 증상을 알고 있다는 뜻.

혹시 둘이 함께 있는 걸까? 처음부터 간택은 핑계고, 두 사람…….

'조유연, 너 설마 나 망신 주려고 작정한 거야? 일부러 세자 저하 찾아가서 나 병 있다고 말한 거야?'

공황 상태가 시작된 것인지 제대로 된 판단이 서지 않았다. 약통을 움켜쥔 설아가 대각선 아래를 응시하며 숨만 간신히 몰아쉴 때였다.

"저분이시죠? 사라지셨던 의언군의 아들. 왕자군이요."

"따로 계실 땐 몰랐는데, 함께 계시니 알겠어요. 너무 정말 닮으셨네요."

"그 피가 어디 가나요? 이번 간택은 내정자가 있다는 소문이 돌던데……. 종친이라도 노려볼까 봐요."

누군가의 짓궂은 말에, 다들 고상하게 웃으며 너스레를 더한다.

"그 내정자께서는 우리 같은 사람들이랑 눈도 마주치기 싫으신가 봐요. 혹시 통성명이라도 하신 분 계신가요?"

그에 까르르 웃는 간드러지는 여자들의 말소리가 소름 끼치게 들려온다. 그것도 들으라는 듯 바로 옆에서 떠들어 댔다.

항상 이런 식이다. 저들이 먼저 말을 걸면 될 것을, 왜 굽히지 못하고 굽혀 달라 안달인 건지. 제게 하는 말이란 걸 알면서도 설아는 그녀들과 눈을 맞추지 못했다.

짜증 나.

약통을 숨긴 채 다과상 아래 놓인 생수를 집어 든 그녀가 상궁을 붙들고 물었다.

"화장실은 어디예요."

"회랑 안쪽으로 들어가셔서, 우측으로 꺾으시면 됩니다."

고맙다는 말 한마디 없이 상궁이 말해 준 방향으로 성큼성큼 걸어 들어가던 설아는 앞을 막아서는 그림자에 놀라 다리에 힘이 풀렸다.

"엄마야!"

"괜찮으세요?"

바닥으로 주저앉으려는 그녀를 부축한 남자가 걱정스러운 표정으로 재차 물었다.

"최설아 씨, 괜찮으신 거예요?"

"네, 네. 괘, 괜찮아요."

엉거주춤 일어난 설아는 남자의 얼굴에서 눈을 떼지 못했다. 남자는 조금 전 여자들이 떠들던 대화의 주인공, 왕자군이었다.

이름이…….

"이런 데서 뵙네요."

"그런데 누구세요? 저를 아세요?"

설아를 내려다보는 남자의 미소는 상냥한 듯 무심했고 묘하게 냉소적이었다.

"이태라고 합니다. 최설아 씨의 팬이고요."

"네?"

"팬입니다. 공연마다, 연주 잘 듣고 있어요."

두 눈을 휜 남자의 입꼬리가 부드럽게 호선을 그린다. 설아는 목덜미가 축축해지는 걸 느끼며 남자에게서 한 걸음 떨어졌다. 잘생긴 건 인정한다. 분명 시선을 사로잡을 만큼 근사한 껍데기를 가졌지만, 본능적으로 느껴지는 기시감은 위험신호에 가까웠다.

"가, 감사합니다."

"최설아 씨."

"네?"

"참…… 건방지네요."

"네?"

순간이었다. 남자의 눈빛이 얼음장처럼 싸늘해지고, 주위의 공기가 얼어붙는다.

"감히 눈도 없는 게, 왕실을 얼마나 우습게 알았으면 그분을 이용해 사기를 치려 했을까."

패닉에 빠져 버린 설아는 주춤주춤 물러나, 결국 기둥에 기댔다. 주위를 무심하게 둘러본 이태가 천천히 다가와 그녀와 마주 선다. 창백하게 질린 입술과 파래진 뺨. 설아는 온몸의 피가 발끝을 타고 빠져나가는 것 같은 기분을 느꼈다.

"무, 무, 무슨 소리예요? 미쳤어, 당신?"

"걱정 마십시오. 나는 최설아 씨의 연주를 그리워하는 팬이니까요. 해치지 않아요."

그리웠어.

공연 때마다 받아 보던 꽃다발, 선물, 카드의 글귀가 주마등처럼 뇌리를 스쳤다.

"서, 설마 그쪽……."

"무섭게 들릴 수도 있겠지만, 최설아 씨의 일거수일투족을 다 압니다. 당신이 어제 누구와 밤을 보냈는지도요."

살그머니 속삭인 말투에, 두 눈을 부릅뜬 설아가 이를 사리물었다.

"너 누구야……."

"나? 말했잖아요. 당신의 팬이라고. 덧붙이자면, 그쪽을 세자빈으로 만들어 줄 수 있는 사람이죠."

"그쪽이 어떻게? 왜, 나를요? 내가 당신을 어떻게 믿어. 사기꾼 아니야?"

사기꾼이란 말에 실소한 그가 언제 그랬냐는 듯 상냥한 얼굴로 그녀의 양손을 꼭 잡았다.

"믿게 될 겁니다. 이걸 드신 뒤, 날 믿고 싶은 마음이 들면 그땐. 건방지게 굴지 말아요."

당황한 그녀가 입술만 달싹일 때였다. 어디선가 내시복을 입은 남자가 불쑥 튀어나왔다. 이태를 발견한 남자가 안도의 숨을 내쉬더니 다가와 눈썹을 휘어 내린다.

"소헌군 마마. 여기 계시면 아니 됩니다. 가시지요. 전하께옵서 찾으십니다."

“미안해요. 궐이 너무 넓어서 잠시 길을 잃었습니다. 가죠.”

산뜻한 얼굴로 돌아서는 이태를 노려보던 설아는 천천히 자신의 손으로 시선을 떨구었다. 조금 전 그가 움켜쥐었던 손에 쥐어진 건, 작은 알사탕 하나.

“하, 뭐야……?”

돋아난 소름이 가시질 않는다. 설아는 천천히 바닥으로 주저앉으며 이태가 사라진 자리를 응시했다.

‘그런데 정말, 저 남자가 스토커였어……? 진심?’

양쪽 뺨을 두드려 정신을 차린 유연은 또다시 바닥으로 주저앉았다.

‘미쳤어, 미쳤나 봐! 키스를 하면 어떻게 해, 너!’

엄연히 실수라고 하고 싶지만, 고의성 또한 다분했다. 그냥, 그 순간. 그 시간, 그 찰나. 세자의 얼굴은 지독하게 근사했고 키스하고 싶을 만큼 아름다웠다. 충동과 호기심, 그리고 흥미와 호감이 그녀의 등을 탁! 하고 밀어 버린 셈이었다. 하지만 가벼운 입맞춤에서 끝내려 했던 자신과 달리, 그 남자는 잡아먹을 듯 덤벼들었다. 눈앞이 하얗게 질릴 정도로 아득했던 입맞춤. 만약, 키스를 나눈 장소가 궐이 아니었다면, 그가 세자가 아니었다면…… 이건이 아니었다면, 그대로 끝나지 않았을지도 모른다.

‘아니야. 지금이라도 그만하자.’

두 눈을 질끈 감은 채 손톱 끝을 깨물던 유연은 벌떡 일어나 서가의 문을 열었다. 그는 자신이 돌아오기 전까지 기다리라고 했지만, 지금 필요한 건 도망이었다.

"어디 가십니까?"

하지만 한 걸음 나서기도 전 익위사 장은호가 슬그머니 그녀 앞을 막아선다.

"죄송한데, 입구까지 바래다주시겠어요? 제가 급한 일이 생겨서요."

"저하께서 조유연 님을 지키라고 하셨습니다."

"지키라고 하셨지, 가둬 두라고 하시진 않으셨죠?"

"그거야……."

"은호 씨."

본인의 이름을 기억하고 있다는 사실에 놀랐는지, 장은호의 뺨이 발그레해졌다.

"네!"

"저 가야 해요. 곤란하게 해서 미안해요."

"그럼, 일단 제가 안내하겠습니다."

유연은 정신 차려야 한다고 마음속으로 되뇌었다. 세자의 관심은 제가 어떻게 할 수 없는 부분이지만, 자신의 마음은 스스로 통제할 수 있었다. 최설아와 계약서까지 써 놓고 이게 뭐 하는 짓인지.

익위 장은호와 함께 미로 같은 궐을 빠져나가는 동안, 세자를 향해 있는 자신의 마음을 선명하게 직시했다.

알지 못하였을 땐 그저 동경의 대상이었을 뿐이다. 막연하고도 먼. 손에 닿지 않는 연예인 같은 존재였고, 닿을 생각조차 없었다. 그러다가 우연히 동경의 대상과 눈이 마주친 것뿐이다. 그저 시선이 맞물린 몇 초, 그는 첫사랑을 떠올렸고 그녀는 난처함을 느꼈다. 그런데 어쩌다가 이렇게 됐을까? 어쩌다가, 눈만 마주쳐도 얼굴이 빨개지고 가슴이 두근거리는 사이가 되어 버리고 만 것일까.

충분히 선을 긋고 밀어낼 수 있었다. 다른 이들에게 하듯이 냉랭하게 뿌리치고, 독하게 쏘아붙이면 그만이다.

'그런데 왜…….'

유연은 우뚝 멈춰 섰다. 이유는 앞서가던 익위 장은호가 누군가를 발견하곤 허리를 깊게 숙였기 때문이었다.

"지키라 하였는데, 도피를 돕는군."

선득하게 읊조리며 다가오는 이는 이건이었다. 유연은 지금까지의 생각을 들킨 것처럼 얼굴이 확 달아올랐다.

"제가 돌아간다고 했습니다. 업무가 있어서."

"무슨 업무."

짧게 되물은 그의 목소리가 싸늘했다. 그의 반듯한 이마를 가리듯 흘러내린 머리카락 사이로 까만 눈동자가 그녀를 향한다.

"개인적인 일입니다."

유연은 선이 짙은 이목구비를 응시하다 입술 가장자리에 눈길을 고정했다. 흠결 없이 단정했던 남자에게 생겨난, 단 하나의 흠. 그 흠을 만든 사람이 바로 자신이라는 생각을 하자, 저도 모르게 피식 웃음이 났다.

"웃어?"

언뜻 오만하게 물어온 그의 질문에, 유연은 헛기침을 하며 숨을 크게 들이켰다.

"죄송합니다."

"무엇이."

"귀한 예체에 상처 입혔으니, 저는 세자빈 자격이 없는 거겠죠?"

그래, 그만하자. 손 뗄 수 있을 때, 돌아설 수 있을 때. 아직 가면이 남아 있을 때 멈추자.

가슴이 뛰는 순간순간이 이렇게 답답할 줄은 몰랐다.

유연은 차분하게 그를 올려다보며 단정한 입매를 끌어 올렸다. 태연함과 뻔뻔함이야말로 그녀의 최대 무기였다. 그러자 혀를 내민 그가 상처 난 부위를 할짝이더니 엄지로 느릿하게 훑는다. 희미하게 묻어난 핏기를 문질러 닦은 세자가 내리떴던 시선을 든다. 그의 눈빛은 마뜩잖음과 불쾌함, 기묘한 흥분이 어지러이 뒤섞여 있었다.

"첫 키스를 가져간 것도 모자라, 상처까지 내놓고 발을 빼시겠다……?"

이게 아닌데…….

불어온 바람에 흔들린 머리카락이 입술에 들러붙었다. 부드럽게 미소 지은 그의 손끝이 그녀의 뺨과 입술에 차례로 닿는다.

"익위, 상궁부에 가서 알려. 초간의 승자를 정했다고."

찰나 간, 그의 눈빛이 서늘하게 벼려진다는 느낌이 듦과 동시에 커다란 손이 뒷덜미를 감싸 당겼다. 그녀의 이마가 남자의 단단한 가슴팍에 짓눌린다. 그는 마치 무언가에서 그녀를 보호하듯, 용포를 벌리더니 완벽하게 감싸 품 안으로 끌어안았다. 전신을 휘감은 목단 향기에 고개를 치켜든 그녀는 정면을 노려보는 이건의 무시무시한 얼굴을 발견했다.

왜? 갑자기…….

"또한, 소헌군은 당장에 동궁을 떠나라. 한 발자국도 다시 들지 말아야 할 거야……. 알겠는가?"

더 캐슬

VOL. 1 The Castle

CHAPTER 7

화매(畵魅)

7

화매(畵魅)

두꺼운 커튼을 걷자 둑이 무너지듯 빛줄기가 쏟아진다. 한쪽 벽 전체를 차지한 창밖으로 검푸른 한강에 반사된 물빛이 치어의 비늘처럼 산란해 반짝인다.

이태는 오랜만에 오피스텔의 창문을 열고 먼지가 쌓일까 덮어 두었던 천들을 걷었다.

'소헌군은 당장에 동궁을 떠나라. 한 발자국도 다시 들지 말아야 할 거야. 알겠는가?'

스산했던 세자의 음성을 떠올리자 피식 웃음이 났다.

'쫄기는.'

하긴. 제가 최설아를 세자빈으로 지목했으니 기겁할 만하지.

처음부터 최설아를 귀안의 여인으로 지목할 생각은 없었다. 그저 이건의 행태에 조금 약이 올랐달까? 답지 않게 휘둘렸다고 해야 할까.

"지금껏 보낸 꽃다발이 누구에게 주었던 건 줄 알고 있으면서 말이지……."

이태는 쯧, 하고 혀를 찼다. 평소 즐겨 듣는 재즈 팝을 클릭해 블루투스 스피커와 페어링하자, 제법 넓은 오피스텔 전체가 끈적한 음색으로 가득 찬다.

만족스러운 표정의 그는 커피 머신이 예열되는 동안 소파에 앉아 고개를 젖혔다. 이제야 불편하게 자리 잡았던 몸의 긴장이 풀린다. 시종일관 미소를 유지하느라 경련이 일었던 얼굴이 싸늘하게 굳는다.

'그런데 왜 세자와 같이 있던 거지?'

세자의 품에 안겨 있던 여자는 분명 조유연이었다. 초간에 참석하지 않아 안심했건만 세자의 손아귀에 있었을 줄이야. 한 줌밖에 안 되는 발목과 이어진 매끄러운 종아리. 용포에 감싸여 있었지만, 한쪽 팔에 안겨 있는 모습만으로 정확하게 그녀라는 것을 확신할 수 있었다.

세자에겐 귀안을 알아보는 눈이 없다. 폭력 같은 귀멸만을 행할 뿐. 하지만 조금 전 세자가 보인 행동은 자신의 여인을 지키려는 수컷의 본능과도 같은 경계였다. 마치 그녀가 귀안을 가졌다는 것을 알고 있는 사람처럼, 한 치의 의심 없는 눈빛으로 제게서 그녀를 지키려 했다.

삐-.

커피 머신에서 울린 알림음에 상념에서 빠져나온 이태는 익숙한 노랠 흥얼거리며 자리에서 일어났다. 얼마 지나지 않아 그윽한 원두향이 음색 사이사이 스며든다. 이태는 한 잔은 뜨겁게, 그리고 한 잔은 얼음을 가득 넣어 커피를 내렸다.

두 개의 잔을 든 그가 향한 곳은 작업실로 만들어 놓은 방이었다. 조금의 빛도 허락하지 않은 곳. 그가 거대한 어진 앞에 뜨거운 커피를 내려놓고는 부드럽게 미소 지었다.

의언군 이송. 근엄한 듯 자상한 미소를 머금은 어진 앞에 선 이태가 방긋 웃는다.

"오래 걸렸습니다, 아버지."

어둠에 익숙해진 눈동자에서 붉은 기운이 희미하게 일렁인다. 이태는 느릿하게 눈을 감았다가 뜨며, 제 발목을 스르륵 훑고 지나간 것을 찾아 주위를 둘러보았다. 흑옥처럼 윤기 나는 검은 구렁이 한 마리가 또다시 그의 발목을 휘감더니 이젤에 올려진 캔버스 위로 기어올랐다. 이태는 흑옥 같은 구렁이가 그림 속으로 들어가 잠신하는 모습을 지켜보았다.

'태야, 너의 힘은 절대로 들켜서도. 스스로 보여서도 안 돼. 왕실은……. 대비마마는 무서운 분이시란다.'

귀안을 가진 어머니는 주상이 아닌 아버지를 선택했다. 그 이유만으로 대비의 손에 목숨을 잃을 뻔한 두 분은 궁을 나와 도망을 택했다. 대비의 눈을 피해 전 세계를 떠돌았으나, 세상의 끝에 다다랐을 때조차도 대비의 힘이 닿아 있었다.

'주상이 적통을 보시기 전까지, 복중에 씨를 밴다면 가차 없이 그 씨를 베어 버릴 것이야. 명심하라.'

그것이 대비의 마지막 전언이었다고 한다.

스트레스가 강했던 어머니는 우연인지 필연인지 위로 두 아이를 잃었고 모두 세자보다 손 위의 씨였다. 이후 아이가 생기지 않아 포기하려던 찰나, 이태를 뱄다. 둘은 이태를 극진하고도 귀하게 키웠다. 그러며 아이가 뿌리인 한국 땅을 밟을 수 없다는 것을 한탄하였다. 하지만 무소불위의 권세를 휘두르던 대비조차도 흐르는 세월은 피해가지 못했고, 결국 한 줌의 재로 화했다.

스툴 위에 비스듬히 앉아 커피를 홀짝이던 이태가 피식피식 웃다가 한 손으로 흘러내린 머리카락을 쓸어 넘겼다. 거대한 어진을 올려다보는 눈시울이 부드럽게 휜다.

"아버지는 마음이 약해 못 하신 일, 제가 할 테니 아버지는 커피 한잔하시며 편히 계세요."

멍청한 주상의 뜻대로 되도록 두진 않을 겁니다.

'난 귀안을 가진 여인을 세자빈으로 들일 게야. 하여, 우리 세자의 짐을 덜어줄 걸세. 암, 그래야지.'

웃기는 소리. 아버지가 어떤 꼴로 쫓겨났는지도 몰랐던 주제에 누구를 위한다는 것인지. 처음부터 대비가 아버지를 쫓아내지 못하게 막았다면, 부모님이 그런 수모를 당하며 살아가진 않으셨을 것이다. 그러니 주상 스스로 무덤을 판 꼴. 이제는 호락호락하게 당하지만은 않을 것이다.

"맛이 별로네."

이태는 인상을 찌푸리며 반쯤 비운 커피를 내려다보았다. 혀끝에 껄끄럽게 남은 산미가 거슬린다. 그는 그대로 물통에 커피를 쏟아 버린 뒤 조금 전 뱀 이매가 잠신한 캔버스와 눈높이를 맞추며 말했다.

"이번엔 들키지 마. 내가 곤란해지니까. 잘할 수 있지?"

새어 나오던 그림 속 이취가 순식간에 자취를 감춘 뒤에야, 이태는 만족스러운 표정으로 캔버스를 집어 들었다. 다시 햇살이 쏟아지는 거실로 나온 그는 잘 보이는 곳에 캔버스를 세워둔 뒤, 어딘가로 연락했다.

"접니다. 괜찮은 작품이 들어와서요. 사진 보낼 테니 마음에 들면 연락 주세요. 아, 당연히 RSA의 인증을 받은 작품이니 걱정 마시고요."

수정전 내 지하 수장고의 문이 열렸다. 그 안으로 걸어 내려가는 이건의 뒤를 서 상궁을 비롯해 딱딱하게 굳은 표정의 우혁이 뒤따른다.

"저하의 명을 따를 수 없습니다. 쇤네를 벌하신다고 하여도, 궁궐의 법도가 있는 법입니다!"

서 상궁의 노호에 향에 불을 붙인 건은 피로 가득한 얼굴을 양손으로 쓸어 넘기며 대답했다.

"그 법도를 이기는 것이, 귀안의 여인 아니었습니까? 제 아우란 사람이 최설아를 귀안의 여인으로 지목했습니다. 그러니 쇼는 그만 두죠. 간택을 굳이 이어 나갈 필요가 있습니까?"

"저하! 귀안을 가진 것보다 중요한 것이, 내명부의 기강이고 국모의 자질입니다! 그런데 어찌 그런 한심한 여인을 초간의 우승자로 결정한단 말입니까!"

지지 않고 맞서는 서 상궁을 막아선 건 우혁이었다. 멸첩 앞에 선 세자의 얼굴이 굳어 가는 걸 기민하게 눈치챈 우혁은 답지 않게 흥분한 서 상궁의 손을 잡았다.

"제조상궁 마마. 이러시지 마시고 저와 얘기하시죠. 저하께도 생각할 시간을 주셔야 하지 않겠습니까? 지금 가장 혼란스럽고 힘드신 건 저하십니다."

"내 그걸 모르는가? 그런 여인을 세자빈으로 들일 바엔, 차라리 평생 홀로 사시라고 하고 싶네!"

반밖에 남지 않은 멸첩을 내려다보던 건이 피식 웃으며 고개를 주억인다.

“그것도 나쁘지 않겠군요.”

건의 헛헛한 반응에 서 상궁은 할 말을 잃고 가슴을 쳤다.

“저하…… 대체 왜 이러십니까. 쇤네 노망이 들었는지, 도무지 저하의 의중이 이해되지 않습니다.”

귀멸자의 운명에 대해 담은 멸첩. 하지만 남은 건 반쪽뿐. 고의로 찢겨 나간 나머지는 소실되어 찾을 수가 없었다. 만약, 원본이 온전했더라면 왕자군이 가진 힘에 대해서도 완벽한 설명이 가능했을 터. 지금은 고작해야 의언군의 능력을 이태가 이어받았다는 것과 귀안을 알아볼 수 있다는 말이 거짓이 아니라는 것을 알 수 있을 뿐이었다.

‘그런데 최설아에게 귀안이 있다?’

하, 웃기는 소리.

실소한 그는 남아 있는 멸첩의 마지막 장의 제목을 읽었다.

「畫魅(화매)」

그림 도깨비란 이매를 뜻한다. 하지만 멸첩에선 이매와 화매를 달리 구분했다.

‘어째서…….’

이제야 지금껏 무심히 넘겼던 것들이 눈에 들어오는 것인지. 집요하게 멸첩을 노려보던 건이 서 상궁에게 물었다.

“제조상궁께서는 알고 계셨습니까? 소현군의 존재, 또는 종친이 가진 힘을요.”

“……예, 알고 있었습니다.”

“그럼 왜 말하지 않았습니까.”

“굳이 필요치 않은 답이었기 때문입니다. 저하, 종친은 이제 힘이 없습니다. 아시잖습니까."

힘이 없는 종친이 간택을 주무른다?

다시 멸첩을 내려다보는 이건의 눈빛이 차갑게 굳었다. 만약, 최설아에게 정말로 귀안이 있다면……. 그 아이는, 미술실 앞에서 만났던 그녀는 헛것이라도 된단 말인가?

그 아이가 제게 했던 말과 일어난 사고만 보더라도, 과거의 그 아이야말로 귀안을 가진 진짜였다. 그리고 그는 과거의 그 아이를 조유연이라고 확신했다. 그래서 곁에 두고 싶었다.

속수무책으로 끌렸고, 마음이 기우는 것을 붙들지 않았다.

'처, 첫 키스 확실한가요?'

먼저 입술을 훔쳐 놓고 제가 더 놀라 발개진 뺨 하며, 밀어낼 듯 말 듯 힘이 들어간 손. 말랑하고 부드러운 살갗에서 나던 여러 가지 과일을 섞어 놓은 듯한 단내에 이성이 끊어질 뻔했다. 하지만 힘을 갖지 않은 것이 확실하다면, 모든 것이 우연의 일치였다면, 나무를 보고 숲을 가늠하려 했던 거라면…….

"힘이 없다던 그 종친이 내 혼인을 좌지우지하게 생겼으니, 어찌 보면 이 궐에서 가장 큰 힘을 가진 셈이군. 이우혁."

"예, 저하."

"소헌군이 말한 전시가 언제지?"

"내달 4일입니다."

"그 전에 작품을 봐야겠어. 하늘에서 뚝 떨어진, 나의 형제께서 무슨 꿍꿍이속인지……."

그 산뜻한 얼굴 뒤에 어떤 민낯을 숨기고 있는지.

"궁금해지는군."

호텔 입구에 선 유연은 하나둘 차에 실리는 최준일의 짐을 확인했다.

[지금 전무님 움직이십니다. 서화의료원을 방문하시려는 것 같습니다. 감기 기운이 심하십니다.]

강훈의 보고에 그녀는 아픈 이마를 짚은 채 고개를 끄덕였다.

“곧장 본가로 움직이세요. 호텔 짐은 거의 다 뺐어요. 굳이 미리 말하진 마시고요. 누가 시켰냐고 물으시면, 회장님 지시로 제가 짐 뺐다고 하세요.”

[네, 알겠습니다. 근데 과장님, 정말 괜찮으시겠어요?]

“안 괜찮을 이유가 있나요? 이래도 욕먹고 저래도 욕먹을 거, 시키는 일이라도 하고 욕먹으면 할 말이라도 있겠지.”

[최대한 보조하겠습니다. 과장님, 힘내세요.]

강훈은 툭하면 제게 힘내란 말을 했다. 남들 눈에도 바득바득 애쓰는 게 보이는 모양이었다. 어쩐지 웃프다고 해야 할까?

유연은 어둑해지는 하늘을 올려다보며 마지막으로 내려온 준일의 옷가지를 확인했다.

“금고는요?”

유연의 질문에 경호팀 태석이 곤란한 표정을 지었다.

“비밀번호를 알려 주지 않으셔서요.”

“호텔 측에 초기화를 부탁하면 되잖아요.”

“과장님이 하셔야 할 것 같습니다.”

갖고 나온 짐만 보더라도 하루 이틀 머물 생각이 아니었다는 게 드러났다.

"비밀번호, 1207이에요."

"네?"

"1207이요. 올라가 보세요."

최준일이 지정한 비밀번호는 그녀의 생일이었다. 휴대 전화 비밀번호도, 통장 비밀번호도, 하물며 회사 개인금고의 비밀번호까지도 그녀의 생일로 지정해 둔 최준일. 이해할 수 없었지만, 습관이라고 생각하며 참아 왔다. 하지만 그 때문에 22층의 정리를 경호팀에 맡긴 건 아니었다. 그녀의 머릿속을 가득 채운 건, 22층에서 마주쳤던 이건의 얼굴이었고 몇 시간 전 제가 훔쳤던 그 입술이었다.

실수이자 충동으로 정의했고, 그만하자고 마음먹었다. 궐을 나서는 순간까지도 세자의 굳은 미소를 보며 동요하지 않으려 했다. 하지만 다른 생각을 할 때마다 불쑥불쑥 그때의 기억이나 감촉, 상황, 순간, 향기 같은 것들이 튀어나와 그녀를 곤란하게 했다.

지금도 마찬가지. 퇴궐 직전 이건이 화를 낸 상대가 누구였는지를 생각하느라 태석이 짐을 챙겨온 것도 모르고 있었다.

"과장님, 정리 끝났습니다. 조 과장님?"

상체를 숙인 태석이 눈을 맞추자 흠칫 놀란 그녀가 어색하게 웃었다.

"수고하셨어요. 시계 다섯 개랑 서류 두 건, 맞나요?"

"네, 금고 여는 거 동영상으로 찍어 뒀으니 보내드릴게요."

"그렇게까지……. 고생이 많으시네요."

"별거 아닌걸요."

마지막 물건까지 차에 실은 그녀가 마지막 체크아웃 결제를 위해 걸음을 내디딜 때였다.

“들었어? 초간이 열렸대. 최설아가 뽑혔다던데?”

“진짜? 언제?”

“오늘! 이 기사 좀 봐봐. 그것도 세자 저하가 직접 뽑았대. 그럼 그 여자는 뭐였어? 모자 씌워 준 여자. 막상 만나 보니 별로였나?”

“야, 완전 연애 서바이벌이냐? 방송으로 보여 줬으면 좋겠다.”

“누가 드론 안 띄우나 몰라.”

“띄우면 난리 나게?”

“어쨌든 21세기 공주 하나 나오겠네? 안 그래도 공연할 때마다 최설아 공주병 작렬한다면서 까는 사람들 있던데.”

유연은 한쪽에서 들려오는 대화를 한 귀로 흘리며 프런트로 향했다. 평소와 다르지 않은 서늘한 미소로 프런트 직원에게 카드를 내밀었다.

“22층 1호 체크아웃 부탁합니다.”

하루가 지나고 이틀이 흘렀다. 하지만 신기하리만치 아무 일도 일어나지 않았다. 짐을 본가로 옮긴 걸 알면서도 최준일은 큰 반항 없이 퇴근했고, 최설아는 그답지 않게 조용했다. 마치 사람의 기질이 하루아침에 바뀌어 버린 것처럼 퇴궐 이후 묘하게 유연과 마주치는 걸 피했다.

“유연 씨, 오늘 비 와. 우산 챙겨.”

아주머니의 말에 고개를 들자, 주방 창 너머 비를 머금은 정원의 색이 짙어진 게 보였다. 유연은 제 몫의 토마토 주스를 마신 뒤 지하로 내려가 우산을 갖고 올라왔다.

-이사는 언제 하실 거예요? 주인이 집이 너무 오래됐다고, 도배랑 장판 새로 해 주신다는데. 전체 수리해 달라고 요청해 볼까요? 어차피 이후로도 계속 세를 놓을 생각인 것 같은데.

이제 이 생활도 얼마 남지 않았다. 계절의 흐름을 느끼지 못하고 간밤에 내린 눈과 비를 실감하지 못하는 일상. 창문 하나 없는 지하실 생활을 참고 참은 이유는 당연히 돈 때문이었다. 하지만 이제 더부살이 같은 이 짓도 끝이다. 그러나 아직 최 회장에게는 독립 준비를 마쳤단 사실을 알리지 않았다. 허락을 구한다는 것이 어떤 의미인지 알기에 조금 망설여졌다. 그렇다고 통보만 한 뒤 대뜸 나가 버릴 수도 없는 일.

'게다가 엄마도 아직 회복 중이시고…….'

우산을 펴고 현관을 나서자 크림색 천 위로 굵직한 빗방울이 후드득 떨어진다.

유연은 아직 출근 준비 중인 두 남자와 속도를 맞추기 위해 정원 한 귀퉁이에 서서 휴대 전화를 만지작거렸다. 지대가 높아 정원에서 내려다보는 도심의 경치가 제법이었다.

그날 이후 이건에게는 연락이 오지 않았다. 물론 이렇게 멀어지는 것이야말로 바라던 바였지만, 키스까지 해 놓고 막상 울리지 않는 휴대 전화를 보는 기분은 묘하게 좋지 않았다. 게다가 아무리 생각해도 이상했다. 그의 말이 사실이라면 어째서 사고 당시의 기억뿐만이 아니라, 재학 당시 왕세자에 대한 기억 전체가 날아가 버린 걸까.

최면 치료라도 받아 봐야 할까?

'이젠 정말 뭐가 뭔지…….'

유연은 고개를 저으며 휴대 전화를 가방에 넣었다.

'깊게 생각하지 말자.'

이렇게 자연스럽게 멀어진다면 오히려 일이 쉽게 끝날 수 있다. 간택은 수순대로 진행될 것이고 제가 죄책감을 느껴 가며 거짓말할 필요 없이 설아가 세자빈이 될지도 모르는 일.

"비가 많이 오네. 출근해?"

고개를 숙인 채 잔디에 맺힌 빗방울을 응시하던 시선에 까만 메리 제인 슈즈의 둥근 구두코가 걸렸다.

담담한 어투로 말을 건 사람은 최설아였다. 어쩐지 오랜만에 대화를 나누는 느낌에 유연은 미소 띤 얼굴로 고개를 끄덕였다.

"넌 연습실 가?"

"아니, 경복궁에. 아침 문안드리려고. 세자 저하께 드릴 것도 있고."

손에 든 작은 쇼핑백을 눈높이까지 들어 보인 설아가 작게 한숨 쉬며 한 걸음 다가선다. 우산 살을 타고 흘러내린 물방울이 유연의 팔을 적셨다.

"조유연, 너한테 고맙다는 말을 해야 했는데, 내가 너무 정신이 없었어. 미안."

다시 또 말을 놓기로 한 건가?

"나한테 고마울 게 뭐 있어. 한 것도 없는데."

"네가 한 게 왜 없어. 그날, 세자 저하랑 둘이 있던 거 아니었어? 나는 네가 저하를 구워삶은 줄 알았는데."

어쩐지 돌려 말할 줄 모르는 애가, 서두가 길다 했지.

“내가 구워삶는다고 삶아지는 분인지 몰랐네.”

유연의 차분한 대꾸에 설아의 입꼬리가 파르르 떨렸다.

“너…… 그렇게 안 봤는데, 참 못된 것 같아. 세자 저하한테 내 병에 대해 말했더라? 무슨 생각으로 그랬는지 몰라도, 나 좀 충격이었어. 좋은 모습만 보이고 싶어 하는 거 뻔히 알면서, 공황장애인 걸 대놓고……. 하아.”

“설아야.”

“아니, 사과 같은 거 이제 안 들을래. 너 예전부터 사람 무시하는 거에 뭐 있었잖아. 그 버릇 어디 가겠어? 그래도 네가 잘 말해 준 덕이겠지. 공황 장애 약을 먹는 여자를 초간의 우승자로 결정하신 걸 보면.”

평소와 다르다. 최설아는 패악을 부릴지언정, 말을 꼬아가며 의도를 비틀 사람이 아니었다.

우산 살을 타고 흐른 빗물이 한 방울 두 방울 그녀의 팔을 적시고, 블라우스가 투명해질 때 즈음에 최 회장과 준일이 걸어 나왔다.

“그런데 이제부터는 뒤로 호박씨 까지 마. 짜증 나니까.”

싸늘하게 중얼거린 설아가 언제 그랬냐는 듯 환한 표정으로 돌아서더니 쪼르르 뛰어가 준일의 팔짱을 끼워 잡는다. 준일은 우두커니 서 있는 유연을 가만히 응시하다가 설아의 재촉에 걸음을 옮겼다.

“우리도 가자, 유연아.”

최 회장은 지난밤의 숙취가 덜 풀린 듯 퉁퉁 부은 얼굴로 앞장섰다. 정신을 차린 그녀가 서둘러 대기 중인 차 문을 열자 뒷좌석에 오르던 최 회장이 굳은 얼굴을 올려다보며 말한다.

“오늘 서 상무한테 연락 올 거야. 부탁이 있다니까, 들어줘. 그리고 최 전무 신혼집 청소업체 결정해서 사람 좀 보내고.”

“서연아 씨요?”

“그래. 어차피 지금 너, 전무 백업 정도만 하잖아. 놀지 말고 일해야지.”

어쩌면 비서실에서 저보다 더 많은 일을 하는 사람은 없을 거란 말이 목 끝까지 차올랐지만, 유연은 꾹 참았다.

독립만 해 봐. 고용노동부 전화번호 누르고 말 테니까.

“예, 알겠습니다.”

사골국물에 푹 끓여낸 바지락 칼국수 국물을 한 숟가락 뜬 사람들의 얼굴에 만족감이 퍼진다.

비가 오는 날이면 구내식당엔 두 가지 메뉴가 추가되곤 했다. 평소와 같은 한식 밥상과 얼큰한 수제비, 그리고 바지락 칼국수. 유연의 선택은 바지락 칼국수였고 비서실 직원들 대부분이 마찬가지였다. 다른 건 몰라도 구내식당 수준만큼은 여느 대기업 못지않다며 입을 모아 칭찬하던 때였다.

[곧, 경복궁의 공식발표가 있겠습니다. 오병선 특파원, 기자회견장 분위기는 어떤가요?]

지난번 특보를 내보낼 때와 마찬가지로 구내식당에 설치된 스크린 위로 경복궁 전경이 떠오른다. 식사 중이던 직원들의 시선이 하나둘 스크린으로 모인다. 그녀도 쫄깃한 면발을 호로록 빨아들이며 고개를 들었다.

[경복궁 근정전 앞에 마련된 회견장입니다. 비가 내려 차양이 설치되었습니다. 아, 지금 막 왕세자 저하가 실무진들과 함께 도착하셨습니다.

아마, 발표는 주상 전하께서 직접 하실 것으로 보입니다. 짐작해보건대, 30여 년 전 궐을 떠나 잠적한 것으로 알려진 의언군 이송 님의 소식이 아닐까 합니다.

그 증거로, 세자 저하의 곁에 앉은 남성을 주목해 주십시오. 에틸이라는 예술가 단체의 대표로 전 세계를 돌며 활동 중인 아티스트 이태입니다.]

웅성거리는 소음이 귀를 울린다. 비 때문인지 유난히 실내의 소리가 크게 울렸다.

[혹 왕실의 종친일까요? 의언군 마마의 아들이라면, 저분 또한 왕자군의 칭호를 받게 되실 텐데요.

아, 참고로 초간의 우승자는 최설아 씨입니다. 피아니스트이자 서화제약 최우식 회장의 장녀로 현재 가장 유력한 세자빈 후보라고 합니다.]

순간, 구내식당에 내려앉은 정적. 유연은 자신을 향한 연민 섞인 눈길들을 무시한 채 담담히 식사를 이어 나갔다.

저 남자, 그 사람이다. 미술관 예화 앞에서 제 팔을 잡아챘던 이상한 남자.

'혹시, 그때 저하가 화를 내던 상대는 이태라는 남자였을까?'

그때 분명 세자는 상대를 소현군이라고 불렀다. 그것도 무시무시한 표정으로 화를 내며.

[주상 전하께서 내관 대신들과 입장하고 계십니다. 왕세자 저하께

서도 차분하게 일어나 전하를 맞아 주시네요. 워낙 표정 관리가 완벽하신 편이라 세 분의 관계성을 짐작하기 어렵습니다. 과거 종친들은…….]

유연은 스크린에서 흘러나오는 말을 한 귀로 듣고 한 귀로 흘리며 화면에 등장한 세자의 얼굴을 빤히 응시했다.

음식을 먹다 말고 젓가락을 내려놓는 유연은 처음인지라, 마주 앉아 있던 동료들의 눈빛에 충격이 더해진다. 다들 유연이 초간에 떨어진 것을 마음에 두고 있다며 착각하는 중이었다.

“과장님, 고기 좀 따로 가져올까요?”

“과장님, 괜찮으신 거예요?”

“유연 씨, 오늘 비 오는데 막걸리에 파전?”

생각에 잠겨 있던 유연은 뜬금없이 쏟아지는 관심에 놀라 어색하게 웃으며 다시 젓가락을 들었다.

“다들 무슨 생각 하는지 아는데, 틀렸어요. 그 세자빈 후보라는 거 오해라고요. 생각하는 그런 거 아니에요.”

그녀는 처음으로 제 입으로 세자빈을 언급했다. 그러자 이번엔 질문을 퍼붓고 싶어 하는 얼굴이 된 사람들. 기겁한 그녀는 결국 트레이를 들고 자리에서 일어났다.

“질문 금지, 나 잡는 거 금지, 말 거는 거 금지. 오늘 나 바쁨. 부탁할게요, 가능하죠?”

“과장니임. 궁금하단 말이에요.”

“애교도 금지.”

단호하게 고개를 저은 유연은 울상이 된 동료들을 뒤로하곤 식기를 반납한 뒤 구내식당을 빠져나왔다.

승강기에 오르기 전 뒤를 돌아보자 하필 스크린엔 이건의 얼굴이 확대되어 크게 송출되고 있었다. 희미하지만 여전히 입술 가장자리에 상처를 매단 채 천천히 고개를 든 그가 정면을 바라본다.

순간, 그와 눈이 마주친 듯한 착각이 들었다. 심연에 색이 있다면 저 남자의 눈동자 색을 닮았을 것이다. 유연은 새삼 얼마나 유명한 남자의 입술에 상처를 낸 것인지 실감했다.

"안 타세요?"

앞서 올라탄 상대의 질문에 고개를 까딱 숙이며 승강기에 올랐다. 이어 그녀의 손아귀 안에서 휴대 전화 진동이 울리기 시작했다.

"바쁜데 불러낸 거 아니죠?"

맞는데요.

유연은 하고 싶은 말은 속으로만 삼키며 서연아의 차에 올랐다.

"오전에 회장님께서 부탁하셔서, 시간을 조금 빼 두었어요."

"정말? 다행이다."

"그런데 무슨 일이세요? 제가 뭘 도와드려요? 혹시, 식장에 문제가 생겼나요?"

차량 에어컨 바람이 짧은 머리카락 끝을 흔든다. 비에 젖어 눅눅해진 치마 끝자락과 드러난 피부들도 금세 말라가기 시작했다.

"아니, 아니. 유연 씨 서화갤러리에서 경력 쌓으면서 학예사 자격증까지 땄다면서요? 나 도움 좀 받으려고."

"혹시, 작품 보러 가세요?"

"네. 이번에 준일 씨 친어머니 입국하신 거 알고 있죠? 뭐라도 하나 해드리고 싶어서요."

"제 안목이 도움이 될까 모르겠네요. 사모님 눈이 정말 높으시거든요. 저보다 훨씬 안목 높으신 분들도 많으실 텐데."

"아니야, 난 유연 씨가 좋아. 이번 일 잘 도와주면 내가 유연 씨 부탁 뭐든 들어줄게요. 빚 하나 진다고 생각해. 그럼 되잖아? 사실 고마운 게 많아서 뭐라도 해 주고 싶은데 준다고 받을 사람이 아니라. 이렇게라도 내가 빚을 좀 지고 싶어서요."

아깝다. 아무리 생각해도 최준일에게는 아까운 사람이다. 이런 사람이 뭐가 아쉬워서 최준일을 10년 넘게 따라다녔다는 건지.

"말씀만이라도 감사해요. 그런데 어디로 가시는 거예요?"

비 때문인지 빠르게 날이 어두워지고 있었다. 연아는 내비게이션을 턱 끝으로 가리키며 말했다.

"양평. 거기에 살롱이 하나 있어요. 마음 맞는 애들끼리 모여서 만든 건물이 있는데, 연주회를 열기도 하고 조용히 접대도 하고. 가끔은 이렇게 작품 경매도 해요. 그러다 보니 일반적인 작품들은 아니고, 진품명품의 라이브 버전이라고 해야 하나? 뭐 그래요. 돈 많은 호구들이지 뭐."

스스럼없이 웃어 보인 서연아의 뺨에 보조개가 콕 박힌다.

유연은 익히 알고 있는 세상이었다. 종종 최 회장과 함께 비슷한 부류의 살롱에 방문해 작품을 사들이기도 했고, 판매해 본 적도 있었다.

그제야 도움을 주라던 회장의 말이 조금은 이해가 됐다.

서울에서 한 시간. 비 때문에 차가 막혀 30분 정도 지체되어 도착한 양평의 어느 저택 주변으로는 이미 고급 스포츠카와 세단, 값을 알 수 없는 차들이 빼곡하게 주차된 상태였다.

우비를 입은 관리인이 서연아의 차를 알아본 건지 차단기를 올린다. 차를 댄 서연아가 기지개를 켜더니 지친 얼굴로 먼저 내렸다.

유연은 우산을 챙겨 내리며 아파트 3층 높이의 담장을 올려다보았다. 감출 것이 많은 사람이 지은 곳이다. 그래서인지 폐쇄적인 느낌이 강하게 드는 곳.

건물을 올려다보며 굳은 얼굴로 서 있는 유연의 곁으로 다가온 서연아가 불쑥 팔짱을 끼워 잡더니 목소릴 낮춰 속삭였다.

"아, 그리고 오늘 경복궁에서 사람이 나올 수도 있대요. 작품에 관심이 있다고 하더라고요. 나 그거 사고 싶어요. 그러니까 어떤 건지 잘 좀 선수 쳐줘요. 알았죠?"

살롱이란 단어가 어울리지 않는 공간이었다. 작품의 가치를 극도로 높이기 위한, 단색의 인테리어. 아늑함과는 거리가 먼 건물은 정면에서 가늠해 보았던 것보다도 훨씬 거대했으며, 유명 건축가의 손길이 물씬 느껴졌다.

유연은 이곳에서 만나게 될지도 모를 인물들을 한 명씩 떠올려 보았다. 그들은 모두 비서실 생활을 하며 자동으로 익힌 사회 기득권층의 일부였고, 개인적으로는 썩 반갑지 않은 존재였다.

양쪽으로 열리는 자동문 안으로 들어서자 손님들의 명단을 살피던 직원들이 환한 미소로 두 사람을 맞는다.

"안녕하십니까, 서연아 님. 다들 안쪽에서 기다리고 계십니다."

"오늘 전시는 청연에서 맡았나 봐요? 장 팀장님이 직접 오셨네요?"

"네, 귀한 기회 주셨는데, 직접 나서야지요. 관장님께서도 신경 많이 쓰셨고요."

"그럼 더 기대할게요. 아, 이쪽은 제 일행이에요."

유연도 청연의 장 팀장이 누구인지는 알고 있었다. 서로 안면이 있는지라 적당한 눈웃음으로 인사한 그녀는 안쪽에서 들려오는 소리에 귀 기울였다. 사람들의 말소리는 외부에 세워진 차량 대수와 비례했다. 크리스천 짐머만이 연주하는 쇼팽 발라드 4번이 청아하게 공간을 채운다.

"오늘은 오픈갤러리 콘셉트입니다. 전시는 2층과 3층에서 감상하실 수 있고, 1층에선 가볍게 와인 시음과 디너를 준비했습니다. 총 여섯 종의 와인과 R`rassembler의 수석 셰프님께서 디너를 맡아 주실 겁니다."

"음, 난 거기 크레이피시 요리가 근사하던데."

"준비되어 있습니다. 걱정하지 마세요."

생글생글 웃어 보인 매니저는 안쪽에 무전을 넣으며 마지막 관문과도 같은 문을 활짝 열었다.

"혹 필요하신 게 있으시면 가까이에 있는 직원을 불러 주세요. 좋은 시간 보내시길 바랍니다."

외부에서 보았을 때 창문이 하나도 없던 이유를 실내에 들어온 뒤에야 알 수 있었다. 건물은 'ㅂ'자 모양으로 설계된 듯, 격자 모양의 프레임이 덧대어진 천장의 유리 너머로 비 내리는 하늘이 고스란히 비치는 중이었다. 가장자리 벽을 따라 2층과 3층을 잇는 계단이 있고,

콘서트홀처럼 위에서 아래를 내려다볼 수도 있는 사방이 막힌 구조.

인공 정원으로 꾸며진 중앙홀엔 서연아와 비슷한 또래의 사람들이 이미 자리한 채 담소를 나누는 중이었다. 유연은 마치 낙원에 심어진 사과나무 아래 옹기종기 모여 앉은 사람들의 모습 같다고 생각했다. 언제든 손만 뻗으면 닿을 곳에 욕망을 두고, 그것이 무럭무럭 자라나기만을 기다리는 클레이 소파에 앉은 사람들.

"어? 연아 언니!"

누군가 서연아를 알아보고 부르는 것을 필두로, 유연은 모인 이들의 시선이 모두 자신에게 쏠리는 것을 느꼈다.

공기의 결이, 흐름이. 그리고 그들의 눈빛이 바뀌었다. 하지만 유연은 그들과 눈을 맞추지도, 도전적인 태도로 응수하지도 않았다. 그들의 머릿속엔 최준일이 손목시계처럼 데리고 다니던 비서를 대동한 서연아에 대한 궁금증이 더 클 터.

"그럼, 담소 나누세요. 저는 2층부터 작품을 둘러보겠습니다."

"음료라도 한잔하고 올라가요."

"아뇨, 괜찮습니다."

"그럼 부탁해요, 유연 씨."

유연은 생긋 웃으며 서연아가 걷는 반대 방향으로 걸음을 내디뎠다. 2층과 연결된 계단을 오르는 동안 혹시나 했던 생각은 더욱 확실해졌다.

"쟤 왜 데려왔어요? 준일 오빠네 집 무수리 아닌가?"

"정현아, 말조심해. 유연 씨 그런 식으로 부르지 마. 오늘 나 도와주러 오신 거니까."

"따지고 보면 언니가 제일 무서워요. 쟤랑 준일 오빠 소문 어떻게

도는지 뻔히 알면서 엄청 챙기네?"

"소문일 뿐이잖아. 너, 내 소문은 좋은 줄 알아? 미국에 사생아가 있단다. 그게 소문이라는 거야."

"에이, 언니는 100% 헛소문이고!"

신랄하게 떠들어 대며 고개를 든 여자는 태연한 표정으로 서 있는 유연의 모습에 눈 하나 깜짝 않은 채 어깨를 으쓱 올렸다.

유연은 가볍게 혀를 찬 뒤 다시 계단을 올랐다. 한심한 상대를 대하는 그 무심한 태도가 화를 불러일으킨 건지, 길길이 날뛰는 여자를 진정시키는 서연아의 목소리가 들린다.

"어? 조유연?"

마치 아는 이름을 부르는 듯한 음성에 유연이 고개를 들자, 성일산업 개발 전승혁 이사가 말끔한 얼굴로 인사를 한다. 이쪽 30대 중반의 남자 역시 빛나는 다이아몬드 삽을 움켜쥐고 태어나 주신 분이다. 물론, 삽을 뜨는 힘은 스스로 길러야 했지만.

"진짜, 맞네. 조유연 씨 맞죠? 준일이 비서."

"안녕하세요. 전 이사님."

"혹시, 준일이 왔어요?"

"아뇨, 오늘은 서연아 상무님과 동행했습니다. 작품을 좀 봐 달라고 부탁하셔서요."

"아, 맞다. 유연 씨 학예사 자격증 있지?"

"네."

"그럼 내 것도 좀 봐 줄래요? 한 바퀴 둘러봤는데, 설계도만 볼 줄 알지 예술품은 잘 모르겠네요."

빈말인지 진심인지 가늠하기 위해 그를 빤히 쳐다보자, 전승혁은 손에 들고 있던 와인 잔을 곁에 있는 동행인에게 건네주곤 유연에게 다가왔다.

“연아 거 먼저 고르고, 시간 되면 내 것도 봐 달라는 거죠.”

“그러기엔 제 안목이 너무 한정적이라. 죄송합니다.”

평소 알고 있던 성격대로 전승혁은 호승심이 강한 편이었다. 훤칠한 키와 또렷한 이목구비. 운동선수를 떠오르게 하는 몸매 때문인지, 행사장에 갈 때마다 최준일과 함께 사람들의 입에 자주 오르내리는 한 명이기도 했다. 그녀가 껄끄럽다고 생각했던 그 이름 중 한 명이기도 했고.

“그럼, 옆에서 지켜보는 건 괜찮죠? 내가 안목은 없어도 눈치는 있어서.”

“네.”

완강하게 거부할수록 상대는 더욱 집요하게 파고든다.

유연은 적당히 지루해지면 돌아갈 거라는 생각에 그를 지나 2층에 올랐다. 1층보다 낮은 조도의 공간은 적막하고 온도마저 서늘했다. 꿉꿉한 바깥 날씨를 비웃기라도 하듯 적당한 습도가 언뜻 쾌적한 느낌마저 들었다.

유연은 천천히 벽에 걸린 작품들을 살폈다. 사실 눈에 딱히 들어오는 작품이 있는 건 아니었다. 대체로 이 바닥에 이골이 난 작가들의 시리즈 작품이 대부분이었고, 간간이 신예의 것으로 보이는 그림도 있었지만 크게 감동적이진 않았다. 외려 신경 쓰이는 건, 입장 직전 서연아가 한 말이었다.

‘경복궁에서 저하가 직접 나오진 않으시겠지.’

지난번 세자가 화를 낸 상대는 분명히 소헌군 이태였다. 동궁엔 다시 발 들이지 말라며, 서슬 퍼런 음성으로 경고하던 그를 떠올리자 가슴 안쪽이 쿵, 하고 울린다.

유연은 천천히 걸음을 멈추었다.

“이 그림이 마음에 들어요?”

전승혁의 존재를 잠시 깜빡한 탓에 흠칫 놀란 그녀의 눈이 커다래지는 걸 본 남자가 황당하다는 듯 웃었다.

“나 그렇게 존재감 없는 놈 아닌데.”

“죄송합니다. 다른 생각을 하느라. 그림, 마음에 드시면…….”

들여도 괜찮을 것 같다고 말하려 했다. 하지만 그림을 자세히 들여다보는 순간, 유연은 자신의 눈을 의심했다. 이취라고는 조금도 풍기지 않았다. 특유의 울렁거림도, 기분 나쁘게 피부를 긁는 듯한 감각도 느껴지지 않았다. 그런데 지금 그림 속에서 제 눈을 빤히 쳐다보는 눈동자는 분명 그림 도깨비였다.

“다시 생각해 보시는 게 좋겠습니다. 이 그림은, 가치 제로의 작품인 것 같네요.”

“그 정도예요? 내가 보기엔 나쁘지 않은 것 같은데.”

이유를 설명하는 대신 유연은 입꼬리만 조금 올려 웃었다. 그러며 그림 속에 숨어 자신을 빤히 보는 눈동자를 지그시 응시했다. 그러자 겁을 주려는 듯 두 눈을 희번들하게 뜬 이매가 새빨간 혀를 내민다.

‘뱀?’

유연은 날름거리는 혀와 샛노란 눈을 보며 피식 웃었다.

‘미안한데, 나 너 안 무섭거든?’

놈은 현신을 한다 해도 하급이다. 크기라고 해 봤자 1m 이내. 유연은 잠신한 그림 도깨비의 형태를 통해 현신했을 시의 크기와 힘을 가늠할 수 있었기에, 이 정도는 귀여운 축에 속했다.

"조유연 씨, 주말에 뭐 합니까?"

"일이요."

"그 회사는 주 7일제예요?"

"제가 최씨 집안 무수리라서요. 왜 그러시죠?"

예민해진 상태여서인지, 쏘아붙이는 본새로 되물었다. 그러자 유연을 가만히 내려다보던 전승혁이 고개를 짧게 주억이곤 성큼 다가온다.

"전부터 조유연 씨가 마음에 들었었는데, 준일이가 영 기회를 안 주더라고요. 괜찮으면 몇 번 만나 볼래요, 우리?"

"제가, 이사님을요?"

"어차피 서로에 대해 모르고, 나는 유연 씨 얼굴이랑 능력 보고 끌리는 중이라. 조금씩 알아가면 좋지 않겠어요?"

"왜 그래야 하죠? 알아서…… 뭐 하게요?"

진심으로 의아해하는 표정에, 전승혁이 잘 정돈된 앞머릴 쓸어 넘기며 웃었다.

"연애하게요."

유연은 자신을 찍어 내리듯 내려다보는 눈빛에서 애정이 아닌 호승심을 읽었다. 전승혁은 최준일을 이기고 싶은 거다. 최준일의 미련을 짓밟고 싶은 거겠지.

"죄송하지만, 연애 안 합니다. 작품에 관심 없으시면, 이만 돌아가 주시겠습니까? 감상에 방해가 됩니다."

"방해? 에이, 말이 심하네."

끝까지 여유 있게 굴던 전승혁의 표정이 굳은 건, 귀찮다는 듯 한숨 쉰 그녀가 그림 방향으로 몸을 돌린 순간이었다.

"조유연 씨, 그림 보는 안목은 있을지 모르겠는데 사람 보는 안목은 없네. 이제 곧 결혼할 새끼 옆에 붙어 있는 거, 자존심도 안 상해요? 나 같으면 차라리 다른 스폰서를 물 거 같은데. 최준일이 얼마 줍니까? 내가 두 배 줄게요. 나랑 몇 번 만나죠."

그녀를 노려보던 그림 도깨비의 노란 눈이 전승혁의 방향으로 스륵 움직인다. 유연은 저도 모르게 손을 뻗었다. 그림 속 뱀의 미간을 꾹 누르자, 소스라치게 놀란 이매가 다시 그녀를 본다. 유연은 한쪽 눈썹을 치켜들었다.

"내가 지금 상대할 기분이 아니지만, 꼭 해야 할 일이라 상대해 주고 있는 거야. 경솔하게 굴지 말고, 자리 지켜. 쓰레기로 분류하기 전에."

단언컨대, 뱀에게 하는 말이었다. 눈이 휘동그래지며 겁먹은 듯 흔들리는 눈동자를 보자 기분이 이상했다. 하지만 뱀도 알아들은 말을, 사람 새끼가 알아듣지 못하고 얼굴이 시뻘게진다.

"너 지금 뭐라고 했어?"

욕설을 삼킨 전승혁이 유연의 손목을 짜증스럽게 잡아챌 때였다.

"내 거에 손대는 거 싫어하는데……. 여러모로, 당혹스러운 광경을 보는군요."

뱀과 전승혁에게 집중하느라 1층이 소란스러워졌다는 것도 의식하지 못한 탓에, 누군가 2층에 올라왔다는 것도 몰랐다.

짓씹어 내뱉는 듯한 익숙한 남자의 목소리가 싸늘하게 꽂혀 왔다. 검은 셔츠에 검정 바지정장을 입고 단추 두 개를 헐겁게 푼 이건의 뒤로 좌익위 장은호와 이우혁. 그녀도 이젠 얼굴을 외워 버린 몇몇이 경직된 표정으로 서 있었다.

평소와 달리 냉소를 품은 고압적인 눈빛이 서늘하게 좌중을 압도한다. 전승혁은 세자의 시선이 유연에게 닿아 떼어지지 않는다는 것을 눈치채곤, 굳은 얼굴로 손을 놓았다.

"이런 곳에서 뵙네요, 세자 저하. 저는 성일 산업개발의 전승……."

"됐고, 사과하십시오."

"예?"

흡사, 성가신 벌레를 쫓듯 앞머리를 쓸어 넘긴 건은 그림 앞에 서 있는 유연을 또렷이 응시하며 재차 말했다.

"함부로 내 것에 손대셨으니, 사과…… 하라고."

치욕으로 붉어진 낯을 한 전승혁은 세자의 뒤로 나타난 자신의 일행들을 발견하곤, 마른침을 꿀꺽 삼켰다.

"제가 모르는 실례를 저질렀나 봅니다. 실례하죠."

그러며 답도 듣지 않은 채 성큼성큼 걸어 세자의 곁을 빠른 걸음으로 스쳐 지나갔다. 서연아를 비롯해 놀란 이들이 전승혁을 잡아채며 이유를 물었지만, 그는 짜증스러운 욕설로 답할 뿐.

유연은 천천히 뱀의 미간에서 손을 뗐다. 그러자 순식간에 악의를 드러낸 뱀이 환동하려 했다. 하지만 다시 그녀가 뱀을 노려보는 순간, 티 나게 떤 이매가 스르륵 힘을 죽인다.

"나 봤으면서, 왜 아무 말 안 합니까."

그림을 노려보던 유연은 긴장한 손을 꽉 움켜쥐었다. 사실은 혼란스러워서 어떤 말을 해야 할지, 입술이 떼어지지 않았다. 그를 보자마자 든 감정은 반가움이었다. 그리움을 보상받은 듯한 그런 기분에 웃음이 나올 뻔했다. 하지만 그 사실을 자각한 순간 찾아온 건 자괴감이었다.

"나만 보고 싶었나?"

연락을 안 한 사람이 누군데!

발끈한 그녀가 돌아보자, 동물원 원숭이를 구경하듯 모여든 사람들의 얼굴이 보였다. 조금 전 자신을 그토록 까 내리던 이들이, 지금은 마치 말 한마디라도 걸고 싶어 안달 난 사람처럼 눈을 빛낸다.

유연은 한숨을 참으며 어금니를 꽉 눌러 물었다.

"보는 눈이 너무 많습니다. 이런 대화는……."

"다 치워, 이 실장."

지시는 짧았고, 행동은 빨랐다. 그는 지금껏 제가 아는 왕세자 이건의 얼굴이 아니었다.

사납고 조급한, 그리고 지쳐 버린 표정의 그가 천천히 그녀의 어깨에 이마를 대며 속삭였다.

"나만 미칠 것 같았냐고 묻고 있는 겁니다, 지금."

차에서 내린 준일은 우산도 쓰지 않은 채 불 밝힌 건물로 성큼성큼 걸었다. 놀란 건물 관리인이 우산을 폈지만, 제법 매너 좋은 표정으로 손을 들어 막았다. 그의 머릿속은 온통 서연아와 조유연의 생각으로 가득 차 있었다.

'과장님은 아까 퇴근하셨습니다. 회장님 지시로 서연아 님과 잠시 어디 다녀오신다고…….'

오늘 자신의 약혼녀의 행선지가 어디인지는 알고 있었다. 유연이 동행할 것이라고 예상하지 못했을 뿐.

그는 건물에 들어서기 직전, 차량 다섯 대와 그 앞을 지키고 선 엄격한 분위기의 남자들을 발견하고 걸음을 멈추었다. 그들은 왕실에서 나온 RSA였다.

턱 근육이 불거지도록 어금니를 눌러 문 준일이 비 묻은 어깨를 털어 내며 중앙 현관으로 들어서자, 갤러리 직원들이 타월을 들고 다가와 걱정스럽게 묻는다.

“괜찮으십니까?”

타월을 받아 대충 물기를 닦은 준일이 안쪽을 눈짓했다.

“안에 서연아 씨 왔습니까?”

“네, 30분쯤 전에 도착하셨습니다.”

“동행인은요.”

“함께 입장하셨습니다.”

욕이 절로 입술을 비집고 새어 나오려 했다.

젖은 얼굴을 거칠게 쓸어 넘긴 준일은 타월을 돌려준 뒤 안으로 들어갔다. 그 서슬 퍼런 기세에 뒤따르는 직원의 낯빛이 퍼렇게 죽는다. 혹여 말실수를 한 건 아닌지 걱정하는 기색이었다.

예상했던 대로 어수선한 건물 내부. 최준일을 제일 먼저 발견한 전승혁이 라운지 중앙에 앉아 알은체를 한다.

“냄새 하난 기가 막히게 맡네. 안 올 줄 알았는데, 어떻게 왔냐?”

묘한 빈정거림이 섞인 어투에 곧장 2층으로 향하려던 준일이 멈춰 섰다. 와인 시음이 있다더니, 거의 술판이나 다름없었다.

“연아는 어디 있어.”

“서연아 찾으러 온 거였어?”

"그럼."

"난 또."

평소의 전승혁이라면 저렇게 매너 없이 말을 비꼴 리 없었다. 술이 과하다는 판단을 한 준일이 무시하고 계단을 오를 때였다.

"2층에 둘 다 있어. 서연아랑 네 비서랑. 아아, 그리고 세자 저하도 계셔. 뭐냐? 네 동생이 세자빈 되는 거 아니었어?"

"그 말이 갑자기 왜 나와."

전승혁은 직원이 따라 주는 새 와인을 음미하며 어깨를 으쓱 올렸다.

"고매한 세자 저하께서 네 전 애인이랑 친하신 것 같더라고. 최설아보다 더, 많이."

"그래서."

"그냥 그렇다고. 너도 참 피곤하게 산다, 준일아."

인상을 찌푸린 준일은 2층에서 내려오는 발소리에 고개를 들었다. 갤러리 청연의 장 팀장이 곤란한 표정으로 사람들을 안내하고 있었다. 그들에 속해 있는 서연아도 준일을 발견하곤, 어색하게 웃는다.

"인증되지 않은 작품이 있다는 건 저희도 몰랐던 일입니다. 저희 청연은 절대 불법 거래는 하지 않습니다. 그러니 다들 와인 시음이라도 하시면서 기다려 주시면, 문제없이 해결하겠습니다."

"암거래하는 것도 아니고, 이런 데까지 위조품이 흘러들어 오면 어떻게 해요? 한두 푼 하는 작품도 아닐 텐데, 뭘 어떻게 믿고 작품을 바잉해요. 오늘 경매 정말 괜찮은 거예요?"

"그럼요, 걱정하지 마세요. 제가 곧바로 확인해 보겠습니다."

어딘가로 연락을 넣은 장 팀장은 서둘러 현장을 벗어났다. 준일은 급히 스쳐 지나가는 장 팀장을 노려본 뒤 서연아에게 다가갔다. 그러자 연아의 곁에 있던 여자들이 흘깃흘깃 눈치를 보며 자릴 피해준다.

"여긴 웬일이야, 준일 씨가?"

연아는 태연히 준일에게 팔짱을 끼우며 생긋 웃었다. 그 모습에 숨이 막히는 걸 느낀 준일이 목소릴 낮춰 물었다.

"어떻게 된 거야. 이런 곳에 조 과장을 데려오면 어떻게 해. 여기가 아무나 들이는 곳도 아니고, 밖으로 얘기 새어 나가면 어쩌려고."

"얘기가 왜 새어 나가. 회장님이 추천해 주신 직원인데."

"연아야, 내가 왜 그러는지 알잖아."

"준일 씨…… 표정 관리 잘해. 내가 꼭 당신 장난감이라도 뺏은 것 같잖아."

준일은 참았던 숨을 내쉬며 굳은 표정을 풀었다. 그러자 연아가 젖은 준일의 머리카락을 애틋하게 쓸어 넘겨 주며 말을 잇는다.

"조유연 씨니까 눈감아 준 거야. 나 유연 씨 마음에 들거든. 똑똑하고 눈치 빠르고, 당신한테 쥐톨만큼도 관심이 없어서. 그러니까 마음 정리는 천천히 하되, 내 체면은 구기지 말아 줄래? 나 이제 화나려고 해."

"연아야, 그런 거 아니야. 아무 일도 없었어. 알잖아."

"알아. 손 하나 까딱 안 했다는 거 믿어 줄게. 그러니까 그만 미련 떨치라고. 준일 씨는 나 보러 온 거잖아, 유연 씨 걱정돼서 온 게 아니라."

"……맞아."

준일은 연아의 손을 꼭 움켜쥔 뒤, 떨리는 손으로 어깨를 감쌌다.

연아의 말은 사실이었다. 준일은 차라리 다른 곳에서 육욕을 풀지언정, 유연을 함부로 망가트릴 수 없었다. 망가트리고 싶지 않았다.

제게는 어울리지 않는 플라토닉한 감정이었지만, 그만큼 유연이 소중했다. 그래서 평생에 걸쳐 조금씩 공들여 품고자 하였고, 그녀에게 남자란 오직 저 하나일 거라고 자신했다.

모든 외부의 접근을 차단할 자신이 있다고. 제가 누군가와 결혼을 하고 아이를 낳는다고 해도, 유연이 이 집에 약점이 잡혀 있는 한은 절대로 벗어나지 못할 거라고 생각했다. 그런데 약혼을 하게 되었다는 소식에 자신과의 관계를 단칼에 자르고 돌아서더니, 간택에 참석을 했다. 그 화를 이기지 못해 이 나이에 가출까지 감행한 그는 최설아가 초간의 승자가 되었다는 소식을 듣고 나서야 순순히 본가로 돌아왔다.

제가 생각해도 미쳐 있는 것 같았다. 무언가에 홀려 눈앞을 제대로 직시하지 못하고 휘둘리는 기분이다. 질투와 소유욕, 갖지 못한 것에 대한 욕심이라는 걸 알면서도 놓을 수가 없었다.

"네 말, 다 맞아. 그런데 조 과장은 아직 내 사람이야. 이런 곳이랑은 안 어울리지 않나? 지금 걔 어디 있어."

홍길동의 심정을 21세기에 사는 제가 이해하게 될 줄은 몰랐다. 그림 도깨비가 보여도 보인다고 말하지 못하는 신세를.

"나랑은 한마디도 안 할 겁니까?"

시큰둥한 질문에 유연은 싸늘하게 무시하며 그림 앞으로 다가갔다. 여전히 뱀은 세자를 노려보며 노란 눈을 빛내는 중이었다. 살기와 두려움이 동시에 새어 나온다.

그제야 이취를 맡은 건지, 건의 눈길이 그림으로 찰나 간 이동했다.

"조유연 씨, 나한테 화난 거 있어요?"

"아뇨."

"그런데 왜 이렇게 쌀쌀맞지? 이러면 나 상처받는데."

그렇게 말한 그가, 그녀를 돌려세웠다. 그와 시선을 맞춘 유연의 얼굴이 천천히 굳어가기 시작했다. 말뜻을 이해하기까지는 고작해야 1초도 걸리지 않았으나, 마치 수십 초의 시간이 흐른 것처럼 숨이 찼다.

그녀가 먼저 시선을 피하려 하자 팔을 움켜쥔 손에 힘을 준 이건이 가벼운 투로 질문했다.

"아는 맛이 무서운 이유가 뭔지 압니까?"

올려 뜬 눈동자가 허공에서 얽혔다.

"자다가도, 쉬다가도, 공무를 보다가도 생각이 나서 돌아 버리게 만들거든."

자신을 빤히 응시하며 주저 없이 내려다보는 위압감에 유연은 몸이 수축하는 느낌을 받았다. 상처가 사라져 버린 입술을 문지르는 손길. 남자의 미소가 짙어지고, 유연은 저도 모르게 손을 감싸 쥐었다.

"저는…… 저하가 원하는 사람이 아닐 텐데요."

"내가 원하는 사람이 누군지 어떻게 알고."

"눈을 가진, 여인이요……."

유연이 숨을 짧게 내뱉으며 눈을 깜빡이자, 팽팽하게 당겨졌던 공기가 부서졌다.

"눈을 가진 여인이라……."

감정을 누르듯 말을 이어 나가지 못한 그가 씁쓸하게 웃더니, 스륵 눈을 감았다가 뜬다. 이어 가늘어진 눈으로 그녀와 그림을 천천히 번갈아 보았다. 차가운 눈동자 속에 든 이채. 그 신중한 기세에 유연은 무언가 잘못되었음을 느꼈다.

"이게 지금……."

침착하게 말을 이어 나가는 이건의 눈동자 색이 서서히 변해 간다.

"지금 이거, 조유연 씨와 상관있습니까?"

직시하는 황금색 눈동자 안에 들어차는 열기. 유연은 제 입술에 그의 손끝이 닿은 뒤에야, 아프도록 깨물고 있었다는 것을 깨달았다.

"네놈이었구나."

뇌까린 그가 그림 방향으로 뻗은 손에 힘을 준다. 정확하게는 뱀의 멱살을 쥔 그가, 본인도 어처구니없다는 듯 고개를 비스듬히 기울이더니 헛웃음을 흘린다.

잠신한 이매를 정확하게 의식한 것은 처음이었다.

"뱀이었어."

새카만 구렁이가 이건의 손아귀에 목이 잡힌 채 사납게 꿈틀댄다. 혀를 날름거리며 급격하게 환동하려 했지만, 힘을 쓰지 못했다.

손아귀에서 뿜어져 나온 시퍼런 불꽃이 뱀의 전신으로 번지고 손쓸 틈도 없이 모래알 같은 빛이 되어 사라졌다. 그녀의 밝은색 홍채에 산란한 빛이 흔적 없이 사라지기까지 걸린 시간은 고작해야 3초.

건이 조금 전 분명히 보았던 뱀의 형상을 떠올리며 사색이 된 유연을 돌아볼 때였다.

"조 과장? 여기서 뭐 하는 겁니까!"

2층 계단 끝에서 들려온 최준일의 고함에 굳어 있던 유연은 번뜩 정신을 차렸다.

"아!"

그러곤 건에게 잡힌 손을 뿌리친 채 성큼성큼 걸음을 내디뎠다. 지금 그녀에겐 최준일의 등장이 하늘에서 내려온 동아줄처럼 느껴졌다. 뭐가 어떻게 된 일인지 몰라도, 이상한 일이 벌어졌다.

"전무님, 여긴 어쩐 일로."

"이곳은 회원제로 운영하는 사적인 곳입니다. 그런데 조 과장이 왜 여길 와요!"

"그게……."

"당장 돌아가요. 그리고 다시는 아버지 부탁 들어주지 마십시오. 아직 회장님 비서 아니고, 내 비서잖습니까. 대체 일은 안 하고 뭐 하는 겁니까!"

준일이 무슨 소릴 지껄이는지 귀에 들어오지 않았지만, 유연은 그러겠다고 대답한 뒤 도망치듯 계단을 내려갔다. 그러자 1층에 서 있던 서연아가 걱정스러운 표정으로 그녀를 붙들었다.

"유연 씨, 나 때문에 미안해요."

유연은 고개를 저으며 말했다.

"2층 17번 작품으로 구매하세요. 리처드 존슨이라는 미국 작가의 작품입니다. 사모님께서도 좋아하셨던 작가인 데다가, 소장 가치도 높은 원본이에요. 흔치 않은 기회니, 꼭 바잉하시길 바랍니다."

"아, 네. 그럴게요. 어머, 설마 지금 가려고요?"

"네, 가 보겠습니다. 자리가 좀 불편해서요."

잠시만 기다리라는 서연아의 말을 무시한 채 그대로 건물을 나갔다. 입구를 지키던 직원들이 뛰어나온 그녀의 모습에 눈치를 보다 불쑥 우산을 내밀었다. 하지만 우산을 받아 든 건 다른 사람이었다.

"제가 모시겠습니다."

좌익위 장은호가 우산을 돌려주고 왕실의 문양이 찍힌 본인의 우산을 폈다.

"은호 씨."

"지시가 내려왔습니다. 제가 모시겠습니다. 댁으로 가면 될까요?"

유연은 여전히 빠르게 뛰어대는 심장 부근을 누르며 뒤를 돌아보았다.

어떻게…… 어떻게 그림 도깨비를 알아챘지?

유연은 단호하게 고개를 내젓고는, 직원에게 부탁해 다시 우산을 받아 냈다.

"택시 좀 불러 주시겠어요? 그리고 은호 씨, 미안해요. 저 생각할 게 있어서, 혼자 움직이고 싶어요."

"조유연 씨."

"부탁할게요. 죄송해요."

직원이 수화기를 드는 것을 본 유연은 꾸벅 인사한 뒤 곧장 빗속으로 걸어 들어갔다.

후드득 떨어지는 빗소리에 귀가 먹먹할 지경. 거대한 정원을 가로질러 택시가 도착할 관리소 입구에 다가설 때였다. 짙은 담배 연기가 분무처럼 뿌려져 살갗에 달라붙는다. 당혹스러운 표정으로 고개를 틀자, 하얀 세단 앞에 서서 우산을 쓴 남자가 생긋 웃으며 다가왔다.

"괜찮으시다면, 제가 태워다 드릴까요? 지금 안 가면, 형님이 잡으러 올 것 같은데."

“누구시죠?”

유연은 상대가 누구인지 알면서도 부러 물었다. 왕실에 갑작스럽게 나타난 종친, 소헌군 이태. 모자를 눌러쓴 그는 처음 예궐하던 날, 도깨비의 기운으로 힘들어하던 자신을 불러 세웠던 남자였다.

“우리 구면인데, 기억 안 나세요? 예화 앞에서요.”

“압니다. 제가 묻는 건, 그런 뜻이 아니었어요.”

유연은 우산을 조금 기울였다. 비의 각도가 바뀌었기 때문이었다. 그러자 자연스럽게 남자의 눈매가 가려져 입술만이 우산 끝에 걸린다.

“이태라고 합니다. 누나라고 불러도 되죠?”

누나라는 호칭에 의아해진 그녀가 다시 우산을 들자 보조개가 콕 박힌 산뜻한 얼굴이 지척까지 가까워졌다.

“유연 누나.”

당혹스러울 만치 태연히 다가온 남자가 자신의 차 문을 열었다. 그러더니 고개를 까딱인다.

“타세요. 형님을 기다리고 있던 건데, 누나가 나오실 줄은 몰랐어요. 대화를 나누고 싶었는데 잘됐네요.”

“저와 대화를 나누고 싶으셨다고요?”

“네. 안 되나요?”

이태가 열어 둔 조수석 문 안쪽이 금세 비로 젖어 갔다. 그녀는 초면이나 다름없는 상대의 호의가 도무지 좋은 의도로 보이지 않았다.

“거절할게요.”

그래서 차에 타는 대신 택시가 도착할 방향으로 완전히 돌아섰다. 그러자 문을 닫은 이태가 아쉽다는 듯 한숨을 내쉬더니 그녀와 나란히 선다.

“안 들으면 후회하실 텐데.”

“들어도 후회할 거 같아서요. 그리고 낯선 사람과는 동행 안 합니다.”

“저 이상한 사람 아니에요. 저기 보이시죠? 왕실 경호원들이 제가 누나한테 접근하는 거 그냥 두잖습니까.”

언뜻 즐거움이 묻어나는 남자의 목소리. 정체를 아는 만큼 의도를 의심하는 건 아니다. 그저 좋지 않은 방향으로 신경이 쓰이는 것뿐. 짧게 한숨 쉰 그녀는 무심한 투로 대꾸했다.

“그럼 이 자리에서 들을게요. 택시가 도착하기 전까지만요.”

“여러모로 누나한테 좋지 않을 텐데…….”

“무슨 말을 하시려는지 몰라도, 말장난하실 거면 거절하겠습니다.”

“말장난이 아니라, 기회를 드리는 거예요. 조유연 씨, 형님한테 거짓말하고 계시잖아요.”

되묻는 남자의 표정은 이미 답을 아는 사람의 것이었다. 속을 훤히 드러내는 것 같아도, 꼭꼭 숨겨 두고 내보이지 않는 부류라고 해야 할까?

유연은 일부러 흥미조차 일지 않는다는 표정으로 손목시계를 한 번 들여다보곤, 다시 정면을 응시했다.

“이상한 소릴 하시네요. 제가…… 어떤 거짓말을 했죠?”

“세자빈 되기가 싫으신 건지, 갖고 계신 귀안이 싫으신 건지……. 너무 놀라지 마십시오. 형님이 귀멸을 행하시는 것처럼, 제게는 귀안을 찾아내는 눈이 있거든요. 저도 몰랐는데, 이것도 왕가의 힘 중 하나더라고요.”

귀안을 알아보는 눈?

그녀의 동공이 티 나지 않게 흔들린다. 보닛을 때리는 빗줄기로 시선을 옮긴 남자가 말을 이었다.

"어쨌거나 형님은 조유연 씨를 마음에 두신 것 같……."

"저기 이태 씨. 아니, 소헌군 마마."

유연은 멀리 언덕 아래 보이기 시작한 택시의 헤드라이트를 노려보며, 이태의 말허리를 급히 잘랐다.

"궁금한 게 있는데요."

"네?"

"혹시, 뱀 키우세요?"

"뱀이라뇨."

"……설마 안 보이세요? 마마의 손과 발목에 덕지덕지 붙은 뱀 비늘이요."

느긋했던 이태의 표정이 삽시간에 얼음장처럼 굳어 간다. 이태는 그녀가 지목한 손을 천천히 주머니 안으로 찔러넣었다.

역시, 그 뱀과 관련이 있는 걸까? 남자의 눈에는 보이지 않는 것 같았지만, 그녀에겐 선명하게 보였다. 마치 물감으로 그려 놓은 듯한 뱀의 비늘이. 만약 저 비늘이 그림 속에 잠신해 있던 이매의 것이라면 이 남자는 위험하다. 그래서 모른 척, 엮이지 않으려 했건만…….

유연은 다가오는 택시를 발견하고 우산을 접을 준비를 했다.

"말씀하신 것처럼, 세자빈이 되는 것도 싫고 이런 눈을 가진 것도 싫어요. 하지만 약점 잡히는 건 이골이 나서요. 피차, 서로 저하께 거짓말 한 번씩 한 것 같은데 여기까지만 말 섞죠."

이태는 뒤통수를 후려 맞은 사람처럼 억지 미소를 띤 채 그녀를 노려보았다.

깊은 한숨을 내쉰 유연은 우산 밖으로 손을 뻗었다. 떨어지는 빗물이 우묵한 손바닥에 고인다. 하지만 이내 손금을 따라 흘러내렸다.

어느새 깜빡깜빡 비상등을 켠 택시가 그녀 앞에 멈춰 선다. 유연은 굳어 있는 이태에게 까딱 눈인사를 한 뒤 택시 뒷문을 열었다. 하지만 곧장 이곳을 벗어나려고 했던 그녀의 바람은 손목을 잡아채는 강한 힘으로 인해 무산되고 말았다.

"이번엔 그냥 못 갑니다."

그녀의 손을 잡아챈 사람은, 우산도 없이 뛰어온 이건이었다. 비에 젖어 늘어진 머리카락을 쓸어 넘긴 그가 이태를 돌아보더니 무심한 어투로 명했다.

"소헌군은 이만 돌아가. 도움을 받았으니 제안은 고려해 보도록 하지."

"감사합니다, 저하."

이태는 건의 지시가 떨어지자마자 기다렸다는 듯 자신의 차를 타더니 시동을 걸었다. 빗물이 주룩주룩 흘러내리는 차창 너머 경계 섞인 시선이 두 사람에게로 가볍게 닿았다가 떨어진다. 유연은 서둘러 우산을 기울여 건의 머리 위에 씌웠다.

"이 실장님은 어쩌시고, 우산도 없이……."

열린 문 안쪽에 비가 묻는 것도 그의 어깨가 젖는 것도 싫다. 제일 싫은 건, 지금 이러지도 저러지도 못하며 바보처럼 얼굴만 붉히는 자신이었다.

투명한 우산이 머리 위를 덮자 흘깃 올려다본 건이 작게 웃었다.

"우산 펼 시간도 아까웠습니다. 이번에도 놓칠까 봐."

"그래도."

“젖어 버린 대신, 이렇게 잡았잖아.”

그 다정한 말투와 표정. 그리고 마주한 눈빛에 탄식이 새어 나올 것만 같았다.

가로등 불빛에 반사된 서로 다른 색의 눈빛이 섞인다. 각자의 색을 잃지 않고 서로를 휘감듯 엉겨 붙는 기분이었다.

그의 숨이 그녀의 얼굴 가까이 내려오는 순간, 유연은 무의식중에 숨을 참으며 고개를 돌려 피했다. 그러자 자연스럽게 상체를 기울인 그가 우산 손잡이를 쥔 그녀의 손을 감싸며 말한다.

“우리 아직 할 얘기 남았는데, 서울까지 동행해도 됩니까?”

“동행이요……?”

“나한테 할 말이 없으면, 내 얘기라도 들어주던가.”

점점 그의 방향으로 우산이 기울어지고, 힘으로 밀려난 유연은 택시 뒷좌석에 털썩 주저앉았다. 빼앗아 든 우산을 접으며 그녀의 옆자리로 올라탄 그가 문을 닫더니, 넋이 나간 기사에게 말했다.

“오래 기다리게 해 미안합니다. 출발하시죠.”

“예? 예예! 저하! 종로로 가겠습니다.”

뒤늦게 뛰어나온 이우혁과 호위들이 어딘가로 무전을 넣으며 주차된 차로 뛰는 모습이 사이드미러에 비친다. 유연은 설마 하는 마음에 태연자약하게 헤드레스트에 머리를 기댄 건을 홱 돌아보았다.

“말씀도 안 하시고 오신 거예요?”

“우산 쓸 시간도 없는데, 보고할 시간이 있었겠습니까?”

눈까지 감은 이건은 어처구니없어 하는 유연의 손을 은근히 끌어가 깍지를 끼워 잡았다. 손바닥의 온기가 아찔하리만치 뜨겁다.

“절차를 따졌으면, 놓쳤겠지.”

입매를 부드럽게 끌어올린 그는 고개를 조금 틀며 말을 이었다.

"저 빗속에 서서 후회하고 있었을 겁니다."

그의 시선이 부드럽게 그러쥐고 있는 손깍지로 내려왔다. 너무 작고 가늘어 힘주면 부러질 듯한 손. 기세 좋게 도망칠 때는 언제고, 먼저 손을 뿌리치지 않는 그녀의 모습에 미소가 번지려 했다.

"그러니까 나 조금만 쉴게요. 힘을 썼더니, 피곤하네."

잘근 입술을 깨문 그녀는 약이 오른 얼굴을 다시금 창밖으로 돌렸다.

"서울 도착하면 깨워 드릴게요."

"손 놓지 말고. 놓으면 깰 겁니다."

어둑어둑한 창에 비친 그가 피식 웃으며 그녀의 어깨에 머릴 기댄다. 시트에 기대 잠들 줄 알았던 그녀는 제게 안기듯 기대 온 그를 밀어낼 수 없었다. 건의 젖은 머리카락과 고른 숨결이 그녀의 목덜미와 턱 아래 피부를 간질인다. 포장이 고르지 않은 도로를 달릴 때마다 닿았다가 떨어지는 순간순간이, 그녀에겐 숨을 내쉬는 타이밍이었다.

"기사님, 클래식 같은 거 요란하지 않게 틀어 주실 수 있나요?"

결국, 긴장을 이기지 못한 그녀가 운전 중인 기사에게 부탁했다.

"어이구, 클래식 채널은 모르겠고 팝송 채널은 설정되어 있는데요."

"그럼 부탁드릴게요. 최대한 작게요."

기사는 본인만 믿으라는 듯 고개를 끄덕이며 스피커 볼륨을 서서히 줄였다. 비 오는 밤 어울리는 끈적한 재즈 팝이 들릴 듯 말 듯 귓가에 스민다.

유연은 그 작은 소음에 그제야 긴장을 풀고 편안하게 숨을 내쉬었다. 그러다가 불현듯 스쳐 지나가듯 룸미러를 통해 제 어깨에 기대어 잠든 남자의 얼굴을 보았다. 정말로 지쳐 있던 건지, 머리가 닿자마자 잠들어 버린 이건.

'장난인 줄 알았는데…….'

정말 피곤했나 보네. 하긴, 낮에는 기자회견도 하더라니.

에어컨 바람에 반쯤 마른 머리카락을 조심스럽게 쓸어 넘겨 준 그녀는 한숨이 나오려는 것을 꾹 참으며 고개를 젓혔다. 얼마나 버틸 수 있을까. 애초에 속일 수 있다는 생각 자체가 잘못되었던 걸까?

'나만 보고 싶었나? 나만 미칠 것 같았냐고 묻고 있는 겁니다, 지금.'

그저 그런 호기심이었으면 좋았으련만. 이렇게 머리만 닿았을 뿐인데 잠들 정도라면, 그간 제대로 된 잠 한숨 들지 못했다는 뜻.

그녀는 반듯한 이마와 이어진 콧날과 길게 뻗은 속눈썹, 뒤척일 때마다 드러나는 날렵한 턱선 아래 반듯하게 뻗은 몸의 실루엣을 관찰하듯 눈에 담았다.

지난번과 달라진 점을 찾으라면, 검은 옷을 입었다는 것과 조금 말랐다는 것. 그리고 입술을 뜯는 버릇이 생긴 것 같다는 점이었다.

유연은 조심스럽게 거스러미가 일어나기 직전의 입술을 더듬었다. 역시, 까끌한 피부가 손끝에 걸린다.

핸드백 안에 넣어온 립크림을 떠올린 그녀가 입술에서 손을 떼려 할 때였다. 그의 입술이 슬쩍 벌어지는가 싶더니, 그녀의 손가락을 잘근 깨물었다가 놓아주었다.

"단내가 나더라니."

"죄, 죄송해요. 입술에서 피가 날 것 같아 립크림을 발라드리려고……."

"아, 이거."

혀끝으로 거스러미가 일어난 부분을 핥은 그가 얼굴을 붉힌 그녀를 올려다보다가, 불쑥 물었다.

"혹시, 발랐습니까?"

"네?"

"조유연 씨는 립크림이라는 거 발랐냐고."

"아, 네. 저는……."

대답을 끝마치기도 전, 상체를 편 그의 얼굴이 닿을 듯 가까워지더니 움켜쥐고 있던 핸드백을 빼앗겼다. 당황해 빨갛게 달아오른 그녀의 얼굴을 바라보며 나직하게 속삭이는 그.

"걱정 마요. 이런 표정, 아무에게도 보여 줄 생각 없으니까."

그녀가 마땅한 대답을 찾을 틈도 없이, 입술이 포개졌다. 이른 아침 제 목덜미에 뿌렸던 향기가 어느 틈에 그의 입술로 옮겨 갔나 보다.

가슴속에 꽃잎이 너풀거리는 것처럼 간질댔다. 유연은 어쩐지 부끄러운 마음에 두 눈을 질끈 감으며 이건의 젖은 어깨를 움켜쥐었다. 핸드백으로 얼굴을 가린 채 뭉개듯이 눌렀다가 굳게 다물어진 틈새를 짓궂게 핥은 그가 피식 웃는다.

맞닿은 감촉만으로도 그의 미소가 고스란히 느껴졌다. 그녀의 당혹감을 즐기기라도 하는 건지, 아니면 정말로 이젠 무엇도 개의치 않을 생각인지. 사탕을 녹이듯 부드럽게 엉겨 붙던 입술이 잠시 떼어진 순간, 그녀는 뜨거워진 눈꺼풀을 들었다.

유연은 이 순간을, 지금의 찰나를, 자신을 바라보는 남자의 표정을 잊지 못할 것 같다는 생각을 했다.

"아직도 부족한가? 유연 씨가 봐 줘요. 립크림이 더 필요할지, 아니면…… 이대로도 괜찮을지."

다시 가까워진 그에게서 희미한 숲의 향기가 느껴졌다. 차창 밖으로 여전히 비가 내리고, 그녀는 빗줄기를 반사하는 까만 눈동자를 응시하다가 눈을 감아 버렸다.

"직접 확인해 보세요. 어른이니까요……."

이태는 인적 드문 갓길에 차를 세운 뒤, 황급히 차에서 내려 가까이에 생겨난 웅덩이에 손을 담갔다.

손바닥과 발목에서 타들어 가는 작열감이 느껴져 운전대를 잡을 수가 없었다. 불이라도 붙은 것처럼 뜨겁고 화끈한 감각이 이태에게서 강렬하게 스쳐 지나간다. 그는 고통에 신음하며 온몸의 솜털을 곤두세웠다.

"하! 완전히 소멸했나?"

기운이 사라졌다. 희미하게나마 남아 있던 이취마저 완벽하게 사라진 뒤 찾아온 고통. 이번엔 제법 공들인 놈이었기에 오래 버텨줄 줄 알았건만 기어이 소멸되고 말다니. 하지만 희생한 만큼, 수확도 있었다. 그는 시선을 내려 떠 아무것도 보이지 않는 자신의 손을 앞뒤로 살폈다.

"게다가 힘을 읽기까지……."

그는 양손으로 입을 가린 채 웃기 시작했다. 생각했던 것보다 훨씬 짜릿하고 끝내주는 힘이었다. 소름 끼치도록 우아한 그 눈빛이 진정한 귀안이었다니.

'조유연…….'

이태는 젖은 머릴 쓸어 넘기며 폭우가 퍼부어지는 하늘을 올려다보았다.

'하늘이 돕는구나, 나를.'

"재간이 열릴 겁니다. 그날은 꼭 참석해요. 끝나고 나와 갈 곳이 있으니."

건은 차에서 내리려는 유연의 손을 꽉 붙들고 놓아주지 않았다. 그에게 잡힌 손을 내려다본 그녀가 빨개진 뺨을 손등으로 누르며 고개를 끄덕였다.

"네."

"그리고 이사한다고 들은 것 같은데."

"네?"

"그날, 이사할 집 구했다고 하지 않았습니까?"

"아, 네. 구하긴 했지만, 아직 이사 날짜는 정하지 않았어요."

"이사하는 날 말해요. 짐 옮겨 주러 갈 테니까."

"저하께서요?"

믿기 힘들다는 듯 피식 웃는 그녀의 뺨이 발그레하게 물들었다.

어쩐지 편해 보이는 유연의 미소에 건은 또다시 입 맞추고 싶은 충동을 느꼈다. 하지만 지금은 지켜보는 눈이 너무 많다. 그녀의 집 앞에 택시가 멈춰 섬과 동시에 왕실 호위들의 차량이 택시를 에워싼 상태였다.

"그렇게라도 체력을 소모해야 하니까."

"조용히 오셔야 해요. 도둑 이사 할 거라서."

"도둑 이사?"

"아무에게도 말 안 할 생각이거든요. 그래도 도와주신다면, 도움은 거절하지 않겠습니다."

"조유연 씨."

이번에도 내리려는 그녀를 잡아챘다. 벌써 세 번째. 유연은 이번에도 웃음을 꾹 참았다. 그러자 한숨을 깊게 내쉰 그가 고개를 숙인다. 그러더니 항복하듯 그녀를 놓아주었다.

"이러다간 끝도 없겠군."

"저……."

"말해요."

"아까는 어떻게 오신 거예요?"

희미한 긴장감이 들어찬 그녀의 눈동자. 좁은 차 안에 잠시간 정적이 흐르고, 건의 입꼬리가 천천히 휘어 올라간다.

"왜요, 내가 조유연 씨 뒤만 졸졸 따라다니는 것 같습니까?"

"네? 아뇨, 그런 게 아니라……."

"소헌군이 알려 준 겁니다. 종종 암거래가 있었다고 하더군요. 누군가 RSA를 사칭해 작품을 유통한다고요. 그래서 확인하러 간 겁니다. 아우의 말이 사실인지, 왕실의 호감을 얻기 위한 수인지 궁금해서."

생각에 잠긴 그녀는 고개를 몇 번 주억인 뒤, 택시 뒷문을 활짝 열었다. 그러자 대기 중인 장은호가 우산을 씌우며 그녀를 에스코트한다. 이어, 그도 택시에서 내렸다.

"그럼 가 볼게요. 그런데 저기, 저하."

여전히 할 말이 남았는지 우물쭈물하던 그녀가 불쑥 다가오더니 까치발을 들어 그의 귓가에 속삭인다.

"키스한 거, 비밀로 해 주실 거죠?"

얼굴을 빨갛게 붉힌 채 난처한 투로 말하는 그녀의 목소리가 달다. 건은 저도 모르게 허리를 감싸 끌어안아 버렸다. 그러자 화들짝 놀라며 몸을 굳힌 그녀가 당황한 눈빛으로 그를 올려다본다.

"그런다고 해도, 없던 일이 되진 않을 텐데?"

"그래도요."

"내가 싫습니까?"

"아뇨! 그게 아니라……! 놔주세요."

"흠."

"저하!"

조금 더 몰아붙이면 울어 버릴 듯한 표정에 건은 웃음을 터트리며 그녀를 풀어주었다. 그러자 양손으로 뺨을 감싼 그녀가 꾸벅 인사하더니, 뒤도 돌아보지 않고 뛰기 시작했다. 덜컹거리며 열린 대문 너머, 뛰어 들어가는 그녀의 뒷모습이 멀어진다. 하지만 그녀가 향한 곳은 정문 현관이 아닌, 건물 외곽이었다.

유연의 뒷모습을 응시하던 이건은 언제 그랬냐는 듯 서늘한 눈빛으로 우혁을 돌아보았다.

"그림은?"

그러자 복잡한 표정으로 서 있던 우혁이 고개를 끄덕인다.

"회수했습니다."

건은 고개를 끄덕였다.

"그럼 오늘은 이만 해산하지."

"예."

"궁금한 건 가는 길에 물어. 질문 들어줄 테니."

"저하, 저 요즘 흰머리 납니다. 저하 때문에."

"왜."

심드렁한 답에 우혁이 입술을 삐죽이며 뒷문을 열었다.

"제발 계획이 있으시면 공유를 해 주십시오. 저하의 속을 정말 모르겠습니다. 오늘도 실은……."

그때였다. 두 사람의 지척으로 조급히 멈춰 서는 세단 한 대. 건은 택시 기사를 보낸 뒤 차에서 내려 다가오는 남자를 노려보았다.

"제 여동생이 간택에 참석한 최설아입니다!"

비를 쫄딱 맞으며 다가온 최준일은 다짜고짜 건에게 소리쳤다. 그에 왕실 호위들이 준일의 앞을 막아서려 했지만, 건이 손을 들어 허락했다.

"그렇습니까?"

"예. 저하께서 직접 초간의 승자로 선택한 아이입니다!"

"그렇군요."

건은 비스듬히 입꼬릴 비틀어 올렸다. 쏟아지는 빗물에 최준일의 낯빛이 파랗게 질려 간다. 세자의 냉소적인 반응에 자존심이 상한 준일은 치미는 패배감을 누르며 질문을 이어 나갔다.

"전부터 궁금했습니다. 제 비서와 무슨 사이십니까? 제 비서가 불편해하는 것 같은데, 착각입니까?"

하지만 티 나는 도발에도 이건은 태연하다 못해 여유로웠다. 되레 여유를 잃은 건 준일이었다.

"말씀 좀 해 보십시오. 제게 유연이는 가족 같은 사람입니다. 그런데 저하께서 함부로 하시는 거, 보기 안 좋습니다."

"최준일 씨야말로, 부하 직원의 사생활에 관심이 많으시네요."

"부하 직원이 아니라, 가족이라고 말씀드렸을 텐데요."

"그건 최준일 씨 생각이고."

성가시다는 듯 짧게 대꾸한 건은 얼굴에서 미소를 지운 채 돌아서 걸음을 내디뎠다. 바닥을 때리는 빗소리와 번져 버린 어둠이 스산하다. 스쳐 지나가는 이건의 뒤로 어금니를 눌러 물며 서 있던 최준일이 비아냥을 섞어 뇌까린다.

"유연이가 간택에 참석한 거, 순전히 저 때문입니다."

그제야 뒷좌석에 오르려던 세자의 걸음이 멎었다. 준일은 짧은 통쾌함과 함께 날카로운 자괴감을 느꼈다. 그럼에도 불구하고 멈추지 않았다.

"우리 유연이가 제 관심이 필요했나 봅니다. 걔가 어린애 같은 구석이 좀 있어서, 저하께 누가 되지 않을까 걱정하는 겁니다. 그러니 그 어리광, 치기. 받아 주지 마십시오. 유연이가 관심 끌고 싶어 하는 사람은, 저하가 아니라 접니다."

건은 자신만만한 표정으로 주먹 쥔 최준일의 얼굴을 빤히 쳐다보다가, 비식비식 새어 나온 웃음을 커다랗게 터트렸다.

"이런, 하하하!"

아예 배를 잡고 웃는 모습에 당황한 준일이 주위를 살피며 식은땀을 흘렸다.

"하하, 미안합니다. 최준일 씨, 대단한데요? 그거 나 드라마에서 본 거 같은데. 그 대사, 외웠습니까? 와, 멋있네요?"

"세자 저하!"

"설마, 아닙니까? 내가 착각했나? 드라마 제목이……."

"그런 게 아닙니다!"

어금니를 눌러 문 준일의 얼굴이 붉으락푸르락 난리가 난 걸 보며, 건은 순식간에 싸늘해진 낯빛으로 그에게 한 걸음씩 다가섰다. 웅덩이를 밟을 때마다 바짓단에 빗물이 튀어 오른다. 그리고 어느새 건은 우산 밖으로 걸어 나가 최준일과 붙어 섰다.

"아니라면, 그대가 감히 내게 뭐라 지껄인 겁니까? 받아 주지 마라……? 무엇을, 누구를?"

기 싸움에선 단 한 번도 져 본 적 없는 준일이었다. 하지만 이건을 마주한 그는 보이지 않는 힘에 압도된 것처럼 숨조차 제대로 쉬기 힘들었다.

"그런 의미는 아닙니다. 그저, 저하께서 휘둘리지 않을까 걱정이 되어……."

"걱정하지 마십시오. 조유연 씨에게는 휘둘려도 좋으니."

싸늘하게 웃어 보인 그는 우산을 든 호위들과 함께 다시 무표정하게 차량으로 이동했다. 최준일이 다시 달라붙으려 했으나, 익위들에 의해 막혔다. 그들은 더 이상 무례한 접근을 불허하겠다는 단호한 표정으로 최준일을 몰아세웠다.

건은 5년 뒤 경회루에서 보게 될지도 모를 얼굴들을 천천히 떠올렸다.

'하나같이 똑같은 인간들.'

갤러리 1층에 자리했던 그들의 눈엔 호기심과 두려움, 경외와 경계심이 골고루 섞여 있었다. 혹여 자신들에게 불똥이 튀지 않을까 두려워하면서도 비밀스러운 왕실을 향한 호기심으로 가득 찬.

"가지."

뒷좌석에 몸을 실은 건은 여전히 선명하게 남아 있는 손아귀의 감촉을 음미하듯 주먹을 쥐었다가 폈다.

축축했던 비늘의 감촉, 노란 눈.

“잠신한 이매를 내 눈으로 본 건 처음이었어.”

그의 중얼거림에 우산을 접은 우혁이 진지한 표정으로 목소릴 낮춘다.

“진짜 뱀이었습니까?”

“그래.”

“물어보니 박 팀장님도 이취를 맡지 못하셨다고 합니다. 어떻게 잠신한 이매를 보신 겁니까? 갑자기 귀안이라도 생기신 겁니까?”

생각에 잠긴 건은 한쪽 손을 주머니 안으로 찔러 넣으며 시트 깊숙이 몸을 묻었다.

“그것과는 달라. 형체를 보았다기보다는 감각으로 느낀 거였거든.”

“주상 전하께서는 알고 계시지 않을까요?”

“그러실지도. 결국, 찾아봬야겠군.”

“그런데 저하.”

“말해.”

“소헌군 마마와 조유연 씨가 꽤 오랜 대화를 나누셨다고 합니다.”

“알아.”

“그런데 마치, 알고 지내신 분 같았다고…….”

“착각이겠지. 소헌군은 몰라도, 조유연은 아니야.”

“그러겠지요. 하지만 귀안을 알아보는 건 소헌군 마마뿐입니다.”

건은 대답하는 대신 눈을 감았다. 그러자 보고를 마친 우혁이 보닛을 빙 돌아 차에 오르며 출발을 지시했다.

비가 그칠 기미가 보이지 않는 창밖을 응시하던 건이 창틀에 팔꿈치를 괴며 입술을 문지른다.

"그래서 조유연 씨의 어머니에 대한 건?"

우혁은 마치 예상했던 질문을 받은 사람처럼 태블릿의 파일 하나를 그에게 내밀었다.

"이분이십니다. 박혜란 님. 13년째 수면 상태이십니다. 서화의료원에 입원 중이시나, 치료 방법에 대해선 알려진 바가 없습니다."

"수면이라……. 식물인간, 코마. 이런 종류인가?"

"아뇨, 말 그대로 수면 상태이십니다. 저하, 그러잖아도 이 일로 상온 영감께서 드릴 말씀이 있다고 하셨습니다."

"상온께서? 상온이라면……."

"예, 망량주에 관한 일인 듯합니다."

건의 미간이 가볍게 찌푸려지고, 말아 쥔 주먹에 힘이 들어갔다.

"망량주라……. 그렇군. 망량주가 있었군."

집으로 뛰어 들어온 유연은 방문을 걸어 잠근 채 젖은 옷을 벗었다. 얼굴이 새빨개진 것도 모자라 가슴이 세차게 뛰어 댄다. 숨이 잘 쉬어지지 않는 기분이다. 마치, 고백을 들은 것 같다고 해야 할까?

그녀는 복잡한 마음에 고개를 절레절레 저었다. 이제는 제가 손 쓸 수 없는 시기에 다다른 기분이었다. 제가 아무리 도망치고 거짓말을 해도, 그의 손바닥 안이라고 해야 할까?

게다가 소헌군은 어째서……."

유연은 마른 옷을 챙겨 방을 나와 곧장 욕실로 들어갔다. 뜨거운 물이 나올 때까지 멍하니 서서 오늘 하루 일어난 일들을 하나둘 곱씹었다.

갤러리, 그림, 뱀 도깨비. 그리고 인증받지 않은 그림과 이매의 냄새를 덕지덕지 묻힌 왕실의 종친.

"하, 미치겠네……."

좋은 징조가 아니다. 할 수만 있다면, 건에게 소헌군이 가진 힘에 대해 말해 주고 싶었다. 이태는 자신이 아는 사람이라고.

과거, 그 아저씨처럼…….

'도깨비를 만들어요?'

'그래, 꼬마야. 나는 도깨비를 만드는 사람이야. 그러니 너희들 부모님 말씀 안 듣고, 맨날 놀기만 하면 무서운 도깨비가 잡으러 간다?'

아이들은 까르르 웃으며 거짓말이라고 손가락질했지만 유연은 아니었다. 그 자리에 얼어붙어 눈물만 펑펑 흘릴 뿐이었다.

'우리 꼬맹이 눈에는 보이겠구나. 아저씨 말, 진짜인 거 알지?'

상냥하고 다정한 화가 아저씨.

'아저씨 그림에 도깨비가 있어요.'

'어이구, 맞아. 아저씨는 도깨비를 만드는 사람이야. 하지만 말 잘 듣고 밥 잘 먹는 꼬마 아이들은 절대로 도깨비가 해를 끼치지 않아. 오히려 선물을 줄걸?'

'거짓말.'

'진짜야. 한번 물어볼래? 사슴 도깨비야, 나와 친구가 되어 줄래? 라고 물으면 돼.'

'싫어요!'

미국에서였다. 아버지의 사업 때문에 한 달 정도 미국에서 체류했고, 길에서 한인 아이들을 모아 놓고 그림을 그리며 동화를 들려주던 아저씨를 만났다. 그리고 처음으로 도깨비가 그려지는 모습을 생생하게 보고 말았다.

'우리 귀한 눈을 가진 꼬마 아가씨. 우리, 나중에 또 봐.'

아저씨는 상냥하게 웃었지만, 유연은 두려웠다. 아저씨의 손에 자라난 사슴 도깨비의 뿔, 그리고 얼룩. 그 모든 것이 그저 두려울 뿐이었다.

'같은 힘을 가진 건가.'

한 걸음 내디딘 그녀의 머리 위로 뜨거운 물이 비처럼 쏟아졌다. 유연은 비를 맞는 기분으로 눈을 감았다. 사람은 아주 오래된 일일지라도, 인상적인 부분들을 퍼즐처럼 조각내 기억하곤 한다. 그것은 무의식에 가까운 기억이었다.

뜨거운 여름, 땀, 그림 도깨비와 사슴뿔이 손에 난 아저씨. 13년 전의 일은 기억하지 못하면서, 그보다 오래된 일을 선명하게 기억한다는 것은 우스웠지만 사실이다.

그것은 어쩌면 무의식이 가진 힘. 그 무의식에 거짓의 조각이 섞여 있지 않다면, 이태라는 남자는 그 아저씨와 같은 힘을 가진 사람일 가능성이 컸다. 귀한 눈을 알아보고, 도깨비를 만드는 힘을 가진.

'그럼, 왜 그 남자는 거짓말을 하는 걸까?'

그것도 그 스스로 창조해 낸 도깨비를 신고해 가면서까지.

불현듯 찾아온 의문에 유연은 눈을 떴다. 분명, 그 뱀이 잠신한 그림은 이태의 작품이었다. 그런 남자가, 자신의 작품을 직접 RSA에 제보했다고? 숨기지는 못할망정?

'대체 무엇을 위해서……?'

뿌연 수증기로 가득한 욕실, 거울을 손바닥으로 닦아 내자 물에 젖은 생쥐 꼴을 한 제 모습이 보인다.

그녀에게 도깨비는 언제나 두려움의 존재였다. 지금껏, 본능적으로 힘이 약한 놈들을 알아보긴 했지만, 손을 뻗어 만져 볼 수 있을 만큼 만만했던 적은 없었다. 하지만 오늘, 그 도깨비는 달랐다. 이취도 없었으며 두렵지 않았고, 제가 말을 붙이면 대답을 할 것 같은 눈빛을 하고 있었다. 마땅한 단어로 설명할 수는 없지만, 생명을 가진 것 같았다고 해야 할까?

그랬던 뱀이 이건을 보자마자 기세를 바꾸었다. 기다렸다는 듯 살의를 드러내더니 기어이 눈에 띄어 소멸의 길을 걸었다.

'그래서 알아챈 거겠지……? 예민한 남자니까.'

고개 숙인 그녀는 하수구 안으로 휘몰아쳐 빨려 들어가는 물줄기를 찌푸린 눈으로 노려보았다. 그러다가 물 온도를 조금 낮추어 뱀과 닿았던 손에 거품을 일으켜 벅벅 문질렀다.

'하필 그때 나타날 게 뭐야.'

미지근한 물 때문인지, 달아올랐던 피부의 온도가 조금씩 낮아지고 있었다. 세자와의 첫 번째 키스가 실수였다면, 두 번째는 충동이었고 세 번째는 자의였다. 그에게서 멀어지겠다고 마음먹었음에도 불구하고, 도저히 밀어내지 못하는 중이다. 저도 모르게 눈이 가거나 가슴이 두근거리고, 말 한마디를 반박하지 못한 채 이건이라는 남자에게 손쓸 수 없이 이끌리고 휩쓸리는 중이었다.

이것도 만일, 눈이 가진 힘 때문이라면…….

"이래서야 최설아한테 거짓말만 한 꼴이잖아."

양 뺨을 감싼 그녀의 얼굴이 빨갛게 달아올랐다. 뻔뻔한 거짓말쟁이가 된 것 같아서 얼굴이 화끈거렸다.

복잡한 기분으로 샤워를 마친 그녀가 젖은 머리카락을 수건으로 두른 채 욕실을 나섰을 때였다. 응접실이 있는 1층에서 집기 부서지는 소리가 지하까지 떠밀리듯 들려왔다.

"어머나, 전무님!"

연우 아주머니의 비명으로 소란을 일으킨 주인공이 누구인지 알게 되었지만, 올라가서 직접 확인하고 싶지 않았다. 분명 양평에서의 일 때문에 화가 난 거겠지.

유연은 최준일의 행동들을 이해할 수 없었다. 그는 자신과 깊은 사랑을 나누었다고 생각하지만, 그녀는 아니었다. 그녀는 최준일에게서 보듬어지는 안온함을 느껴 본 적이 없었다. 항상 아쉬워하는 쪽은 자신이었고, 그는 항상 여유로웠다. 얼마쯤의 거리, 죽지 않을 만큼의 애정을 던져 주는 것으로 그는 도리를 다했다고 생각하는 남자였다. 그래서 준일이 서연아를 약혼녀로 소개할 때 올 것이 왔다는 생각을 했고, 미련 없이 마음을 닫을 수 있었다.

'그런데 왜 지금에 와서…….'

젖은 머리카락을 꾹 눌러 짜며 드라이기를 꺼내던 그녀는 지하 계단을 걸어 내려오는 발소리에 긴장했다.

"최준일!"

하지만 준일은 최 회장의 고함으로 인해 지하에 다다르지 못한 채 멈춰 섰다.

유연은 선반에 놓인 드라이기를 들고 방으로 들어갔다. 그러곤 소리 없이 문을 잠그고, 감옥 같은 주위를 둘러보았다.

'답답해…….'

10년 넘게 지내 온 자신의 공간이었지만, 숨이 잘 쉬어지지 않았다. 유연은 답답한 가슴을 가볍게 툭툭 두드렸다. 하루라도 빨리 이곳을 벗어나야 할 이유가 오늘도 하나, 늘어났다.

"오빠는요?"

설아는 겁에 질린 얼굴로 1층을 흘깃거리며 박 여사님에게 물었다. 빨랫감을 옮기던 여사님이 어색하게 웃으며 설아의 어깨를 다독인다.

"걱정 말고 들어가 쉬어요. 회장님이 잘 말리셨어요."

"많이 맞았어요?"

"그렇죠, 뭐."

"왜 그런 건데요?"

"그건 저도 잘……."

난처한 표정의 박 여사는 질문을 피해 계단을 내려갔다. 엉망이 된 응접실을 내려다보며 서 있던 설아는 준일이 들어간 1층 서재를 노려보았다.

하나뿐인 오빠는 제게 항상 다정했다. 물론 조유연이 관련되어 있을 때는 가끔 냉정하게 굴기도 했지만, 설아는 팔불출 최 회장보다 무심한 듯 다정한 준일을 더 좋아했다. 그래서 요즘 들어 유난히 난

폭해진 준일을 더욱 걱정하는 중이었다.

'설마, 또 조유연 때문 아니야?'

이어 서재 문이 열리더니 입가에 맺힌 피를 닦으며 걸어 나오는 준일이 보였다. 화들짝 놀란 설아가 후다닥 계단을 뛰어 내려가 준일을 부축한다.

"오빠, 괜찮아?"

입가에 상처를 매단 준일은 굳은 얼굴로 설아의 손을 떼어 냈다.

"네가 궐에 들어가겠다고 고집 피운 거였어?"

처음 보는 싸늘한 어투에 설아는 말을 더듬었다.

"어?"

"설아야, 네가 정말 세자빈이 될 거라고 생각해? 유연이를 끌어들여서 만든 자리에! 네가 들어가 앉을 수 있다는 멍청한 생각을 하는 건가?"

준일이 험악하게 소리쳤다. 계단참에 멈춰 선 설아는 아무런 대답도 못 한 채 두 눈만 크게 떴다. 그러자 설아의 양팔을 강하게 움켜쥔 준일이 아득바득 이를 갈며 떨리는 입술을 비틀어 올린다.

"정신 차려……. 제발, 유연이 끌어들이지 마."

"오빠……. 오빠, 왜 그래. 어떻게 나한테 그런 말을 해?"

"한심해서. 넌 유연이가 아니야, 설아야."

준일의 독설에 익숙하지 않은 설아의 눈에서 커다란 눈물이 후드득 떨어졌다. 평소였다면 곧장 울음을 달래 주었을 그였지만, 오늘은 피곤한 표정으로 그녀를 버려두고 계단을 올라간다. 그 뒷모습을 망연하게 올려다보던 설아는 걱정스럽게 지켜보는 사용인들의 시선에 얼굴을 가린 채 방으로 뛰어 들어갔다.

"뭐야, 뭐냐고! 한심해? 내가? 아악!"

악에 받친 그녀는 침대 위에 놓인 쿠션과 베개를 몽땅 집어 던진 뒤, 선반에 놓여 있던 핸드백까지 바닥으로 내팽개쳤다. 그래도 분이 풀리지 않았다.

"유연이가 아니라고……?"

제까짓 게 뭔데!

손가락 마디에 쥐가 난다. 시간이 지날수록 더욱 잦게 찾아오는 통증은 피아노 앞에 앉는 것조차도 두렵게 만들었다. 이러다가 피아노를 완전히 포기해 버리면, 결국 남는 건 패배자라는 수식어뿐. 손가락질하며 수군댈 사람들의 모습이 눈에 선했다.

얼마나 우습게 보일까? 아마 꼴 좋다며 선 시장의 매물이 될 자신을 건어물처럼 씹어 대겠지. 그래서 세자빈이 되고 싶었다. 어차피 가차 없이 씹힐 거라면, 대한민국에서 제일 값어치가 높은 매물이 되고자 했던 것뿐이다.

'누가 그런 거지 같은 계집애를 부러워해? 귀신이나 보는 병신 같은 게……!'

분을 이기지 못해 부들부들 떠는 설아의 눈에 얇은 한지에 싸인 알사탕 하나가 보였다. 모양은 영락없는 사탕이었지만, 사실 정체가 의심스러워 가방에 넣어 두고 잊고 있던 것이었다.

'믿게 될 겁니다. 이걸 드신 뒤, 날 믿고 싶은 마음이 들면 그땐. 건방지게 굴지 말아요.'

거친 숨만 몰아쉬며 빼근한 손을 꾹꾹 주무르던 설아는 무언가에 홀린 듯 남자가 준 사탕을 주웠다. 얇은 종이를 벗기는 손이 의지와 달리 덜덜 떨린다.

"이걸…… 먹으면 된다는 거지?"

「태백이 술 실러 가더니, 달 지도록 아니 온다. 오는 배 귄가 보니 거물 실은 어선이로다. 아희야, 잔 씻어 놓아라. 하마 올까 하노라. 〈작자 미상〉」

밤새 내리던 비가 그치고, 구름 한 점 없는 하늘이 창창하게 드리운다. 궐내, 사온서(司醞署)에 잘 익은 누룩 냄새가 쿰쿰하게 번지고, 고두밥 짓는 흰 김이 쉼 없이 솟아오른다.

"세자 저하를 뵙습니다."

사온서 벽면에 새겨진 작자 미상의 시조를 바라보고 서 있던 이건의 곁으로 누군가가 다가왔다.

"오랜만입니다, 상온 영감."

"저하께옵서 술을 즐기지 않으시니 이리 얼굴 뵙기가 쉽지 않습니다."

"그래도 향온주는 종종 반주로 곁들이고 있습니다."

"허허, 더욱 신경 써야겠습니다."

건은 화로에 올려진 은솥들을 둘러보며 사온서의 관리자들과 함께 걸음을 옮겼다. 엄격하게 관리되는 내실의 보안 문 앞에 서자, 상온이 직접 비밀번호를 입력한다. 사온서 내부로 깊숙하게 들어갈수록 보관되고 있는 술의 가치는 높아졌다.

사온서에서 빚어지는 술은 대부분 약으로 쓰이거나, 왕실을 방문한 국빈들을 위해 사용되었다. 그러나 사온서가 현존하는 진짜 이유는 따로 있었다. 신선이 빚은 도화주에 버금가는 달콤함, 고통스러운 기억을 지우고 평온한 삶을 살 수 있게 돕는다는 망량주(酒). 그것은 도깨비의 장난질에 화를 당한 사람들에게만 허락되는 것으로, 주상이 직접 관리하고 제중원장이 지목한 이들에게만 사용되는 신비의 술이다.

하나, 망량주를 빚는 건 아무나 할 수 있는 일이 아니었다.

"대비마마께옵서 승하하신 지 5년입니다. 그간, 술을 빚지 못한 터라 이제 곧 바닥을 보일 겁니다. 저하, 방도를 찾으셔야 합니다."

상온의 말에 건은 투명한 유리관 앞에 멈춰 섰다. 역대 임금의 어진에 둘러싸인 내부. 거대한 유리관 너머에 흠결 없이 완벽한 백자 한 병이 놓여 있었다.

귀하디귀한 3급 영루를 사용해 빚는 도깨비의 술, 망량주.

'그래, 망량주가 있었지.'

건의 입꼬리 끝이 비스듬히 호선을 그린다. 그녀가 자신을 기억하지 못한다는 걸 알게 되었을 때부터 의심했어야 했다. 그럼에도 망량주를 떠올리지 못한 이유는 하나다. 도깨비에게 해를 입은 건 그녀가 아니라, 그녀의 부모였기 때문이었다. 그러니 조유연에게 제중원에서 망량주를 처방했을 리는 없을 거라는 막연한 믿음이 있었다.

"상온 영감, 궁금한 게 있습니다. 망량주의 처방은 누가 담당하는 겁니까."

"그야 제중원장이 주상 전하께 허가를 받아 처방을 내리지요."

"그럼, 망량주의 효과는 어디까지입니까. 어디까지 기억을 지울 수 있죠?"

뜻밖의 질문에, 막 3급 영루를 꺼내 온 상온이 고민에 빠진 표정으로 대답한다.

"사람마다 다릅니다만, 누군가는 화를 입은 순간만을 잊는 경우가 있고, 누군가는 이매와 관련한 많은 것들을 잊는 예도 있습니다. 하지만 다른 기억은 보존되는 터라, 딱히 불편함 없이 잘 지냅니다."

"그럼, 이매와 관련된 사람에 관한 것도 잊을 수 있습니까?"

"예. 관련이 크다면 잊어버릴 수 있습니다."

"그럼, 부작용은?"

"현재까지 보고된 바에 따르면, 잘못 섭취했을 경우 깊은 수면에 빠지는 정도입니다. 하지만 대체로 6개월 이내에 정신을 차리는 편이라 크게 문제는 없었습니다. 어떤 연유로 여쭈시는지요?"

만일 13년 전 조유연이 망량주를 마신 거라면. 그녀의 모친이 부작용으로 인해 지금껏 수면 상태에 빠져 있는 것이라면……. 수면 기간이 지나치게 길지만, 확인해 볼 필요가 있다.

건은 굳어 있는 우혁을 돌아보며 나직하게 지시했다.

"명단을 가져와, 이 실장."

"저하, 명단은 주상 전하께옵서 직접 관리하십니다."

"그럼 13년 전. 박혜란 씨가 최초로 입원한 곳이 어딘지부터 알아내면 쉽겠군."

"그리하겠습니다."

"망량주를 마신 사람들의 사후 관리에 대해서도 알아보고."

"예."

고개를 가볍게 끄덕인 건은 서늘한 미소를 머금은 채 다시금 술병으로 시선을 옮겼다.

"저, 세자 저하. 실은 어려운 부탁이 있어 뵙기를 청하였습니다."

그러자 대화가 끝나기만을 기다리던 상온 영감이 어렵게 말을 연다.
“말씀하십시오.”
“간택제를 이용해 부탁을 드리려 합니다.”
“간택제를?”
담담히 돌아선 세자의 앞으로, 상온이 내민 것은 비단 함에 든 3급 영루 두 조각이었다. 3급 영루는 최상급 이매를 소멸시킨 대가로, 가치 환산 자체가 불가능한 보물이나 다름없었다.
투명한 색의 영루를 가만히 내려다보던 건의 입술이 살짝 비틀렸다.
“상온 영감, 혹…… 이번 재간택에 망량주조를 열 생각입니까?”
건의 질문에 상온의 얼굴에 희미한 미소가 피어난다.
“저하, 대비마마께옵서 승하하시고 환자는 늘어나는데 술의 양은 턱없이 모자랍니다. 궐에 소문이 파다합니다. 귀한 눈을 가진 분을 찾으셨다고요. 편법이지만, 급한 대로 그분의 도움을 받고 싶습니다.”
건은 상온이 내민 영루를 집어 들었다. 이것은 몇 년 전 서울 일대에 싱크홀을 만들어 낸 최상급 이매에게서 얻어 낸 것이었다. 갑작스럽게 생긴 싱크홀에 빠져 중상을 입은 이들만 일곱.
건은 당시를 떠올리며 무의식중에 미간을 구겼다.
“비빈이 아니어도 가능하다?”
“실은, 시도해 본 적이 없어서 저도 자신은 없습니다. 하나, 저하께옵서 혼례를 올리실 때까지 기다리기엔…….”
상온은 고개를 푹 숙인 채 건의 대답을 기다렸다. 생각에 잠겨 있던 건은 영루를 내려놓으며 선뜻 상온의 청을 받아들였다.
“좋습니다. 그럼 이번 재간택의 시험은 망량주조로 하죠. 제법 재미있는 시합이 될 듯하네요.”

더 캐슬

VOL. 1 The Castle

CHAPTER 8

재간택

8

재간택

"제조상궁 마마님! 들으셨어요? 재간택 날짜가 잡혔답니다!"

상의원에 들러 새로 들어온 옷감을 둘러보려 했던 서 상궁의 걸음이 멎었다. 막 생각시를 벗어난 아영이 잔뜩 들뜬 얼굴로 뛰어와 헐떡인다.

"날짜가 잡혔다니. 어디서 들은 게냐."

"나흘 전에 세자 저하께서 사온서에 들르셨다고 합니다. 재간택의 종목을 망량주조로 하신다고요!"

"망량주조?"

"동주가 직접 들었대요. 상온 영감께서 부탁하셨다고 하던데요?"

"허, 상온 영감께서 급하셨군. 알았다. 내가 직접 세자 저하를 만나 뵈마."

"예, 마마님."

망량주조라니.

'아무리 망량주가 급하다 한들, 이리 편법을 쓰시다니요.'

서 상궁은 한숨을 깊게 내쉬며 걸음을 빨리하였다. 지난번 초간택에는 종친의 입김이 패를 뒤집었으나, 이번엔 절대로 호락호락 넘어가지 않을 것이다.

'서 상궁. 나 죽거든, 우리 건이를 부탁하네. 의언군에게는 귀안을 알아보는 눈이 있어. 만약 앙심을 품었다면 훗날 세자빈의 자리를 위협하려 하겠지. 모두 다 내 업보일 테지만, 나는 주상을 위하여 그리할 수밖에 없었네.'

'대비마마, 걱정하지 마십시오. 소인, 절대로 삿된 속임수에 넘어가지 않겠습니다.'

'자네만 믿네. 주상은 아무것도 몰라. 내, 아무것도 말하지 않았어. 그저 불쌍한 제 아우가 여인과 함께 멀리 도망쳤다고만 생각하겠지.'

'국본을 시해하려 한 죄는 엄벌로 다스려야 합니다!'

'그런 시대는 지났네. 그러니 자네는 나처럼 속지 말고, 진짜 귀한 눈을 가진 아이를 찾아내. 찾아내어서 궐에 들여. 그래야 이 업이 끝이 날 것이야.'

그것은 대비의 마지막 유언이나 마찬가지였다. 대비와 같은 눈을 가진 여인. 궐의 진짜 주인이나 다름없던 그분과 같은 눈을 가진 여인을 기필코 찾아내고 말 것이라며 대비의 어진 앞에 다짐했다.

서 상궁은 상의원으로 향하던 걸음을 동궁전 방향으로 바꾸었다.

"내, 간택에 참여한 여인들의 명단을 다시 한번 살펴야겠어. 내 방에 그네들의 이력서를 가져다 놓게."

서 상궁의 지시에 뒤따르던 일반 상궁 장 씨가 고개를 조아린다.

"그럼, 지난번 불참하였던 조유연이란 분은 어찌할까요. 저하께옵서 직접 처녀단자를 요구하신 분이십니다."

묘하게 세련되고 고아한 이미지가 퍽 기억에 남는 여인의 얼굴이 떠올랐다. 억지로 실수를 저지르며 점수를 깎아 먹으려 했던 괴이한 여인. 세자 저하의 첫사랑이라고 했던가? 게다가 세자 저하는 그 여인이 귀한 눈을 갖고 있다는 확신을 하고 계셨다. 분명 연유가 있을 터.

행태가 마음에 들진 않았으나, 조유연이란 여인이 궁금했다. 어떤 여인이기에 얼음장 같던 세자 저하의 혼을 쏙 빼놓은 것인지.

"그 여인은…… 그날, 이 궐에 있었네. 그러니 최소한 실격은 아니지. 그러니 그 여인에 대해서도 자료를 가져오게."

집에 대한 감상은 한마디로, 완벽했다. 유연은 곰팡이 하나 없이 깨끗한 도배지와 환한 색의 바닥 타일, 그리고 새것이나 다름없는 싱크대를 둘러보며 기쁜 표정을 감추지 못했다.

[어때요, 아주 깔끔하죠?]

부동산 중개인의 목소리에 뿌듯함이 잔뜩 묻어난다.

"네, 너무 좋은데요? 그럼, 오늘부터 이곳에서 지내도 되는 거죠?"

[그럼요, 입주 청소는 내가 서비스로 했어요. 거, 확정일자 받는 거 잊지 마시고. 부자 되세요!]

"고생하셨어요, 고맙습니다."

전화를 끊은 그녀는 기쁜 마음에 입술을 잘근잘근 깨물었다. 그러곤 떨리는 마음으로 창가에 다가섰다. 20평대 초반의 작은 빌라 4층. 방 두 개에 거실 하나, 그리고 주방과 욕실까지. 어찌 보면 평범했지만, 그녀에겐 가장 필요한 평범함이었다.

유연이 무리해서라도 이곳을 계약한 이유는 주방 베란다에서 곧장 옥상으로 올라갈 수 있는 계단이 있었기 때문이었다. 주인은 쓸모없는 옥상이라고 했지만, 퇴원 후 집에 있을 엄마를 위해서라도 필요한 곳. 그곳에 작은 테이블과 의자를 두면, 지금껏 세상과 단절되어 지내던 엄마에게 큰 위로가 될 것이다. 그날이 언제가 될지는 몰라도, 유연은 엄마에게 자유를 선물하고 싶었다.

"조유연! 문 좀 열어 봐!"

멍하니 창밖을 내려다보던 그녀는 현관문 밖에서 들려온 민주의 목소리에 서둘러 문을 열었다. 그곳엔 짐 상자를 든 민주와 민주의 애인 동현이 땀을 뻘뻘 흘리며 서 있었다.

"같이 들지!"

"에이, 우리 오빠가 있는데 네가 왜? 이거 다 옷이지? 어디에 둘까?"

대체 언제 다 옮긴 건지. 현관 앞에는 민주의 차에 싣고 왔던 짐들이 모두 옮겨진 상태였다. 승강기도 없는 4층을 몇 번이고 오르내렸을 두 사람의 모습에 유연은 몸 둘 바를 몰라 했다.

"에어컨, 에어컨."

"어어! 그거 그냥 아무 데나 놔. 내가 천천히 정리할게."

"오빠! 그거 방 한구석에 쌓아 두자."

"어! 그래그래, 유연 씨. 그냥 있어요, 나 힘 좋아. 내가 할게요."

정신이 하나도 없었다.

일단 에어컨을 튼 뒤, 민주와 동현이 옮겨 준 박스를 방 한쪽에 차곡차곡 쌓아 두었다. 아직 가구도 들이지 않은 데다가 도둑 이사나 다름없었기 때문에 땀을 흘리며 짐을 옮긴 세 사람은 결국 바닥에 주저앉았다.

“와, 진짜 짐 별로 없는데 왜 이렇게 힘드니?”

유연은 편의점에서 사 온 음료를 민주와 동현에게 건네며 박스 안에 든 방석을 꺼내 깔았다.

“엘리베이터가 없어서 그래. 고생했어, 정말 고마워. 동현 씨도요, 너무너무 고마워요.”

“에이, 우리 민주 절친이신데 이 정도는 해야죠. 짐꾼으로 부려 먹어도 됩니다. 다음 가구 들어올 때는 제 친구 놈들도 데려올게요.”

“가구는 어차피 하나씩 들여올 거라, 일하러 오지 마시고 식사하시러 오세요. 둘 신혼여행 다녀오면 제대로 대접할게요.”

“오! 그럼, 기대하겠습니다.”

“네네.”

천장에 설치된 시스템 에어컨이 있어서 그나마 다행이었다.

담배 한 대를 태우고 오겠다며 동현이 옥상으로 올라간 사이, 집 안 곳곳을 둘러보던 민주가 다가와 불쑥 유연의 팔을 잡아끌었다.

“너, 이제 말해 봐. 너 나한테도 자꾸 숨길래? 그날 사진 찍힌 거 분명히 너 맞는데 자꾸 피하더라?”

민주가 말하는 그날이란, 세자빈 후보라며 매스컴에 얼굴이 잔뜩 팔린 날이었다. 난감한 표정이 된 유연이 어색하게 웃으며 차가운 벽에 기댔다.

“그거 나 맞아. 근데 기사가 좀 과한 면이 있어. 나 간택제 나가는 건 맞는데, 세자빈 되고 그런 건 아니야.”

“야! 어머머! 조유연, 너 그걸 왜 지금 말해!”

유연은 민주의 비명에 양쪽 귀를 틀어막았다.

이럴 줄 알았지. 이렇게 들떠 소리칠 줄 예상했기에 화제 삼고 싶지 않았다. 게다가 왕세자와의 관계가 묘하게 변해 버렸다. 그때와는 다른, 일종의 썸을 탄다고 해야 할까?

유연은 찾아온 현실감에 양손으로 얼굴을 감싸 쓸어내렸다.

'그래, 나 지금…… 왕세자랑 썸 타는 거야? 밀당하는 거였나?'

하지만 민주는 한숨을 푹푹 내쉬는 유연이 이해되지 않는다는 표정으로 소리를 빽빽 질렀다.

"세자빈은 네가 정하냐? 그거 왕실에서 정하는 거잖아! 너 거기 나갔으면 가능성 있는 거잖아. 안 그래? 나 같으면 무조건 직진이지!"

"무슨 직진을 해. 말이 되니, 내가?"

"네가 뭐가 어때서? 얼굴 예뻐, 학벌 좋아. 게다가 대기업 과장인데. 나는 네가 뭐 빠지는 게 없다고 보는데? 최설아는 집안 말고 볼게 뭐 있는데? 피아노, 그것도 돈으로 치는 거 아니야?"

"에이, 피아노를 돈으로 치는 건 아니지. 설아, 피아노엔 진심이야. 그리고 세자빈이 되고 싶은 건 설아고, 나는 들러리."

제 입으로 들러리라 말해 놓고 기분이 이상했다. 거짓말을 한 것처럼 입안이 쓰고 떫다. 양심의 가책까지 느껴져, 도저히 민주의 얼굴을 똑바로 볼 수가 없었다.

"또 거짓말하네."

이것 봐. 얘는 날 너무 잘 알아.

"뭐가."

뚱하게 되묻자, 쯧쯧 혀를 찬 민주가 차가운 바닥에 털썩 드러누웠다.

"아무 이유 없이 네가 들러리를 하겠냐? 뭐 있지?"

"아니, 아무 이유 없어."

"조유연."

"우리 짜장면 시킬까?"

유연은 민주의 말을 끊어 버리고는 자리에서 벌떡 일어났다.

"너 자꾸 나한테 비밀 만들어?"

"비밀이 아니라, 아직 확실하지 않아서 그래. 조금 더 시간을 줘. 나중에 다 말해 줄게."

"너, 진짜."

때마침 동현이 옥상에서 내려온 덕분에 민주는 더 이상 묻지 않았다. 셋은 머리를 맞대고 배달시킬 음식을 정했다.

비가 그친 하늘이 유난히 맑다. 유연은 다시 창가로 다가가 맑은 하늘을 올려다보았다. 매일 보는 하늘이지만, 감회가 새로웠다.

'이사하는 날 말해요. 짐 옮겨 주러 갈 테니까.'

우스갯소리로 넘겼지만, 그는 진심이었을 것이다. 그래서 연락하지 못했다. 하물며 전화번호도 저장조차 하지 못했는걸?

'어떻게 부탁을 해. 세자 저하한테.'

그가 제게 보이는 감정이 일회성 호기심 따위가 아니라는 것을 느낄 때마다, 점점 잊어버린 기억이 궁금해졌다.

사고를 당한 건 부모님이었다. 아무리 사고의 순간을 눈앞에서 목격하였다고 해도 그 충격이 이토록 오래 지속될 수 있을까? 기억상실이 올 정도로……?

휴대 전화를 만지작거리며 멍하니 창밖을 응시하던 그녀의 휴대 전화가 울렸다. 평소 제게 연락해 올 일 없는 설아의 매니저 송재익이었다.

"네, 매니저님."

의아한 마음에 통화버튼을 누르자, 수화기 너머 다급한 목소리가 넘어온다.

[설아가 연락이 안 됩니다. 집에도 없고요, 제 전화도 안 받아요! 유연씨는 어디에 있는지 알아요? 오늘 공연관계자랑 미팅 있거든요. 얘가 이렇게 잠수 탈 애가 아닌데. 하, 미치겠네.]

“저기 매니저님. 집에도 없다고요? 설아 혼자 어디 가고 그런 애 아닌데…….”

[그러니까요! 짐작 가는 곳이 한 군데도 없어요. 하…… 어떻게 하죠? 유연 씨 정말 모르세요?]

“일단, 제가 전화해 볼게요. 너무 걱정 마세요. 설아도 어른이잖아요.”

[설아, 요즘 많이 아프잖아요. 우울증도 심하고, 이러다가 큰일 내는 거 아닌가. 저 정말 미치겠어요, 유연 씨.]

“네, 매니저님 마음 알겠어요. 기다려 주세요, 제가 연락 드릴게요.”

유난히 설아에게 약한 매니저라는 건 알고 있었지만, 이 정도일 줄 몰랐다.

민주와 동현이 배달 음식을 받는 동안, 유연은 방으로 들어가 설아에게 전화를 걸었다. 첫 번째 통화는 불발. 두 번째는 다행히 전화를 받았지만, 상태가 조금 이상했다.

“여보세요? 설아야.”

[…….]

“최설아? 너 어디야? 설아야, 송재익 씨가 걱정해. 너 어딘데 말도 없이…….”

[나 좀 데리러 와.]

"뭐? 지금 재익 씨 보낼까?"

[아니, 네가 와. 나 여기 궐이야. 미술관 예화……. 너, 이런 걸 보면서 살았구나?]

순간 등골이 오싹해지고, 머리 꼭대기부터 발끝까지 소름이 돋았다. 이런 거라니? 대체 얘가 미술관에서 무슨 짓을…….

"너 무슨 일이야. 지금 누구랑 있어?"

[혼자 있어. 유연아, 나 무서워. 흑…… 이게 뭐야!]

맙소사, 설마…….

"기다려, 기다려. 내가 갈게, 기다려, 최설아. 기다려!"

펜 뚜껑을 닫은 이건의 손등에 블라인드 사이로 스며든 빛이 드리운다.

미술관 예화에 마련된 건의 집무실은 흰색에 가까운 마감재와 스틸 프레임 가구로 채워진 모던한 곳이었다. 경복궁 내 유일한 현대적인 건물이자, 그가 가장 오랜 시간을 보내는 곳.

'귀안을 경험했다니. 잠신한 이매를 보았다는 것이야? 그것이 정말이냐?'

'아버지께서는 경험해 본 적 없으십니까?'

'어찌, 귀안을 갖지 않은 자가 잠신한 이매를 본단 말이냐. 혹, 헛것을 본 것이 아니고?'

'이취도 없고, 힘도 없는 놈이었습니다. 잠신한 이매가 확실했습니다.'

'허, 어찌 그런 일이…….'

건은 가라앉은 표정으로 의자에 몸을 묻으며 고개를 젖혔다.

헛것일 리 없다. 분명 눈으로 보았고, 감각으로 느꼈으니까. 하지만 설명할 방법 또한 마땅하지 않았다.

의심스러운 점이라면, 그녀가 곁에 있었던 상황이라는 것. 하지만 곁에 있었다는 이유만으로 이매를 본다는 게 납득이 되는가?

"저하."

생각에 잠겨 있던 그를 부른 건, 어느새 집무실 안으로 들어온 우혁이었다.

"무슨 일이야."

건의 질문에 난처한 표정을 한 우혁이 옆으로 비켜서며 고개를 숙였다.

"미술관에 조유연 씨가 오셨습니다. 알려드려야 할 것 같아서요. 그리고 최설……."

"그걸 왜 이제 말해."

우혁은 제 말이 끝나기도 전, 벌떡 일어나 채비하는 세자를 보며 한숨을 푹 내쉬었다.

"최설아 씨도 계십니다. 훨씬 전에 오신 것 같은데 오늘 방문객이 많아 보고가 늦었습니다. 죄송합니다."

최설아를 찾는 건 쉬웠다. 궐에 들어서자마자 어디선가 장은호가 뛰어왔고, 기다렸다는 듯 예화로 안내했다.

최설아는 이미 궐내에서 유명인이었다. 초간택의 우승자이자 유력한 세자빈 후보. 그런 여자가 사색이 되어 미술관 한복판에서 울고 있었으니, 사람들의 이목을 끌고도 남았을 것이다.

"겁먹으신 것 같습니다."

장은호가 덩치에 걸맞지 않게 걱정스러운 어투로 말하곤 미술관 구석을 흘끔 보았다.

"신경 써 주셔서 고맙습니다. 이제 제가 알아서 할게요."

"예, 필요하신 거 있으면 말씀하시고요."

유연은 애써 웃으며 설아에게 다가갔다. 설아는 미술관 구석 벤치에 앉아 몸을 웅크린 채였다. 곁을 지키던 미술관 직원이 유연을 발견하곤 안도한 얼굴로 비켜선다.

"설아야."

그녀는 설아의 어깨를 가볍게 두드렸다. 무릎을 모은 채 얼굴을 묻고 있던 설아가 번쩍 고개를 들더니, 눈물이 그렁그렁한 얼굴로 와락 안겨 왔다.

"너 왜 이렇게 늦었어!"

휘청인 그녀는 당황한 마음을 누르며 설아를 다독였다.

"무슨 일이야. 너 왜 이래?"

"흑…… 흑, 무서워. 너무 무서워. 여기, 이상한 게 너무 많아."

미치겠네.

유연은 오열하는 설아를 다독이며 주위를 둘러보았다. 벽에 걸린 몇 개의 작품에서 봉인된 그림 도깨비의 흔적이 느껴진다.

설아에게는 귀안이 없고, 당연히 보일 리도 없었다. 하지만 지금 최설아는 귀신을 보고 놀란 사람처럼 사색이 되어 벌벌 떨고 있었다.

"갑자기 어떻게 된 건데. 말을 해야 알지."

"몰라, 모른다고! 그냥, 그냥 다…… 다 괴물들이잖아!"

"괴물?"

"그래! 네가 말한 거…… 그것들!"

이건 진짜다.

유연은 악을 쓰는 설아를 꽉 끌어안아 진정시켰다. 마치, 어릴 때의 제 모습을 보는 기분이었다. 처음으로 그림 도깨비를 보던 날, 선생님 품에 안겨서 이렇게 울던 제 모습이 설아에게서 겹쳐 보였다.

"설아야, 괜찮아. 내가 왔으니까 괜찮을 거야."

달래는 손이 떨리기 시작했다.

"흑…… 무서워, 흐윽……."

"알아, 당연히 무섭지. 괜찮아질 거야."

어떻게 된 일인지 몰라도, 일단은 미술관을 벗어나는 것이 급선무였다.

숨넘어갈 듯 울어 대는 설아에게 관람객들의 시선이 쏠린다. 더 지체할 수 없다고 생각한 그녀가 도움을 요청하기 위해 반쯤 상체를 일으킬 때였다.

들불처럼 번져가는 수런거림 속, 결이 다른 공기의 흐름이 느껴졌다. 그녀에게는 이제 낯설지 않은 기척의 주인공. 멀지도 가깝지도 않은 곳에, 세자가 서 있었다.

'아…….'

자신을 향해 있던 그의 시선은 느릿하게 최설아에게로 움직였다. 설아를 보는 건의 눈빛이 잠시 날카로워졌지만, 이내 점잖은 미소를 띤 채 뚜벅뚜벅 걸음을 내디뎠다.

유연은 저도 모르게 설아를 제 뒤로 숨겼다.

"저하."

"보는 눈이 많습니다. 객체로 모시죠. 진정되실 때까지, 쉬다가 가요."

정중한 어투의 그가 옆으로 물러서자 경호원 둘이 다가와 설아를 부축했다. 설아는 여전히 눈도 제대로 뜨지 못하며 몸을 떨었다.

"제가 부축할게요."

평소답지 않은 설아의 모습이 낯설면서도 안타까웠다. 그녀가 손을 내밀자 경호원을 뿌리치고 바짝 안겨 온 설아 때문에 몸이 뒤로 밀려났다.

툭.

유연은 부드럽게 어깨를 잡아 주는 손길에 고개를 돌렸다. 새카만 눈동자에 가득 찬 서늘한 빛이 쏟아질 듯 가깝다.

가슴이 불편하게 뛰어 대기 시작했다. 복잡한 눈빛을 한 이건이 그녀의 어깨를 꽉 잡았다가 놓아주곤 담담히 돌아서며 명했다.

"손님을 모셔라."

긴장이 풀린 건지, 최설아는 미술관을 나서자마자 까무룩 정신을 잃었다. 유연은 장은호의 도움을 받아 설아를 가까이에 있는 객체로 옮긴 뒤 침대에 눕혔다.

"내의원에 연락했으니 금방 의사 선생님께서 오실 겁니다."

"고맙습니다. 도와주시지 않았으면 끔찍할 뻔했어요."

"당연한 일을 한 겁니다. 그럼, 쉬십시오."

잘 꾸며진 한옥 호텔 같은 단아한 내부. 연한 나무색의 문살 너머 은은한 빛이 창호지에 스며든다.

유연은 기절하듯 잠들어 버린 설아를 내려다보며 마른세수를 했다.

'대체 무슨 일이 있던 거야. 네가 어떻게 그것들을 봐…….'

그러잖아도 복잡한 머릿속에 최설아가 핵폭탄을 던진 기분이다. 게다가 하필 그 모습을 세자에게 보였다. 그는 어떤 생각을 했을까? 조금 전의 표정으로 가늠해 보건대, 절대로 그냥 넘어갈 눈빛이 아니었다.

한숨을 깊게 내쉰 그녀가 창가에 놓인 테이블로 걸어갈 때였다. 짧은 노크와 함께 문이 열리더니, 의사로 보이는 남자와 함께 이건이 들어왔다.

"환자는 저쪽입니다."

"예, 저하."

유연은 걸어 들어오는 그에게서 시선을 떼지 못했다.

곧장 최설아에게로 향한 의사와 달리, 건은 그녀에게 다가왔다. 지난번 보았을 땐 넥타이도 매지 않은 방종한 차림이었건만, 오늘은 바늘 하나 들어갈 틈 없이 완벽한 정장을 갖춰 입은 그. 라펠에는 RSA의 배지가, 소맷귀에는 왕실의 상징인 황룡을 새긴 커프스 링크가 꽂혀 있었다.

그녀와 마주 선 그가 재킷 단추를 풀며 의자를 꺼내 앉는다. 그러고는 견고하게 다듬어진 왕세자의 얼굴로 유연을 올려다보았다.

"안 앉을 겁니까?"

"네?"

"앉아요."

그는 담담히 미소 지으며 맞은편 의자를 턱 끝으로 가리켰다. 그녀는 진찰 중인 설아를 한번 돌아본 뒤, 의자를 빼내 그와 마주 앉았다.

"도움 주셔서 감사합니다."

고개를 숙여 형식적인 인사를 하자 다리를 꼬아 앉은 그가 유연의 눈을 직시하며 물었다.

"어떻게 된 겁니까."

마치 취조라도 하듯 싸늘해진 말투에 유연은 손톱으로 손바닥을 꾹꾹 눌렀다.

"저도 잘 모르겠습니다. 평소 겁이 많긴 한데……."

"정말로 이매를 보았다는 건가?"

"그런 것 같습니다."

"귀안을 가졌다는 것이 사실이라는 겁니까?"

유연은 긍정도 부정도 하지 못했다. 태연히 웃어도 보고, 고개도 끄덕이고 싶었지만 좀처럼 굳은 얼굴이 풀어지지 않았다.

"조유연 씨, 고개 들어요."

"제게 물으셔도 소용없습니다. 저는 당사자가 아니에요."

쏘아붙이듯 대꾸하자, 그녀를 빤히 보던 이건이 비스듬히 고개를 기울인다.

"왜 겁먹은 것 같지?"

"겁먹은 게 아니라…… 설아가 걱정되는 겁니다."

손가락을 꽉 움켜쥔 그녀는 결국 긴장감을 이기지 못하고 벌떡 일어났다.

"화장실 좀 다녀올게요. 오늘 먼지를 많이 뒤집어썼더니, 자꾸 신경 쓰이네요.”

“도망치게 해 줄 테니, 하나만 물읍시다.”

엄격하게 가라앉은 그의 음성에 유연은 숨을 참은 채 고개를 끄덕였다. 그러자 가지런히 모은 손을 무릎 위에 올린 그가 두 눈을 치켜뜬다.

“조유연 씨에겐 정말로 귀안이 없습니까.”

가슴속에 빈 상자 하나가 덜컹거리며 흔들리는 것만 같다. 자꾸만 뾰족한 모서리로 가슴속 곳곳을 찔러댔다.

“저하, 저는 그게 뭔지도 모릅니다.”

단호하게 대꾸한 그녀는 도망치듯 욕실로 향했다. 욕실 문을 닫을 때까지도 그의 시선이 느껴졌지만, 돌아보면 지금껏 해 온 거짓말이 모두 들통날 것 같아서 두려웠다.

유연은 조심스럽게 문을 닫자마자 그대로 세면대의 물을 틀었다. 차가운 물이 콸콸 쏟아져 사방으로 튄다. 아무런 생각도 하기 싫어서 차가운 물로 벅벅 세수했다.

‘잘됐어. 설아한테 이상한 능력이 왜 생긴 건지 몰라도, 잘된 거야.’

오늘 조금이나마 짐을 옮겼고, 옥상에 둘 의자와 테이블도 주문했다. 손에 잡힐 듯 가까이 다가온 행복을 놓칠 수는 없다. 그냥, 아무것도 아닌 사람으로 평범하게 살고 싶다. 겪어보지 않은 사람은 모를 것이다. 평범한 행복이 얼마나 힘든 것인지…….

“하!”

고개를 번쩍 든 그녀는 거울 속 제 모습을 멍하니 응시했다. 눈은 빨갛고, 입술은 색이 없어 참 못났다. 짐을 옮기느라 가뜩이나 짧은 머리카락을 더욱더 짤막하게 묶었고, 셔츠는 하필 목이 늘어나기 직전처럼 보였다.

'좋아하는 거 아니잖아. 그냥 호감, 호기심…… 첫사랑이라니까, 잠깐 끌린 거잖아. 아니야? 썸은 무슨. 주제에 무슨 밀당을 해.'

세면대 가장자리를 힘주어 움켜쥔 그녀의 손등에 파란 핏줄이 두드러졌다.

유연은 타월로 얼굴의 물기를 닦은 뒤, 천천히 문을 열었다. 은은한 빛이 내려앉은 방 안. 설아를 눕혔던 침대 앞에 이건이 서 있었다. 그리고 언제 정신을 차린 건지, 엉거주춤 일어난 설아가 그의 허리춤을 끌어안은 채 어깨를 떤다.

"빨간 얼굴에 새의 부리를 가진 괴물이었다고요! 어떻게…… 어떻게 그런 걸 전시하실 수가 있어요."

울먹임과 투정이 섞인 말에, 실소한 세자는 설아의 어깨 위에 손을 올렸다. 그러곤 느릿하게 다독이며 특유의 부드러운 어투로 말했다.

"평생을 보아 왔던 놈들 아닙니까. 이제 와 이렇게 힘들어하면, 더한 것들은 어떻게 보려고."

"무서워요. 흑…… 너무 무서워요, 저하."

설아는 허리춤을 안은 팔에 더욱 힘을 주며 얼굴을 묻었다. 무너질 듯 다시 울어 대는 여자를 난처한 눈으로 내려다보던 건이 불현듯 고개를 든다.

유연은 저도 모르게 입술을 깨물었다. 맞붙은 시선이 허공에서 얽히고 입술이 바짝 말랐다. 아무 말도 하지 않았지만, 마치 대화를 나누는 기분이었다. 어때? 혹은, 이대로 괜찮아? 네가 바라던 대로 되고 있잖아? 따위의 질문이 가슴을 콕콕 찔렀다.

떨어질 줄 모르고 들러붙은 눈동자가 흔들린 순간, 그녀가 먼저 돌아섰다.

꽉 눌러 문 어금니가 아프다. 사랑니가 고개를 내밀었다.

"너 솔직하게 말해. 어떻게 된 거야. 정말 이상한 것들이 보였어?"

운전대를 움켜쥔 손에 힘이 들어갔다.

제법 안정을 되찾은 설아가 양팔을 쓸어내리며 고개를 끄덕였다.

"정말 보였어. 거짓말한 거 아니거든?"

"갑자기?"

"어?"

"갑자기 보였냐고."

"어……. 갑자기 보였어. 그런데 나 궁금한 게 있어. 그 괴물들 말이야, 막 그림 밖으로 튀어나오고 그래?"

"응, 막 튀어나오고 그래."

입을 떡 벌린 설아는 더욱 창백해진 얼굴로 말도 안 된다며 몸을 떨었다.

"재익 씨가 걱정 많이 하더라. 연락해 줘. 네가 하는 게 좋을 거야."

"안 해. 아쉬우면 자기가 하겠지. 나 그냥 궐에서 자고 올 걸 그랬어. 아까 너도 봤지? 나 막 우니까 달래 주시고, 안아 주시고 그런 거."

언제 그랬냐는 듯 양 뺨을 붉힌 설아가 얼굴을 들이민다. 참으로 단순해서 좋다, 넌. 나직하게 숨을 뱉은 유연이 고개를 끄덕였다.

"응, 그러시더라."

"나 점수 좀 딴 것 같지 않아?"

"아까는 무섭다고 엉엉 울더니, 이제는 살 만해?"

“살 만하기는. 아직도 소름 끼쳐.”

“근데 설아야. 너 정말 짐작 가는 일 없어? 이상한 물건을 만졌다든가, 뭘 먹었다든가.”

“없다니까?”

설아는 짜증스럽게 대꾸한 뒤 창밖으로 고개를 돌려버렸다. 한숨 쉰 유연은 더는 질문하지 않은 채 집 앞에 차를 댔다.

설아는 차에서 내리기 전, 담벼락 아래 세워진 고급 세단을 발견하곤 인상을 찌푸렸다.

“엄마가 왔나 보네?”

“사모님?”

“조만간 살림 합친다고 했잖아. 그게 오늘인가 봐. 짜증 나……. 어쨌든 오늘 일 너만 알아. 그리고 나도 이제 너랑 같은 눈 가진 거니까, 나 무시하지 마. 알았어?”

“제발 무시당하지 않게 잘 커라, 설아야.”

“어후! 한마디를 안 져.”

신경질적으로 차에서 내린 설아는 관리인의 인사도 무시한 채 안으로 들어갔다.

유연은 집으로 들어가기 전, 민주에게 도착한 메시지를 확인했다. 문단속 철저하게 하고 나왔으니 걱정하지 말라는 내용이었다. 고맙다는 답장과 함께 이모티콘을 잔뜩 보낸 유연은 뒷좌석에서 가방을 꺼내 들곤 대문 안으로 들어갔다.

2층이 소란스러워 고개를 들자, 테라스에 놓여 있던 화분을 옮기는 사람들이 보였다. 화원에서 나온 사람들에게 지시를 내리던 중년 여인이 시선을 느꼈는지 아래를 내려다본다. 유연이 이 집에서 가장 불편해하는 존재인, 최설아의 모친 강미란이었다.

"어머, 유연이니?"

"안녕하셨어요, 사모님."

"나야 항상 똑같지. 넌 많이 변했다?"

"그런가요?"

"어쨌든 이왕 이렇게 된 거, 우리 자주 보자?"

"네, 잘 부탁드리겠습니다."

무덤덤한 표정으로 깍듯하게 인사한 유연은 저택 외곽 출입구를 통해 집 안으로 들어갔다. 그 모습을 내려다보던 미란이 심란한 표정으로 돌아선다.

'쟤는 아직도 붙어 있나? 제 부모 그렇게 만든 게 누군데, 속도 좋지. 쯧.'

하얀색 큐브를 겹쳐 쌓은 듯한 미술관 예화의 서쪽. 수장고와 연결된 특수검역센터 앞에 대형 트레일러 한 대가 멈춰 섰다. 트레일러에서 내린 RSA 운반부 서 씨가 서글서글하게 웃으며 우혁에게 장부를 내민다.

"오늘은 경남 지방에서 올라온 것들입니다. 중간에 오랏줄 풀고 환동하려는 놈들 때문에 애 좀 먹었습니다."

"고생하셨습니다. 그럼 이것들은 T6로 처리해야겠네요."

"그래야 할 것 같습니다. 안 그러면 봉인 풀고 현신할 놈들입니다."

우혁은 차라리 잘되었다고 혼잣말을 하며 인수증에 사인했다. 신호가 떨어지자 운반부 직원들이 트레일러 문을 열더니 거대한 오동나무함을 지게차를 이용해 내리기 시작한다. 오늘 도착한 물건들은 경남 지방에서 회수된 것들로, 환송 도중 RSA의 나자들에 의해 힘이 묶인 이매들이었다.

"그림들은 모두 수장고 내부 이조문 안으로 옮겨 주십시오. 저는 세자 저하께 아뢰겠습니다."

우혁의 지시에 운반부 서 씨가 본인만 믿으라며 시원하게 고개를 끄덕였다.

지금의 궐은 한계까지 부풀어 오른 풍선처럼 위태롭고 아슬아슬한 분위기가 이어졌다. 정확하게는 동궁전에서 시작된 긴장감이 궁인들의 피를 말리고, 우혁의 탈모를 촉발시켰다. 원인은 바로 이곳의 주인이자, 주군. 세자 이건이었다.

해가 들이치는 계단을 올라 이건의 집무실 문을 두드리자, 오늘도 서릿발 흩날리는 음성이 문틈으로 새어 나온다.

"들어와."

문을 열고 들어간 우혁은 서류를 들여다보는 이건에게 다가가 조금 전 받은 인수증을 내밀었다.

"물건이 도착했습니다. 그런데 말을 듣지 않나 봅니다. 처리하셔야 할 것 같습니다."

"좋군."

제법 많은 양의 목록을 본 건이 되레 흥미로운 표정이 되어 자리에서 일어났다. 그러곤 재킷도 챙기지 않은 채 서랍에서 가죽 장갑을 꺼내더니 걸음을 내디딘다.

"저하!"

우혁이 급히 재킷을 들고 따라붙자, 건은 벌써 집무실을 나가 승강기 앞에 서 있었다. 요즘 궐 분위기를 최악으로 만든 장본인.

며칠 전, 조유연이 미술관을 방문했던 날 오후. 건은 예화의 문을 닫고 오래도록 전시실을 거닐었다. 무슨 생각을 했는지는 모르지만, 그날 이후 건드리면 베일 듯한 세자의 기세에 동궁전의 분위기는 북극해의 빙하처럼 얼어붙었다.

"오후에는 소헌군 마마의 작품이 들어옵니다. 확인 절차가 필요한데 어떻게 할까요?"

"그 안에 잠신한 이매가 있을 것 같나?"

"모르는 일이죠. 놈들은 어디든 기어들어 갈 수 있으니까요."

승강기에 오른 건은 흑경 같은 문에 비친 자신의 모습을 바라보며 고개를 주억였다.

"그래."

단지 그뿐이었다.

깊은 물 속으로 잠겨 들어가는 것처럼 지하로 향한 승강기 문이 다시 열렸을 때에는, 막 물건 운반을 마친 서 씨와 RSA 직원 몇 명이 대기 중이었다.

"세자 저하를 뵙습니다."

"오랜만입니다."

건은 부드러운 미소를 그들에게 지어 보인 뒤 움켜쥐고 있던 가죽장갑을 꼈다.

상층의 전시실과는 확연히 다른 분위기. 차가운 질감의 철판으로 마감된 벽면과 이조문 방향으로 길을 내듯 설치된 매립 조명. 입구에는 RSA의 보안팀이 24시간 상주하는 부스가 있었고, 오른쪽 벽에는 충무공 이순신 장군의 어진과 함께 사신도가 수장고를 보우했다.

이조문 앞에 선 건의 손에서 붉은 열기가 일렁이기 시작한다. 표정은 담담했지만, 분노는 쉬이 숨겨지지 않았다.

이조문 안쪽은 그 어떤 힘도 외부로 빠져나올 수 없게 만든 결계 구역이었다. 일종의 감옥이랄까. 이조문 안에 갇힌 이매는 소멸하기 전까지는 절대로 밖으로 나올 수 없었다.

묵직한 소릴 내며 열리는 콘크리트 문. 방공호나 다름없는 두꺼운 벽이 아가리를 벌리더니, 심연 같은 어둠이 그를 기다렸다. 그리고 그 중심에 놓인 오동나무 상자를 본 건의 입매가 삐뚜름히 올라간다.

"오늘은 제법 시간이 걸릴 테니, 대기하지 말고 다들 올라가."

"기다리겠습니다."

"그러든지."

그가 걸음을 옮길 때마다 봉인된 이매들이 끔찍한 비명을 내지른다. 지독한 이취에 다들 새파랗게 질렸지만, 건은 태연했다.

조금의 영향도 받지 않은 사람처럼 나무함 앞에 선 그가 주먹을 말아 쥐더니 고개를 틀었다.

"문 닫아."

'캐슬'이라는 제목으로 경복궁을 그린 이태의 작품이 미술관 1층 메인홀에 하나둘 도착했다.

포장을 벗겨낼 때마다 곳곳에서 터지는 감탄사. 세계적인 아티스트 단체의 대표라는 말이 거짓이 아님을 증명하듯, 이태의 작품은 감각적이며 섬세했다. 경복궁의 4계절을 화폭에 담아낸 작품은 붓터치 하나, 선 하나에도 궐을 향한 애정이 듬뿍 묻어났다.

그중에서도 경회루를 그린 가장 큰 캔버스 앞에 선 이태의 눈빛엔 뿌듯함이 가득했다. 하얀 눈이 소복하게 쌓인 경회루 처마 위, 끄트머리에 쪼르르 앉은 잡상까지도 잡힐 듯 선명하게 표현한 수작. 하지만 실제 궐의 모습이 아닌, 사진을 보고 그린 것처럼 이태의 그림에서는 과거가 느껴졌다. 지금보다 몇 뼘은 작은 나무하며 꿈에서나 볼법한 맑은 하늘. 그리고 지금은 천연기념물이 되어 버린 작은 새까지.

아름답기에 묘하게 이질적인 작품들을 의아하게 생각한 사람은 우혁만이 아니었다.

"훌륭한 작품이지만, 진짜는 아니군."

언제 온 건지 가죽 장갑을 이로 당겨 벗으며 세자가 다가왔다. 기척을 느끼지 못한 이들이 당황한 얼굴로 예를 갖추어 그를 맞는다.

"세자 저하."

"형님."

소헌군도 반가운 표정으로 세자에게 예를 갖추었다. 고개를 가볍게 까딱인 건의 감정 없이 차가운 눈빛이 화폭을 훑는다.

"사진을 보고 그렸나?"

건의 질문에 이태가 멋쩍게 웃으며 캔버스 모서리를 문질렀다.

"예, 아버지가 찍어 두신 사진을 보고 그렸습니다. 역시 티가 나네요."

"그렇군……. 의언군의 사진이라. 궐에서 전시하고 싶었던 이유가 있었군."

"그건 아닙니다. 저는 아버지가 왕실 혈통인 것도 모르고 살았습니다."

이태는 당황한 사람처럼 손사래 쳤다. 얼굴까지 시뻘겋게 붉힌 이태의 반응에 피식 웃은 건이 장갑을 우혁에게 건네며 말했다.

"네 말대로 양이 상당하군. 검토가 필요해."

우혁은 상처가 늘어나 버린 건의 손을 보며 인상을 찌푸렸다.

"일단 궁의부터 부르겠습니다. 상처가 심하십니다."

"고작 이런 거로 유난 떨지 마. 하루 이틀인가?"

"애초에 이매를 분풀이용으로 쓰시는 게 더 문제라고 생각되지 않으십니까? 물론 저희야 일 편해지고 좋지만, 저하의 예체가 상하고 있잖습니까."

"됐고, 재간택 날 최설아에게 도움을 요청해."

건은 대수롭지 않은 듯 상처 난 손을 주머니에 꽂아 넣었다. 그에 혀를 찬 우혁은 가까이에 있는 직원에게 궁의를 부르라고 지시한다.

우혁이 분주하게 움직이는 사이, 건은 다시금 그림을 탐색했다. 일말의 호기심이나 관심이 담기지 않은 건조한 눈빛. 이태는 그런 세자의 표정을 살피다가 조심스럽게 질문했다.

"이제, 제 말을 믿으시는 겁니까?"

"무엇을."

확실히 세자의 분위기가 바뀌었다. 차라리 자신을 향한 분노나 경멸을 숨기지 않았을 때가 더욱더 편할 정도로, 지금은 생각을 읽을 수가 없다.

"제가 혹, 실수를 한 건 아닌지 걱정했습니다. 형님의 마음을 헤아리지 못한 것은 아닌지……."

"내 마음을 헤아려? 건방진 소릴 하는군."

냉소한 건은 이태의 얼굴을 똑바로 응시했다.

이태는 건에게서 지독한 이취를 맡았다. 마치 이매의 피를 뒤집어 쓴 것만 같은 지독함에 자신도 모르게 한 걸음 물러났다.

"실언했습니다. 죄송합니다, 형님."

"질문 하나 하지. 그날, 양평에서. 조유연과 무슨 대화를 했는지 기억해?"

"기억합니다. 제가 질문을 몇 개 했습니다. 궁금해서요. 귀안도 갖지 않았는데, 어째서 간택에 참여했냐고 물었습니다."

"그녀가 뭐라고 대답했지?"

"대답을 듣지 못했습니다. 알 거 없다고 하시던데요?"

짧지만 싸늘한 미소가 건의 얼굴을 스친다. 그는 혼잣말을 읊조리며 입가를 문질렀다.

"그럼, 형님. 전시는 예정대로 진행해도 되겠습니까?"

건의 반응으로, 최설아가 영루를 삼켰다는 것을 이태는 확신했다. 이태의 질문에 무심한 눈빛이 다시금 화폭을 향한다.

"그 전에, 자네 어머니께서 귀안을 가지셨다고 했지?"

"……예."

"미국에 계신가?"

"네, 무슨 이유라도……."

"묻고 싶은 것이 있어서. 귀국하시라고 전해."

"그건 안 됩니다."

돌아서던 그는 주머니에 손을 꽂아 넣은 채, 이태를 돌아보았다.

"안 된다?"

퍽 우아한 미소 안에 들어찬 위압감에 이태는 천천히 주먹을 말아 쥐었다.

"어머니는 한국에 좋지 않은 기억이 있으셔서, 들어오는 걸 꺼리십니다."

"그래서?"

"예?"

"하여, 나더러 어쩌라는 거지?"

말문이 막힌 이태는 느긋한 걸음으로 다가오는 건의 얼굴을 묵묵히 응시했다. 닿을 듯 붙어선 그가 이태의 어깨를 다정하게 움켜쥐더니 상체를 기울인다.

"무례는 여기까지만 허락하지, 아우."

미소를 머금은 이태의 눈언저리에 미세한 경련이 일어났다. 무례를 입에 올린 세자의 경고에 한마디도 반박하지 못한 채, 스쳐 지나가는 뒷모습을 그저 노려보기만 했다.

"익위."

건이 손짓하자 엄한 표정으로 이태를 노려보던 장은호가 다가갔다. 그에 멈춰 선 세자가 땀에 젖은 머리카락을 흩뜨리더니 나직하게 명했다.

"시간 되나?"

"과장님, 괜찮으세요?"

진통제 한 알을 물과 함께 삼킨 유연은 아픈 턱을 감싸며 고개를 끄덕였다.

"네, 약 먹었으니 괜찮아지겠죠."

"사랑니 날 때 정말 아픈데. 병원 안 가세요?"

"연차 내고 가려고요. 이제, 우리 회의할까요?"

벌써 며칠째 통증에 시달리고 있었다. 덕분에 지긋지긋한 두통은 평소보다 심해졌고, 그녀가 진통제를 찾는 횟수도 빈번히 늘었다. 왜 하필 이럴 때 사랑니가 나기 시작한 건지.

회의실에 들어선 유연은 기다리는 직원들에게 자료를 나누어 준 뒤 업무지시를 내렸다. 곧 다가올 창립기념일 행사부터 임원들의 생일 및 아내와의 기념일을 챙기고 각종 알레르기 사안을 업데이트했다. 그중에서도 최준일 전무의 일정은 극악이나 다름없었기에, 업무일정표를 받아든 이강훈의 낯빛이 파랗게 질린다.

"어수선한 시기니까 다들 정신 똑바로 차립시다. 위에서 내려오는 서류들은 순위 앞당겨서 오탈자 확인 후에 각 부서로 넘기세요. 이번 달에 해외 출장 업무는 최 전무님과 김 상무님, 두 분이십니다. 항공권과 숙박 일정 나오는 대로 저한테 선 보고하세요. 제가 확인할 테니까."

"중국 톈진 바이오 협력사 시찰 가시는 거, 과장님 이름으로 티켓팅 하라는 지시가 있었는데요. 어떻게 할까요?"

강훈이었다. 유연은 곤란해하는 강훈의 얼굴을 보며 서류를 착착 모았다.

"그날, 저는 강 실장님 백업이에요. 전무님께는 제가 말씀드릴 테니 강훈 씨가 동행하세요."

"네, 알겠습니다."

말끝을 길게 늘인 강훈의 답에 유연은 위로의 미소를 지어 보인 뒤 회의를 끝냈다.

다들 쏟아지는 업무에 정신이 없는 상황. 강제적인 업무 이관으로 한가해진 그녀는 탕비실로 돌아가 정리 정돈을 시작했다. 곧 최준일과 서연아의 결혼식이다. 직접 식장을 예약했으니 날짜만큼은 정확하게 기억하고 있었다. 아마 준일이 식을 올린 뒤에야 정식 배정을 해 줄 생각일까? 아니면 이대로 아웃?

잡념을 씻어내듯 곳곳에 널려 있는 컵을 치우고 커피 머신 주변을 닦아 냈다. 슬슬 약효가 돌기 시작하는지 찌르는 듯 아팠던 통증이 서서히 가라앉는다.

스펀지에 거품을 내 설거지를 시작했을 때였다. 주머니 안에 넣어 둔 휴대 전화가 울렸다. 깨끗한 물로 손을 헹군 그녀가 낯선 번호의 연락을 받았다.

"네, 조유연입니다."

[가구 배송 기사인데요? 집에 안 계시나 봐요?]

가구 배송? 당황한 마음에 급히 날짜를 확인하자 며칠 전, 통증에 정신을 차리지 못할 때 걸려 왔던 전화 한 통이 떠올랐다.

설마 그때 약속을 잡았던 걸까?

"죄송해요, 기사님. 혹시 어떤 가구죠?"

[소파인데, 어이구 어쩌나. 4층까지 올라왔는데 댁에 안 계신 거예요? 이거 갖고 들어가서 조립해야 하는데.]

"아, 조립이요……. 어떻게 하지? 어, 음……. 일단."

당혹스러움에 횡설수설하던 그녀의 귓전으로, 수화기 너머로 귀에 익은 목소리가 구세주처럼 들려온다.

[조유연 씨. 저, 익위 장은호입니다. 괜찮으시다면, 제가 가구를

받아드려도 될까요?]

오늘처럼 시간이 느리게 흘렀던 적은 없었다. 어쩌면 이토록 업무에 집중하지 못했던 날도 없었겠지.

유연은 진종일 손목시계만 만지작거리며 퇴근 시간을 기다렸다. 장은호가 어째서 그 시간 자신의 집 앞에 있었는지는 묻지 않아도 이유를 짐작할 수 있었다. 세자의 지시가 있었거나, 세자가 동행했거나.

움켜쥐고 있던 펜촉이 종이에 눌려 검은 잉크가 넓게 번진다. 탄식한 그녀는 생각을 털어내듯 고개를 저으며 밀려드는 업무에 집중했다.

"조 과장."

모니터를 뚫어지게 응시하던 유연은 어깨를 두드리는 기척에 뒤를 돌아보았다.

"강 실장님."

비서실장 강재연이 생긋 웃으며 파일철을 내민다.

"이거 좀 처리해 줘요. 그리고 전무님 쪽, 심상치 않던데. 무슨 일이야?"

"왜요?"

"조 과장도 들은 거 없어요? 은근히 파혼 얘기 나오는 거 같던데."

파혼?

유연은 얼결에 실소하며 고개를 저었다.

"아뇨, 들은 거 없습니다."

"그래요? 그런데 유난히 최 전무님 쪽으로 일이 몰린단 말이지. 9월이 예식인데 9월 스케줄을 엉망으로 잡아 놔서 강훈 씨에게 한소리 했거든."

"제가 다시 한번 확인해 볼게요."

"그래요. 만약에 개인사 때문에 스케줄을 그렇게 짜신 거면, 정리 좀 해야 할 거 같아."

"네."

파혼이라니. 파일을 받아든 그녀는 말도 안 되는 일이라고 생각했다. 만약 파혼이 진행되는 중이라면 강미란이 굳이 최 회장과 살림을 합칠 이유가 없다. 게다가 강미란이 들어온 이후, 최설아는 대부분의 시간을 외부에서 보냈다. 모친과는 마주치고 싶지 않다는 강한 반항심이랄까.

유연은 이어폰을 꽂은 채 남은 시간 동안 업무에 몰두했다. 그러고는 6시 40분이 됨과 동시에 그녀는 회사를 빠져나왔다. 몇몇이 함께 식사하자고 그녀를 붙들었지만, 그럴 여유가 없었다.

주차장에 세워 둔 차를 끌고 복잡한 대로를 빠져나온 그녀는 아직 익숙하지 않은 길을 따라 달렸다. 조금씩 해가 짧아지고 있다. 며칠 전까지만 해도 낮의 길이가 밤보다 길었건만, 점점 그 격차가 줄어드는 것이 피부로 느껴졌다.

창문을 조금 열고 여름의 끝머리에 다다른 바람을 느껴보았다. 아직은 텁텁하게 느껴지는 바람이지만 금세 서늘해질 터. 집 앞에 도착했지만, 주차할 곳을 찾지 못해 제법 먼 곳에 차를 댄 그녀는 급한 마음에 골목을 뛰었다.

'혹시, 아직 있을까?'

마음이 급한 이유를 정확하게 꼬집을 수는 없었다. 가구가 제대로 들어갔는지 궁금해서? 장은호가 물건이라도 훔쳐 갔을까 봐? 아니다. 그녀는 제 마음을 복잡하게 만드는 감정의 결을 더듬어 보았다. 하지만 더듬을수록 가슴속이 술렁이고, 이유 없이 울렁거린다.

드디어 다다른 빌라 입구. 가쁜 숨을 몰아쉰 그녀가 성큼성큼 뛰어오를 때마다 머리 위의 센서 등이 켜졌다. 그렇게 4층 1호 앞에 멈춘 유연은 턱까지 차오른 숨을 고르며 키패드의 비밀번호를 눌렀다.

가벼운 기계음을 내며 돌아가는 잠금쇠. 저도 모르게 손등으로 입술을 가린 그녀는 조심스레 문을 열었다. 탁 트인 거실. 은은한 향기와 함께 늦은 오후의 푸른빛이 내려앉은 실내가 그녀를 맞았다.

'아…….'

역시 아무도 없나.

소파 하나로 제법 아늑해진 집 안으로 들어간 그녀는 핸드백을 내려놓고 주위를 둘러보았다. 집안에 누군가 머물렀던 흔적은 보이지 않는다. 정말로 소파만 설치하고 돌아간 건지, 며칠 전 짐 정리를 했을 때와 조금도 바뀐 것이 없었다.

묘하게 찾아든 서운함.

'미쳤나 봐, 왜 서운해해?'

흠칫 놀란 그녀는 고개를 흔들었다. 그러자 아일랜드 식탁에 놓인 쪽지 한 장이 보인다.

「비밀번호 바꿔요.」

짧지만 하나하나 반듯하게 써 내려간 글씨에서 상대의 성격이 묻어났다. 이건이다. 건의 필체가 분명했다. 그렇다는 건, 그가 이 집에 들어왔었다는 것.

그녀의 암갈색 눈동자가 어둠과 빛이 공존하는 거실을 찬찬히 훑었다. 이 공간 어딘가에 서 있었을 그의 모습이 자연스럽게 떠오르는 걸 보면, 자신도 분명 정상은 아니다.

소파에 털썩 앉은 유연은 무릎을 모은 채 노란색 쪽지를 만지작거렸다. 그가 이 집을 어떻게 찾아왔는지는 이제 중요하지 않게 느껴졌다. 만약, 다른 사람이어도 그랬을까? 이건이 아닌 다른 남자가 전화를 받아 가구를 넣어 준다고 했다면, 그러고 이런 쪽지를 남기고 돌아갔다면. 상상만으로도 소름이 끼치고 머리털이 쭈뼛 서는 기분이다. 이게 바로 내로남불이라는 건가?

마지막으로 보았던 그의 표정이 눈앞에 아른거렸다. 최설아의 어깨를 다정하게 감싼 커다란 손과 내리깔린 긴 속눈썹. 이어 자신을 직시하던 힘없는 미소가 선명하게 떠오른다. 그것이 끝인 줄 알았다. 인연이라는 끝이, 그날을 기해 끊어져 버렸을 거라고.

아무것도 없는 빈 벽에 진 건물 그림자를 멍하니 바라보던 그녀는 저장하지 않은 건의 전화번호를 찾아냈다. 그러곤 망설임 없이 통화 버튼을 눌렀다. 감사 인사 정도는 해야 하니까.

도움을 받았으면, 당연히 인사 정도는…….

[조유연 씨.]

첫마디를 생각하고 있었다. 그가 전화를 받으면, 어떤 말을 제일 먼저 해야 할지. 하지만 목소릴 듣는 순간, 아무 말도 나오지 않았다.

[조유연, 무슨 일이야.]

다소 급해진 목소리로 그가 물은 뒤에야, 유연은 숨을 토해냈다.

"아무 일도요. 그냥, 저기……. 감사하다는 말씀 드리려고요."

바보같이, 또 숨을 참고 있었다.

[고작 소파 하나 받아줬다고 감사 인사 받긴 그런데.]

얼핏 웃음이 묻어나는 목소리가 은근하게 들려온다.

"그래도 상황이 난감했어요. 고맙습니다."

[비밀번호 바꿔요. 4자리는 너무 짧으니까.]

"네……."

내 집 주소는 어떻게 알았어요? 왜 온 거예요? 나한테 이제 관심 없는 거 아니었어요? 묻고 싶은 말이 많았지만, 차마 입술이 떼어지지 않았다. 그런데도 전화를 끊고 싶진 않았다. 집안이 너무 조용해서, 바로 옆에서 대화하는 것처럼 가슴이 두근거렸다.

[조유연 씨.]

"네."

[밥 먹었습니까?]

"이가 아파서요. 오늘은 패스하려고요."

[이가?]

"네. 사랑니가 나고 있대요."

[……사랑니?]

웃음을 참는 건지 나직하게 들려온 숨소리에 얼굴이 화르르 달아올랐다.

"웃지 마세요. 이 나이에 사랑니 나는 거, 이상한 거 아니래요."

[티 났습니까?]

"네네, 안 봐도 알아요. 웃음 참고 계신 거."

[반칙이네. 안 봐도 안다니.]

"제가 눈치가 빠릅니다."

[나는 보고 싶은데.]

보고 싶은데.

누군가 심장을 콱 움켜쥐었다가 불시에 놓은 것만 같다.

유연은 저도 모르게 손톱으로 손바닥을 꾹 눌렀다. 마치 급류에 휩쓸린 것처럼 머리가 핑 돈다. 평소와 다른 어투 때문인지, 이유 없이 눈물이 날 것 같아서 눈을 꽉 감아 버렸다.

"저하는…… 제가 왜 좋으세요? 첫사랑이라서? 아니면, 첫사랑과 닮아서요?"

용기를 낸 목소리가 오한이 든 것처럼 덜덜 떨렸다. 등과 어깨, 목 뒤쪽까지 빼근하게 당겨지는 긴장감. 그녀는 몸을 웅크렸다.

[글쎄. 이유를 굳이 찾아야 하나? 내 마음이 움직이면 그만인 것을. 이유 없이 보고 싶고, 이유 없이 화가 나고, 이유 없이 열이 오르고, 이유 없이……. 이렇게 찾으러 오잖아.]

힘이 들어간 몸 곳곳이 아파질 지경이다. 탄식이 새어 나오는 것을 막으며 애써 몸에 힘을 풀어 보려 했지만, 쉽지 않았다.

"죄송해요. 질문이 바보 같았어요……. 어쨌든 오늘 일은……."

[왜 안 물어. 주소 어떻게 알았냐고.]

"물어봐도 돼요?"

[그것부터 물어봤어야지.]

"그냥…… 저하는 알고 계실 것 같았거든요. 싫지 않았고요."

그는 잠시 말이 없었다.

유난히 조용한 수화기 너머, 언뜻 개 짖는 소리가 들린다. 이어 그녀의 창문 너머에서도 같은 소리가 들려왔다.

놀란 마음에 벌떡 일어난 그녀는 창문을 열었다. 서늘해진 바람이 기다렸다는 듯 불어 든다. 그럴 리는 없겠지만, 그의 향기가 남아 있는 느낌도 들었다.

"저하."

[늦었는데, 언제 돌아갈 겁니까.]

"오늘은 여기서 자고 가려고요. 그러고 싶어졌어요."

[침대도 없는 곳에서?]

"저하께서 소파 받아 주셨잖아요. 편하고 좋은 것 같아서……."

[나, 밤새도록 여기에 세워 두려고 작정을 했군.]

창밖으로 고개를 내밀었다. 하지만 도저히 찾을 수가 없다. 분명 가까이에 있는 건 확실하건만, 어둠 때문인지 그를 찾는 건 쉽지 않았다.

어둠을 훑는 눈동자가 조급하게 흔들리고, 창틀을 움켜쥔 손에 힘이 들어간다.

"어디 계신 거예요?"

[왜요. 조유연 씨는 나 안 보고 싶은 거 아니었나?]

"왜 말을 그렇게 해요. 그런 게 아니라……."

[그런 게 아니어도 오늘은 안 됩니다. 지금 조유연 씨 보면, 상냥하게 대할 자신이 없거든.]

낮게 갈라져 나온 목소리가 바람처럼 그녀를 휘감았다. 유연은 입술 새로 튀어나오려는 말을 삼키고 누르고, 짓씹어 일그러트렸다. 술도 마시지 않았건만, 잔뜩 취한 것처럼 몸에 열이 올랐다.

"저하."

한 걸음 물러나 휴대 전화를 양손으로 움켜쥐었다. 수화기 너머 긴 호흡과 침묵이 이어지다가, 불시에 끊어졌다.

[문단속 잘해요. 내가 비밀번호 알고 있다는 거, 잊지 말고.]

이태는 웃음을 참지 못했다. 이 늦은 밤, 선글라스와 마스크로 얼굴을 가린 채 찾아온 최설아 때문이었다.

집 안으로 들어온 최설아는 긴장을 놓지 않은 채 여전히 선글라스 낀 눈으로 주위를 둘러보았다. 그 모습에 커피 머신을 켰던 이태가 피식 웃으며 물었다.

“커피? 아니면 위스키? 주스라도 있으면 좋겠지만, 취향이 아니라 없네요.”

그러자 몸을 굳힌 설아가 한숨을 깊게 내쉬더니, 선글라스를 벗으며 대답했다.

“술이요. 와인이나 위스키로 딱 한 잔.”

“좋네요. 저도 밤에 커피 마시는 체질은 아니라서.”

이태는 와인 셀러를 열어 제법 괜찮은 빈티지의 와인을 꺼냈다. 와인에 대해 제법 안목이 있는지, 흥미로운 표정의 최설아가 일어나 다가왔다.

“이 넓은 곳에 혼자 살아요?”

“작업실이 필요하거든요. 작업하는 곳을 제외하면 넓은 것도 아니죠.”

“여기 되게 비싼 아파트 아닌가? 알아보니 제법 유명한 작가던데. 돈도 잘 벌고, 가진 것도 많은 사람이 왜 나를 스토킹해요?”

“내가 그쪽을?”

어처구니없다는 듯 되묻자, 인상을 찌푸린 최설아가 큰 눈을 빠르게 깜빡였다.

"내 스토커잖아요, 그쪽. 맨날 꽃이랑 편지 보내던."

"그러니까 이상하다는 겁니다. 그걸 왜 그쪽이 받았어요? 난 조유연 씨에게 보낸 건데. 물론, 최설아 씨 팬이긴 해요. 연주는 들어줄 만하더라고요."

"뭐라고요? 유연이한테요?"

자존심이 상했는지 부들부들 떠는 그녀를 보는 이태의 입매가 히죽 올라갔다.

"그쪽 연주회 열릴 때마다, 조유연 씨가 동행하잖아요. 그래서 보낸 겁니다. 당신 말고, 누나한테."

"누나?"

"어쨌든, 누가 보면 범죄자인 줄 알겠네요. 이 여름에 까만 목도리는 너무하지 않나?"

와인을 따라준 이태는 소파에 툭 던져놓은 스카프를 가리키며 웃었다. 그러자 얼굴을 빨갛게 붉힌 설아가 와인 잔을 받아들며 핀잔을 준다.

"내 연주회에 선물을 보내면 당연히 착각하죠! 어쨌든 나 세자빈 될 몸이에요. 말 함부로 하지 말아요."

자신의 잔에도 와인을 따른 그가 창가로 향하는 최설아의 뒷모습을 보며 담담히 물었다.

"먹었습니까?"

그러자 우뚝 멈춰선 최설아가 손을 덜덜 떨며 고개를 끄덕인다.

"네."

이태는 새어 나온 웃음을 참지 않았다. 킥킥대며 입을 가린 그를 향해 홱 돌아선 최설아의 눈에 물빛이 반짝인다. 울먹이는 여자는 질색인지라 이태는 싸늘하게 표정을 굳혔다.

"그거, 뭐였어요? 당신 뭐 하는 사람이야?"

"말했잖습니까. 그쪽을 세자빈으로 만들어 줄 사람이라고. 그리고…… 갑자기 말이 짧은데?"

설아는 다가오는 이태의 기세에 눌려 쭈뼛쭈뼛 물러났다. 하지만 서늘한 기세로 다가오던 그는 그대로 설아를 지나 창가에 놓인 의자에 털썩 앉았다.

"당신이 먹은 거, 영루라는 겁니다. 아주아주 귀한 거죠."

"영루……? 사탕 이름이에요?"

"사탕? 뭐, 그렇게 보이기도 하죠. 영루를 조각낸 거니까."

"그, 그거 더 없어요……?"

"더 먹고 싶어요?"

나른하게 되묻는 말에 설아는 진지한 얼굴로 고개를 끄덕였다. 그러자 와인을 한 모금 삼킨 그가 굳게 닫힌 문 쪽으로 시선을 움직였다.

"미안하지만, 그건 함부로 내어줄 수 없어요. 4급 영루를 구하는 건, 목숨을 걸어야 하는 거거든."

"내가 살게요. 나 돈 많아요. 얼마면 되는데요?"

최설아는 짐짓 당당한 표정으로 어깨를 폈다. 하지만 이태의 눈에는 그저 하찮을 뿐이었다.

"돈으로 살 수 있었다면, 나는 이미 왕실의 주인이 되었겠죠. 게다가 그거 부작용이 좀 있거든."

부작용이란 말에 설아의 눈이 커다래졌다. 겁에 질린 건지 생각에 잠긴 건지 안절부절못하며 손톱을 뜯는다.

4급 영루를 섭취하면, 사람이건 동물이건 한시적으로 잠신한 이매를 구분할 수 있게 된다. 하지만 그것은 귀안을 갖는 것과는 본질적으로 달랐다. 처음엔 잠신한 이매들을 보고, 두 번째는 그 힘을 향으로 느끼고, 세 번째는 이매의 목소리를 듣는다. 그리고 네 번째가 될 때, 영루를 섭취한 자는 결국 이매로 환동한다.

"부작용이…… 심해요?"

되묻는 최설아의 눈빛에 욕망이 들끓는다. 잔잔하게 피어오른 순도 높은 욕망이 제법 먹음직스러웠다.

자리에서 일어난 이태는 책꽂이로 가, 서책 한 권을 꺼내왔다. 고서를 닮은 서책엔 온통 한자뿐.

"그, 그게 뭐예요?"

페이지를 넘기는 이태의 입매가 부드럽게 호선을 그리며 올라간다.

"알 거 없어요. 이번에 영루를 섭취하면, 냄새를 맡게 될 겁니다. 이매들의 이취를요. 그래도 해 볼래요?"

재간택 날이 잡혔다. 왕실에서 도착한 메시지를 확인한 유연은 다시금 힘을 썼다.

"윽, 엄청 무겁네요."

제 키보다 훨씬 큰 알로카시아 화분을 끙끙대며 옮기는 유연을 보며 영산홍 가지를 다듬던 미란이 웃었다.

"힘 좀 쓴다더니, 다 뻥이구나?"

"아니에요, 화분이 너무 무거운 것 같아요."

“허리 다칠라. 아주머니 불러서 같이 옮겨.”

“아주머니들 바쁘시잖아요. 제가 도울게요.”

“그러든지.”

미란은 두 번 권하지 않았다.

직선으로 내리쬐는 볕 아래, 유연은 땀을 뻘뻘 흘렸다. 하필 회색 셔츠를 입은 탓에 앞섶이 땀에 젖어 색이 변해 간다. 몸은 고되지만, 역시 다른 생각이 들지 않아서 좋았다. 어쩌면 사모님이 이 집에 들어온 날부터 정원을 가꾸기 시작한 것도 비슷한 이유이지 않을까 생각했다.

반듯하게 잘린 가지들이 바닥으로 떨어진다. 가지치기를 해 주어야 뿌리가 더욱더 튼튼해진다며, 미란은 가차 없이 웃자란 것들을 잘라냈다. 잎을 펴보지도 못한 채 새순이 잘려 나간다. 순간, 조금 잔인한 마음이 들었다.

‘아깝다.’

그녀의 입술 새로 새어 나온 한숨. 사랑니의 통증이 심해지는 것과 비례하게 시간이 흘렀다. 새집에는 침대와 식탁, 작은 서랍 가구 몇 개가 더 들어갔고, 지하 방에는 이제 외출복 몇 벌과 기본 소지품밖에 남지 않았다.

도자기처럼 흰 뺨을 가르듯 땀이 흘러 턱 끝에 맺힌다. 머리카락이 들러붙은 목덜미가 젖어 끈적하면서도 뜨거웠다. 하지만 오히려 땀을 흘릴수록 머릿속은 개운해졌다.

‘나는 보고 싶은데.’

‘나를 밤새도록 여기에 세워 두려고 작정했군.’

‘지금 조유연 씨 보면, 상냥하게 대할 자신이 없거든.’

사람 마음을 엉망으로 헤집어 놓고 전화 한 통 없는 남자의 목소리가 불현듯 떠올랐다. 환청치고는 제법 리얼한 소리가 머릿속을 울려, 그녀가 눈을 감자 미란이 고함을 내지른다.

“어머, 유연아! 조심!”

방심한 사이 날카로운 가윗날이 손을 스쳤다. 선득한 통증과 함께 새빨간 피가 덱 바닥으로 뚝뚝 떨어진다.

붉은색을 보는 순간 멍해졌다.

“피! 아줌마! 아줌마, 빨리 구급상자!”

“괜찮아요, 사모님. 제가 할게요.”

“괜찮기는! 너는 그런 정신으로 어떻게 비서실에서 일을 하니!”

유연은 멋쩍게 웃으며 상처 부위를 움켜쥔 채 수돗가로 갔다. 물을 틀어 피를 흘려보내자 제법 깊게 팬 상처가 드러났다.

‘하아, 나 왜 이러니 정말.’

칠칠찮고 매사 실수 연발. 한숨을 푹 내쉬며 땀에 젖은 목덜미를 물로 축이는데, 커다란 손이 불쑥 나타나 그녀의 손목을 강하게 잡아챘다.

“어떻게 된 거야. 일어나, 병원 가자.”

서재에서 뛰어나온 최준일이었다. 당황한 그녀가 손을 빼려 했지만, 피가 말라 버린 듯 창백해진 최준일의 모습에 말문이 막혔다.

“괜찮…….”

“상처가 심해.”

“알아요. 근데 병원은 저 혼자 갈 수 있어요.”

“운전대 핏물로 도배할 일 있어?”

준일에게 잡혀 일어난 그녀는 본능적으로 2층을 향해 고개를 들었다. 소란을 들은 최 회장이 테라스 너머로 밖을 내려다보며 굳은 표정을 짓는다.

또 오해하겠네…….

"준일아, 네가 그러면 유연이 당황하잖아. 아버지 보신다. 내가 할 테니 나와. 쯧, 바지도 다 젖었네."

다가온 미란이 준일의 어깨를 다독인다. 사춘기 반항아처럼 미란의 손을 쳐내려던 준일이 무언가를 짓누르는 듯한 표정으로 유연의 손을 놓아주었다.

"차 대기시킬 테니, 빨리 와. 병원 가게."

그가 놓은 손에서 다시 피가 흐르기 시작했다. 하지만 준일은 대문을 나서지 못하고 최 회장의 경호원들에게 가로막혔다. 유연은 강 실장이 넌지시 건넸던 말이 생각났다. 은연중 파혼에 관한 얘기가 돈다고 했던 말이.

"준일이한테 여자가 있는 것 같더라니…… 그게 너였니?"

마주 선 미란이 수도꼭지를 잠그더니 핸드타월로 그녀의 손을 감쌌다.

"아뇨, 저 아니에요."

"속인다고 속겠니? 타박하는 거 아니야. 어미 노릇도 안 했는데 사생활에 간섭할 자격 없어. 그냥 자식새끼 시집 장가가는 거나 떳떳하게 보고 싶은 마음에 집으로 돌아온 거거든."

타월이 금방 피에 젖어 붉어졌다.

"근데, 언제 나갈 거니? 나이도 찼는데 언제까지 여기 있을래?"

유연은 미란에게 잡힌 손을 빼내며 고개를 숙였다.

"곧 나가요. 걱정 마세요."

"매정하게 들리니? 너 쫓아내는 것 같아?"

"아뇨, 그런 건 아니고……."

"다 너를 위해서야. 솔직히 나도 이 집 꼬락서니 마음에 안 들거든. 근데 너한테서도 최씨 집안 냄새가 나려고 해. 기분 나쁘지?"

"……네."

피식 웃으며 내뱉은 긍정에 미란이 씩 웃으며 젖은 셔츠를 털어 주었다.

"그럼 아직 정상이네. 설아, 그 계집애가 뭘 잘못 알고 있는데…… 너 때문에 내가 이 집에서 나간 건 맞아. 그런데 네가 싫어서가 아니고, 네게 미안해서야. 오해하고 있는 것 같아서 해 주는 말이니까, 자극받아서 네 살길 찾아."

유연은 멍한 얼굴로 상처를 움켜쥐었다. 뛰어온 아주머니가 내민 구급상자를 연 미란이 두툼한 드레싱 밴드를 꺼내 상처에 붙여 준다.

"유연아, 나는 헛똑똑이 안 좋아해. 아주 속물이거나, 아주 착하거나. 그래서 연아를 좋아하는 거야. 그림 네가 골랐다며? 안목 좋더라?"

"마음에 드셨다니 다행입니다."

"병원 가야겠다. 기사 붙여 줄게, 응급실 다녀와."

"네."

"그리고 설아 일은 미안하다. 너무 오냐오냐 키웠지, 내가. 뭐, 결국 엄마 자격이 없어서 잔소리도 못 하는 처지가 됐지만……. 휘둘리지 마. 사람이 이유 없는 친절을 베풀 때는 그 의도를 무조건 의심하고 살아. 알겠니?"

미란이 손짓하자 대기 중이던 기사가 다가와 조심스럽게 그녀를 에스코트했다.

"가시죠."

기사가 운전하는 차를 타고 서화 종합의료원에 내려 응급실에 들어서자, 기다렸다는 듯 의료진들이 그녀를 맞아 주었다. 마치 총수 일가의 일원이라도 된 것처럼 부담스러울 만치 섬세하게 상처를 돌본다.

'너한테서도 최씨 집안 냄새가 나려고 해.'

미란이 한 말을 모두 이해할 수는 없었지만, 이상하게 마음에 진하게 새겨졌다.

결국 여섯 바늘이나 꿰맨 뒤 항생제를 처방받아 응급실을 나선 그녀는 오랜만에 엄마가 입원한 집중치료센터 건물로 걸음을 옮겼다. 볕은 강하지만 바람이 좋다. 일단 지금은 숨을 고르는 게 우선이었다.

'아주머니 커피라도 샀어야 하나……?'

다시 본관으로 돌아서려던 그때, 병동 밖에는 바람을 쐬러 나온 환자들과 보호자들이 벤치에 앉아 음료를 마시고 있는 게 보였다.

"13년이라며. 연명치료를 그렇게 오래 할 수도 있어?"

"에이, 식물인간이 아니라니까? 잠든 거래. 예전에 약을 잘못 먹었다고 한 것 같아. 사고도 있었는데, 의사 말로는 그래."

"깨워도 모자랄 판에, 주사만 놓으면 죽은 듯 잠들고. 진짜 이상하긴 하네?"

"게다가 대기업 회장네 식구란 소문도 있어. 수양딸? 뭐 그런 거."

"근데 말이야…… 제 엄마한테 지극정성이란 것도 다 가짜 아니야? 돈 좀 있으니 적당히 연명치료 하면서 손 떼려는 거 아니냐는 거지. 요즘 그런 자식들이 한둘인가? 비싼 치료는 하기 싫고."

익숙한 목소리에 멈춘 그녀는 벤치에 모여 앉은 간병인 아주머니들을 발견했다. 복숭아를 깎던 8호 간병인이 시선을 느꼈는지, 유연을 빤히 보다 화들짝 놀란다. 이어 엄마의 간병인 아주머니도 그녀를 발견했다. 꾸벅 인사한 그녀는 무거운 걸음을 내디뎠다.

"병원 온 김에 들른 거예요. 편하게 대화 나누고 오세요. 저는 엄마보고 갈게요."

"어, 응. 유연 씨……. 저기, 그게."

"치료에 관한 건 제가 의사 선생님 따로 만나 뵐게요. 신경 써 주셔서 감사해요."

어쩔 줄 몰라 하는 간병인 아주머니께 생긋 웃어 보인 뒤, 저와 눈을 맞추지 못하는 사람들에게도 가볍게 고개를 숙였다.

저들의 말은 하나도 틀린 게 없다. 엄마한테 좀 더 신경 썼어야 했는데……. 점점 생활에 편안함을 느끼고, 혼자서 살아가는 삶이 익숙해질수록 엄마를 잊는 날이 많아졌다.

그래선 안 되었는데…….

병동에 들어선 그녀를 알아본 간호사들이 어색하게 눈인사를 한다. 유연은 엄마가 입원한 병실 문을 열었다. 환기도 잘 되고 모든 치료 시설이 완벽하게 갖추어진 곳. 너무나 완벽해서 가끔은 이질적인 느낌이 드는 곳.

"엄마, 나 왔어."

병상 앞에 의자를 당겨 앉아 엄마 손을 잡는데, 피 칠갑을 한 셔츠와 흙먼지가 잔뜩 묻은 바짓단이 보였다.

'아, 그래서 사람들이…….'

그렇게 이상한 눈으로 쳐다본 건가.

'창피해.'

그리고 억울해.

유연은 엄마 손을 꼭 움켜쥔 채 침대에 이마를 댔다. 조금 지쳤나 보다. 눈물이 날 것 같았다.

그때였다. 주사 트레이를 든 간호사가 들어오더니, 멋쩍게 인사하며 약을 놓는다.

"오늘 날씨 좋죠?"

담당 간호사의 말에 작게 대답한 그녀는 바이알이 보이지 않음에 물었다.

"혹시…… 치료 기록 열람할 수 있을까요? 제가 보호자니까, 신청하면 가능하죠?"

"환자의 치료기록 열람은 아무리 왕실의 명이라 해도 받아들일 수 없습니다."

병원장의 꼿꼿한 태도에 시간을 확인한 우혁이 마지못한 듯 서류 한 장을 내밀었다. 그것은 세자의 직인이 찍힌 공문서로, 세자빈 후보인 조유연의 기록을 면밀히 살피라는 엄명이 내려진 문서였다.

"이미 조유연 씨가 정보제공 동의서에 사인한 내역입니다. 환자 보호자의 동의가 있으니, 개인정보 보호법은 걱정하지 마십시오."

"어허, 박혜란 씨의 보호자는 조유연 씨가 아니라니까 그러네요. 박혜란 씨의 보호자는 따로 있습니다!"

꼬장꼬장하게 소리친 병원장이 미지근하게 식은 녹차를 벌컥벌컥 들이켰다.

"박혜란 씨의 보호자가 조유연 씨가 아니라뇨?"

"입원하셨을 때, 따님분이 미성년자라 최우식 회장님이 후견인 노릇을 하셨습니다. 그때의 자료 그대로, 지금까지 보호자는 최우식 회장님이세요. 그러니까 회장님 허락받아 오세요. 그럼, 열람하게 해 드릴 테니."

"흠…… 문제가 많은 병원이었네요."

우혁은 태연하게 말하며 서류를 회수했다. 세자의 지시로 박혜란의 치료기록을 병원에 요청했으나 번번이 거절당했다. 그에 더는 기다리지 못하고 직접 찾아왔건만 병원장의 말은 우혁을 기막히게 만들었다.

가족도 아닌 자가, 보호자를 자처한다?

"무, 문제가 많다니요! 병원을 뭐로 아는 겁니까! 우리 병원이 지난 국가 전염병 사태에 얼마나 많은 헌신을 했는데!"

"압니다, 감사하고 있고요. 뭐, 그 대가로 제법 큰 보상금을 받으셨으니, 그때 이야기는 하지 말도록 하죠."

"이봐요, 이우혁 실장. 우리는 의료법을 중시합니다. 세자 저하가 직접 와서 매달려도, 안 되는 건 안 되는 겁니다! 젊은 사람이 원, 말귀가 막혔나."

버럭 소리친 병원장이 홱 하며 고개를 돌린다. 이맛살을 가볍게 찌푸린 우혁이 짜증스럽게 한숨을 내쉬며 일어났다.

병원장이 앉은 소파 뒤에 서 있던 병원 직원들의 눈빛이 떨린다. 누구 하나 우혁과 눈을 맞추지 못했다. 세자의 직속이자 RSA의 실세나 다름없는 이우혁을 제대로 모르는 사람은, 어쩌면 병원장밖에 없다는 생각에 다들 입이 말라비틀어지고 있었다.

"제 선에서 해결했으면 좋았을 것을. 굳이 독대하고 싶으시다니, 어쩔 수 없겠네요."

반듯한 자세로 돌아선 우혁이 휴대 전화를 꺼내더니 어딘가로 전화를 건다. 세 번의 통화 연결음을 거쳐, 숨소리마저 결이 다른 남자의 목소리가 넘어왔다.

[자료는.]

"말을 듣지 않습니다."

[아, 그래.]

"어떻게 할까요."

[어쩌긴. 문 열어.]

우혁은 대기 중인 수행원들에게 고개를 까딱였다. 문에서 가장 가까이에 서 있던 수행원이 원장실 문고리를 잡아 돌리며, 허리를 90도로 숙인다.

"드십시오, 세자 저하."

세자라는 말에 놀란 병원장의 몸이 스프링이라도 된 것처럼 소파에서 튀어 올랐다.

활짝 열린 원장실 문밖, 모자를 눌러쓴 채 왼쪽 복도를 응시하고 있던 건이 굳은 얼굴로 고개를 튼다. 세자가 동행했을 거라고는 생각지 못한 이들이 놀라 고개를 숙였다. 무언가 몹시도 못마땅한 표정의 세자가 걸음을 내디디며 모자를 벗더니 머리카락을 흩트렸다.

"긴 대화를 나누고 싶지만 안 되겠군요. 짧고 명료하게 매달려 봅시다. 이건입니다."

13년간의 기록이어서인지 제법 두툼한 치료 기록을 받아든 우혁의 입꼬리가 씰룩거렸다.

세자의 등장에 병원장은 180도 태도를 바꾸었다. 우혁에게 보였던 거만함은 어디 가고, 말없이 차를 마시는 세자의 눈치를 보며 기민하게 자료를 준비시켰다. 하지만 자료를 건네주기 직전까지 원장은 '봐도 모르실 겁니다.'라는 말만 되풀이했다.

"어의께 보내서 의료기록부터 살피라고 전해."

"오래 걸릴 겁니다. 디지털 시대에 수기 장부라뇨. 게다가 얼마든지 자료조작이 가능한 환경이잖습니까."

"그래, 그러니 그걸 제대로 알아내야지."

원장실을 나온 건은 다시 모자를 눌러쓰고 마스크로 얼굴을 가렸다. 하지만 익위와 RSA의 존재감이 워낙에 뚜렷한지라, 눈치 빠른 사람들은 이미 세자의 사진을 찍어 사방으로 퍼트리기 시작했다.

우혁은 홍보실에서 해야 할 일이 늘어났음에 막막한 기분이 들었지만, 이건 덕분에 일이 쉽게 끝난 것도 분명한 사실이었다.

"제중원에서는."

"사실, 그곳이 더 힘듭니다. 기록 자체가 없습니다. 사온서에서는 망량주의 방출 내역만을 기록하고, 제중원장은 개인 장부에 망량주를 마신 인명을 기록하는 것 같습니다. 그리고 그 기록물을 관리하는 건, 주상 전하시고요."

"결국, 아버진가."

망량주는 정확하게 이매와 관련한 기억만을 잃게 한다. 부작용이 생기는 이유에 대해 알고자 했지만, 정확히 아는 사람이 없었다. 그저 멸첩의 끝. 28장에 망량주에 관한 내용이 있다는 것을 상온에게 들어 알게 된 것이 다였다. 하지만 전쟁 중 소실된 멸첩을 되찾는 일은 모래사장에서 바늘 찾기나 다름없었다. 세월이 흘러 자연스럽게 훼손되었을 수도 있고, 누군가 고의로 파손시켰을지도 모르는 일. RSA의 대표가 된 이후 전 세계를 돌며 멸첩의 행방을 찾아 헤맸지만, 지금껏 이렇다 할 소득은 없었다.

"만약 조유연 씨의 모친이 망량주에 의한 부작용으로 지금껏 혼수상태나 다름없는 것이라면, 이는 왕실에서 제대로 책임을 져야 할 문제야."

"하지만 6개월 이상 부작용이 지속된 사례는 없다고 하셨습니다. 굳이 왕실에서 부작용을 숨길 이유는 없다고 사료됩니다."

"그래, 굳이…… 그럴 필요는 없지."

망량주의 존재조차 모르는 사람이 국민의 99.99%가 넘는다. 0.001%도 안 되는 사람들을 속이기 위해, 굳이 부작용을 숨길 필요는 없다.

어두운 표정으로 건물을 빠져나온 건은, 응급실 앞에 급히 멈춰서는 승용차 한 대를 발견했다.

제대로 주차도 않은 채 차에서 내린 사람은 최준일. 준일은 다짜고짜 응급실 안으로 들어가려 했지만, 앞을 지키던 남자에게 가로막혔다.

"전무님, 환자 외엔 출입 금지입니다."

"보호자도 없이 혼자 들여보냈습니까?"

"예. 조유연 씨가 그렇게 해도 된다고……."

"김 기사, 미쳤어요?"

싸늘하게 이를 간 준일이 난처해하는 기사를 밀치며 응급실 안으로 들어가려 할 때였다.

"조유연 씨가 왜 여기 있는지 물어봐도 되겠습니까?"

건은 얼굴의 반을 가린 마스크를 벗었다. 세자를 알아본 기사가 놀란 얼굴로 허리를 굽힌다. 하지만 준일은 이를 꽉 눌러 문 채 시선만 가볍게 내리떴다.

"안녕하십니까, 저하."

"네, 안녕합니다. 조유연 씨가 왜 여기 있냐고 물었는데…… 다쳤어요?"

"집안에서 일어난 일입니다. 알려드릴 의무 없고요."

준일의 무례한 답에 우혁이 주먹을 말아 쥔다. 하지만 건은 여유로운 표정으로 휴대 전화를 꺼냈다.

"그럼, 내가 직접 물어보는 수밖에."

"사적인 연락도 하십니까?"

"내 사생활에 관심 있어요? 그런데 어쩌지. 알려 줄 의무, 없는데."

태연한 대답이었지만, 날 선 기세가 느껴졌다. 건이 유연의 전화번호를 누르는데, 눈치 빠르게 응급실 안으로 들어갔던 익위 장은호가 나와 보고했다.

"조유연 씨 치료 끝내고 이동하셨다고 합니다. 봉합 치료하셨답니다."

봉합이란 말에 건의 턱 근육이 단단히 경직된다.

“다쳤군.”

이어 건은 성큼성큼 걸음을 내디뎠다. 그가 향하는 곳은 집중치료센터가 있는 서쪽 별관이었다.

정확하게 조유연이 갔을 만한 곳을 파악한 건의 태도에 기가 찬 준일이 따라붙는다.

“저하, 저곳은 아무나 못 들어갑니다.”

“걱정 마요. 나, 이건입니다.”

이건이라는 이름이 가진 힘을 알기에, 준일은 욕설을 삼키며 지지 않고 나란히 걸었다. 거대한 건물을 가로지르는 이들에게 주위의 시선이 쏠린다. 감히 세자와 걸음을 나란히 하는 준일을 죽일 듯 노려보던 우혁은 결국 건물 내 승강기 앞에서 그를 막아섰다.

“안전상의 이유로, 동행은 여기까집니다. 최준일 씨, 더 이상의 무례는 용납하지 않겠습니다.”

“무례라니, 저는 환자의 보호자이기도 합니다.”

“그럼 반대편 승강기를 이용해 주십시오.”

우혁의 단호한 태도와 함께 앞을 막아선 세자의 익위들로 인해 준일은 주춤주춤 물러났다. 이를 갈며 분을 참는 게 보였다.

건은 웃음기 없는 얼굴로 승강기에 올랐다. 그러자 뒤따른 우혁이 자연스럽게 박혜란이 입원한 병동의 층을 누른다.

“언제부터 안전상의 이유를 따졌어?”

문이 닫히고 이건이 물었다. 그에 정면을 노려보며 선 우혁이 이를 갈며 답했다.

“지금부터 따질 겁니다.”

"잘했어, 이우혁."

칭찬을 받은 우혁은 씰룩거리려는 입가에 힘을 주었다. 하지만 웃을 때가 아니었다. 조유연이 정말로 크게 다친 거라면, 간신히 회복된 왕실 분위기가 다시 빙하기로 돌아갈 가능성이 컸다.

8층으로 향하는 숫자판을 올려다보는 건의 눈빛에 다시금 짙은 감정이 일렁인다.

'저런 눈을 하고는, 무슨 비혼 같은 걸 하시겠다고. 어휴, 내 팔자야.'

간호사실 앞에 선 유연은 벌벌 떨리는 주먹을 말아 쥐고, 한마디 한마디 힘주어 말했다.

"무슨 소리예요. 제가 보호자가 아니라뇨."

"저희도 자세한 건 몰라요. 의료기록은 교수님 허락이 있어야 하는데, 보호자가 아니셔서 절대 보여 주실 수 없다고 하시네요?"

"그러니까, 제 엄마잖아요. 제가 친딸인데, 왜 볼 수가 없어요?"

"저희도 법을 지켜야죠. 가족이라고 아무나 보여 줬다가, 큰일 나요."

"하, 분명 저를 보호자에 등록했다고 하셨어요. 다시 알아봐 주세요. 바뀌었을 거예요, 네?"

"몇 번이나 확인했다니까요? 보호자는 예전부터 바뀐 적 없고, 그대로예요. 그러니까 그 문제는 보호자로 등록된 분과 해결하시는 게 더 빠를 거예요. 미안해요, 도움이 못 돼서."

최 회장이 거짓말을 했다. 제 약점을 쥐여 주는 게 싫어서, 설아를 돕겠다고 하면서까지 엄마의 치료 권한을 얻어 내려 했었다. 하지만 그게 다, 거짓말이었다고……? 나를 사기꾼으로 만들어 놓고?

"하……."

힘주어 움켜쥔 주먹에서 통증이 일었다. 하지만 유연은 그렇게라도 하지 않으면, 주체할 수 없이 몸이 떨려 자리에 주저앉을 것만 같았다. 대체, 어디까지가 진실이고 어디까지가 거짓일까.

'정말 나를 이용하기만 한 거야?'

숨이 막히고 눈에 열이 찬다. 이런 기분은 처음이었다. 분노가 이성을 잡아먹고, 시야가 바늘구멍처럼 좁아지는 기분은.

피가 거꾸로 솟는 기분에 떨리는 손으로 얼굴을 쓸어내리던 때였다.

"손에 힘 빼."

누군가 부드럽게 손목을 감싸더니, 손깍지를 끼워 잡듯 손바닥으로 쓸어내려 잡았다.

"조유연, 숨 쉬어."

유연은 천천히 숨을 몰아쉬며 고개를 틀었다. 눌러쓴 모자 아래, 자신을 지그시 응시하는 까만 눈이 보인다.

"왜……."

당신이 여기에 있냐고 물으려 했다. 하지만 그 짧은 말조차도 제대로 나오지 않았다.

입술을 짓씹듯 깨물었다가 떼어 낸 그녀가 다시 주먹을 쥐려 했다. 그러자 험악하게 미간을 좁힌 그가 손목을 강하게 당겨 품으로 끌어안았다.

"그만. 이제, 그만."

유연은 두 눈을 커다랗게 떴다. 상체를 웅크린 그가 그녀의 귓가에 입술을 붙인 채, 아이를 어르듯 달랬다.

"조금만 늦었어도, 이 얼굴을 다른 새끼가 볼 뻔했네."

"저하……."

"응?"

"왜……."

"왜냐니. 질문이 너무 바보 같은 거 아닌가?"

파묻은 가슴팍의 심장 박동이 빠르다. 그리고 따뜻했다. 강하게 끌어안은 품의 압박에 점점 떨림이 잦아들고, 숨이 쉬어진다.

뒷머릴 부드럽게 쓸어내리는 손길에 이어, 모자가 씌워졌다. 사위가 어두워진 순간, 들려오는 수런거림. 하지만 사람들의 당황 어린 목소리 같은 건, 그의 심장 박동 소리에 파묻혀 더 이상 그녀에게 닿지 않았다.

묘한 안도감에 눈을 감은 그녀는 참았던 숨을 울먹이듯 토해냈다.

"조유연."

그에 뒷머릴 감싼 손에 힘이 실리고 나직한 목소리가 또렷하게 찌르고 들어와 심장을 흔든다.

"왜 자꾸 사람을 미치게 하지?"

그게 무슨 소리냐며 그의 가슴팍을 밀어내려 했지만, 몸에 힘이 들어가지 않았다.

"조유연 씨가 자꾸 이러면, 내 참을성이 점점 바닥을 보이잖습니까."

이를 악물었지만, 결국 눈물이 후드득 떨어졌다. 유연은 그의 셔츠를 움켜쥔 채 더욱 깊게 얼굴을 묻었다.

한숨을 내쉰 그가 그녀의 머릴 쓰다듬더니, 어깨를 잡아떼어 낸다. 그러곤 몸을 기울여 붉게 충혈된 시선을 마주했다.

"울어도 예쁘네."

시선을 피해 고개를 푹 숙인 그녀의 몸이 다시금 그의 품으로 빨려 들어갔다.

"밤새 울리고 싶게."

[걱정 마십시오. 이중 차트를 건넸습니다. 그런데 금방 눈치채지 않겠습니까? 대책이 필요합니다.]

최 회장은 뻑뻑 피워대던 담배를 비벼 끄며 소파 깊게 몸을 묻었다.

"조만간 처리해야겠어요, 김 원장. 깨어나는 간격이 점점 짧아진다고 했나?"

[예, 이제는 약이 소용없습니다. 수면제 내성이라도 생긴 건지……. 그런데 이제 깨어난다고 해도, 정상적인 생활은 불가능합니다. 반신불수나 뇌성마비 환자 수준으로 살겠죠.]

"흠, 그래도. 재간택이 열리는 날, 끝내는 게 좋겠습니다."

[정말 그렇게까지 해야 할까 싶습니다. 환자가 죽으면, 병원 이미지도 나빠지는 데다가 세자가 주시하는 환자잖습니까.]

"그럼 어쩌라고. 그러게 처음부터 끝냈으면, 이런 일 없잖아!"

[아니, 회장님. 쓸모가 있겠다고 한 건, 회장님이십니다. 저한테 이러시면 곤란하죠.]

"곤란? 허, 김 원장……. 내가 그딴 소리 하라고 그 자리에 앉혔어요? 정신 차려요. 병원 주인은 당신이 아니라 나야!"

씩씩거리며 전화를 끊어 버린 최우식은 분이 풀리지 않는지 벽장을 향해 재떨이를 집어 던졌다. 와장창, 소리와 함께 산산이 부서진

파편이 바닥으로 떨어진다. 큰 소리에 놀란 사용인들이 달려왔지만, 최 회장은 다들 꺼지라며 고함을 내질렀다.

세자? 하, 그 어린놈의 자식이 왜!

"성질머리하고는."

최우식은 서재 입구에서 불쑥 들려온 미란의 목소리에 시뻘게진 눈을 부라렸다.

"당신은 또 뭐야!"

"내가 당신 믿고 애들을 맡기는 게 아니었는데. 쯧, 준일이 유연이한테 미련이 넘치더라. 어쩌자고 상황을 이렇게 만들어?"

"어허! 당신은 할 말 없어! 어디, 애들 버리고 집 나간 여편네가 큰소리를 쳐!"

"여편네?"

문설주에 기대서 있던 미란이 얼굴에서 여유를 지우곤 성큼성큼 다가와 최우식의 맞은편에 털썩 앉았다.

"야, 최우식."

"뭐, 뭐? 야?"

기가 차 어안이 벙벙해진 최 회장이 주먹으로 테이블을 내리쳤지만, 미란은 눈도 끔쩍하지 않았다.

"힘자랑만 하지 말고 똑바로 쳐들어. 내가 지금까지 입 다물고 산 건, 다 설아랑 준일이 때문이야. 그렇게까지 해 줬으면, 최소한 인간된 도리는 해야지. 어? 유연이 아빠 죽여 놓고, 애가 기억 잃으니까 그걸 이용해 먹니?"

"어허! 당신 무슨 소릴 하는 거야!"

최우식은 당황해 주위를 둘러보며 벌떡 일어났다.

"유연이 세자빈 될 애라며? 걔 고아 만들어서 입적시키려 했잖아! 그런데 그게 안 되니까, 혜란이 볼모 삼아서, 딸을 팔아먹으려 하니? 최우식, 너 진짜 어디까지 망가질래?"

우식은 있는 힘껏 손을 휘둘렀다. 짝, 소릴 내며 돌아간 미란의 뺨. 얼얼한 통증에 뺨을 감싼 미란이 덜덜 떠는 우식을 올려다보며 실소했다.

"뚫린 입이라고 함부로 지껄이지 마! 나는 그런 적 없어!"

"당신, 하늘이 알고 땅이 알아. 당신이 그런 인간이라 질려서 나간 거야. 인간 같지도 않은 거랑은 살 맞대고 살고 싶지 않아서! 정신을 좀 차린 거 같아서 기어들어 왔더니, 세자빈? 설아를?"

"설아가 뭐가 어때서! 세자빈 자리에 오르고도 남을 애야!"

"걔가? 하, 지 좋아하는 피아노 치면서 잘 사는 애를 왜!"

"설아, 이제 피아노 못 쳐! 손이 망가진 피아니스트를 어디에 써! 그럴 거면 결혼이라도 제대로 해야지."

"……손이 왜?"

미란이 벌떡 일어났다. 그러자 코웃음 치며 돌아선 최우식이 이를 갈며 서화제약 명패를 노려본다.

"어쨌든, 말조심해. 내가 잘못되면, 준일이부터 죽어. 이미 엎질러진 물이야! 그러니까 설아가 시집갈 때까지, 당신은 죽은 듯이 살아. 안 그러면 투자 얘기는 없던 거로 할 테니까, 각오해."

"봉합했던 곳이 벌어진 거라, 상처가 말끔하게 회복되진 않을 겁

니다. 어쩌다 귀한 몸에 상처를……."

상처 위에 방수 밴드를 붙인 내의원 소속 궁의가 일어서자, 대각선에 서 있던 이건이 물었다.

"샤워는 할 수 있나?"

"방수 밴드를 붙여 놓긴 했지만, 물이 들어가지 않게 며칠은 주의하셔야 합니다. 일단, 샤워를 마치시면, 의녀를 보내 마무리하도록 지시하겠습니다."

"며칠이라……."

말끝을 흐린 그가 멍하니 생각에 잠긴 유연을 바라본다. 그녀는 병원에서 나온 이후, 계속 어딘지 넋이 나간 듯한 모습이었다.

그는 궁의에게 고개를 끄덕여, 물러나는 것을 허락했다.

"오늘 아무도 동궁전에 못 들게 해."

건의 지시에 굳은 표정으로 우혁이 대답한다.

"예. 그런데 기자들이 궐 입구까지 따라붙었었습니다. 아마 저하께서 동궁전에 여인을 들인 걸 알고 있을 겁니다."

"그렇겠지. 그렇다고 병원에서부터 기자가 붙은 거 알면서 조유연 씨 집으로 갈 수는 없잖아."

"제 의견은 이틀 정도 이곳에 계시는 편이 어떨까 싶습니다. 재간택을 사흘 앞둔 상황입니다. 기삿거리를 제공하는 건 좋지 않다고 생각됩니다."

"이틀?"

곱씹듯이 말하며 돌아본 건은 유연의 지친 얼굴을 응시하며 고개를 끄덕였다.

"그렇게 해. 이틀간, 식사는 이곳으로 가져오고."

"저하, 음…… 그러니까 제가 그, 걱정이 좀 됩니다."

귀 끝을 빨갛게 붉힌 우혁이 말을 흐린다. 건은 짜증스럽게 대꾸하며 어깨를 툭 쳤다.

"나가. 네가 걱정하는 그런 일 없을 테니."

"차라리 객체를 따로 마련할까요? 저하의 침전 옆에."

"아니, 여기에 둘 거야."

건은 단호했다. 우혁은 할 말이 많은 표정으로 입술을 달싹이다가 끝끝내 꾸벅 인사한 뒤 침전을 빠져나갔다.

건은 사위가 조용해진 뒤에야 욕실로 들어가 수건 한 장을 따뜻한 물에 적셨다. 나인들처럼 수건에 향을 넣는 방법을 모르기에 그저 온수에 적시는 것이 전부였지만, 뺨의 피 얼룩만이라도 닦아 주고 싶었다.

물기를 꼭 짠 수건을 들고 침실로 나간 그는 막 자리에서 몸을 일으키는 그녀를 보았다.

"어딜 가려고."

이제야 상황 파악이 된 건지, 멍했던 눈동자에 평소의 반짝임이 맺혀 있다.

"죄송해요, 제가 신세를 진 것 같아요."

"내가 데려온 건데, 신세는 무슨. 앉아요, 다시."

다가간 건은 그녀의 어깨를 가볍게 눌러 소파에 앉혔다. 부드러운 뺨에 적신 수건을 대자, 그녀가 탄식하듯 낮은 숨을 흘려보낸다.

"제가 할게요."

"가만."

수건을 빼앗으려는 유연의 손을 조심스레 잡아 누르고, 뺨에 묻은 피 얼룩과 눈물 자국을 꼼꼼하게 닦아 주었다. 발긋하게 달아오른 뺨. 수건이 스칠 때마다 파르르 떨리는 속눈썹. 할 말이 있어 보이는 눈빛이 그의 인내심을 갉아먹는다.

"왜 그런 눈으로 봐. 나 아까 한 말, 진심인데. 밤새 울리고 싶다는 거."

부러 얄궂게 웃으며 그녀의 눈가를 문지르자, 입술을 깨문 그녀가 고개를 절레절레 저었다.

"이제는 안 울어요. 안 울 겁니다. 아까는…… 감정 조절이 잘 안 돼서."

"그럴 때가 있지. 손끝 하나 내 뜻대로 움직여지지 않고, 숨 쉬는 것조차 버거울 때가."

"네…… 그랬어요."

"그래서, 무슨 일인지 물어보면 대답해 줄 겁니까?"

그는 다치지 않은 그녀의 오른손을 잡아 수건으로 문질렀다. 그러자 힘주어 수건을 앗아간 유연이 대답 대신 꼼지락거리며 손을 닦는다.

말하고 싶지 않은 건지, 말해선 안 되는 건지. 입을 꾹 다문 그녀가 얄미워 상체를 기울여 눈을 맞췄다.

"말을 안 해 주면, 내 멋대로 위로하려 할 텐데."

그러자 유연이 흠칫 놀라며 반대로 몸을 틀어 눈을 피한다.

"위로, 안 해 주셔도 돼요. 이미 받았어요."

"글쎄, 난 아직 한 게 없는데."

"안아 주셨잖아요. 손잡아 주셨고, 그 자리에서 도망치게 도와주셨고……."

그녀의 마른 입술이 잇새에 말려 들어가 살짝 질린다.

마음 같아선 제 얼굴을 똑바로 보게 한 뒤 상처 난 입술을 만져 보고 싶었다. 하지만 그랬다가는 돌아가겠다며 또 선을 긋겠지.

"하, 고작."

건은 한숨 같은 웃음을 흘리며 소파 등받이에 비스듬히 기댔다. 자신의 침실이자 지금껏 외부인에게는 단 한 번도 공개되지 않는 곳. 그런데 묘하게 조유연은 자신의 침실과 이질감 없이 잘 어우러졌다. 신기할 정도로 위화감이 없다.

피와 흙먼지가 묻은 셔츠를 만지작거리는 그녀의 손이 떨린다. 엉망이 된 차림이 부끄러운지 표정에 티가 났다.

"어쨌든 밖에 기자들이 깔렸습니다. 그래서 여기로 데려온 거고. 조유연 씨 집 주소를 기자들에게 알려 주고 싶지 않아서."

"네…… 아까 들었어요."

"그러면 여기에 며칠 있어야 하는 것도 들었겠네?"

"몰래 나가면……."

"가능할 거라고 생각합니까?"

물론, 불가능하진 않겠지만 내키지 않아 냉랭하게 대꾸했다.

"그런데 실은 저도 그 집으로 가고 싶지 않았어요. 그냥, 어디든 그 집만 아니면……."

"괜찮다?"

"네."

다시 힘든 기억을 떠올린 건지, 눈을 질끈 감은 그녀가 손에 힘을 주려 했다. 건은 눈썹을 찡그리며 그녀의 어깨를 잡았다.

"옷은 따로 준비된 게 없어서, 오늘 하루만 내 거 입어도 괜찮죠?"

클로젯으로 들어간 그는 그나마 제일 작은 옷을 찾아 가져왔다. 물론 아무리 작아도 그녀에겐 크겠지만, 피칠을 한 옷을 입고 있는 것보다는 나을 것이다.

내민 옷을 받아든 유연이 진지해진 얼굴로 입술을 달싹인다.

"고맙습니다."

"일단, 진통제 먹고 쉬도록 하죠. 왜 울었는지, 어째서 화가 난 건지. 가윗날이 왜 스친 건지 오늘은 묻지 않을 테니까."

그 말인즉슨, 내일은 물을지도 모른다는 뜻.

그를 응시하던 그녀가 마른침을 삼키며 어색하게 말을 돌렸다.

"근데, 이곳은 저하의 침실 아닌가요?"

"왜요, 나랑 있기 싫어요?"

"그게 아니라, 폐가 될까 봐……."

"음, 하긴. 난 지금 조유연 씨가 내 침실에 있다는 것만으로도 심장이 터질 것 같거든."

붉은 기가 남은 그녀의 눈가가 떨리는 걸 본 그는 입이 마르는 걸 느끼며 일어났다.

"그래도 안 돼요. 여기에 있어."

유연은 이끌리듯 그를 따라 고개를 들었다. 시간을 확인한 건이 부드럽게 미소 짓더니 안쪽 욕실을 턱 끝으로 가리킨다.

"저쪽이 클로젯이고 더 들어가면 욕실이 있습니다. 마음껏 써요. 그리고 쉬도록 해요. 나는 일이 있어서 4시간 정도는 안 돌아옵니다. 그 정도면 정리하기 충분합니까?"

그녀는 아무 말 없이 고개를 끄덕이는 것으로 대답을 대신했다. 흘러내린 머리카락 사이로 그의 손이 파고든다. 뺨을 감싸듯 맞댄 손바닥의 온기가 위로처럼 그녀를 다독였다.

"오늘 밤엔 안 울릴 테니까, 걱정하지 말고."

따뜻한 물을 틀어 놓은 채 한참을 서 있었다. 꼴이 너무 우습고 지저분해 샤워를 해 볼까 단단히 마음먹었건만, 막상 손이 물에 젖을까 봐 망설이는 제가 한심했다.

'보호자는 예전부터 바뀐 적 없고, 그대로예요.'

간호사의 말을 곱씹으며 다치지 않은 오른손부터 적시기 시작했다.

'깨워도 모자랄 판에, 주사만 놓으면 죽은 듯 잠들고. 진짜 이상하긴 하네?'

그래, 이상하다고 여겼어야지. 제가 사고 당시의 기억을 잃은 것보다, 13년째 잠들어 있는 엄마의 병이 더 이상한 일이라며 의심했어야 했다. 하루아침에 제게 닥친 이상한 일들을 어째서 그저 그런 불운으로 여겼던 것인지.

모순덩어리다. 미란이 말한 헛똑똑이가 바로 저였다.

"호구였네."

대체 왜 한 번도 의심하지 않았을까? 그 친절에 다른 뜻이 있다는 것을. 아무것도 가진 것 없는 사람에게, 대가 없는 친절은 따라붙지 않는다는 것도.

'이유를 찾아야 해.'

유연은 눈을 질끈 감고 샤워기 아래로 불쑥 몸을 넣었다. 조금은 자포자기에 가까운 기분이 들기도 했다.

정수리를 때리며 쏟아진 물줄기가 얼굴과 어깨, 가슴과 복부를 타고 흘러내려 발밑에 고인다. 말아 쥔 주먹이 하얗게 질려 간다. 그래도 다행히 울고 싶은 마음은 들지 않았다.

"진짜 크네."

마취가 풀리지 않아 먹먹한 손으로 대충 샤워를 마친 그녀가 욕실을 나서자, 따뜻한 차와 케이크, 먹음직스러운 영양 떡이 소반에 올려져 놓여 있는 게 보였다. 게다가 허리가 줄줄 내려가는 남자의 반바지와 셔츠라니. 이런 호사를 누려도 될까? 하지만 당시엔 어디로든 도망치고 싶었고, 건의 손을 놓고 싶지도 않았다.

피식 웃어 버린 그녀는 호박고지가 듬뿍 들어간 영양 떡을 한입 베어 물었다.

달다. 달고 쫀득하면서, 허기를 채워 준다. 하지만 목이 메 더는 먹지 못하고 소파에 앉아 몸을 웅크렸다. 생각을 이어 나가고 싶었지만, 조금 전에 먹은 진통제의 효과 때문인지 머릿속이 몽롱하고 잠이 쏟아졌다.

유연은 고개를 뒤로 젖혔다. 지금은 그저, 모든 것이 꿈이었으면 좋겠다. 만일, 정말로 모두가 입을 맞춰 자신을 속여 온 것이라면 참지 못할 것 같아서. 적어도 13년이란 시간 동안 제게 보인 최 회장의 태도가, 모두 거짓이 아니기를 바랐다.

'엄마 살려서, 네 아버지가 원했던 것처럼, 꿈 펼치면서 살아야지.'

최 회장은 어떻게 그런 세세한 것까지 알고 있었을까? 아빠가 유연에게 습관처럼 했던 말은 맞지만, 눈에 대한 것은 가족 비밀이었다. 아무리 가까운 친우 사이였다고 해도, 어딘지 모르게 께름칙하다. 게다가 눈에 대해 알고 있었으면서, 10년 넘게 최 회장은 입을 다물고 티 낸 적 없었다. 애초에 의심했어야 했다.

"눈 때문인가……? 아니야, 아니겠지."

13년 전부터 이 눈을 이용해 설아를 세자빈으로 만들 생각을 했다고?

유연은 불현듯 떠오른 가설에 실소하며 고개를 저었다. 최 회장이 설아를 세자빈으로 만들 결심을 굳힌 건, 설아의 손이 망가지기 시작한 이후다. 굳이 세자빈이라는 자리에 오르지 않아도 설아는 문제없이 살았을 여자 아니던가. 시기적으로나, 상식적으로 맞지 않는다.

똑똑-.

누군가 문 두드리는 소리에, 생각에 잠겨 있던 그녀가 엉거주춤 일어났다. 이어 색이 연한 생활 한복차림의 내의녀가 꾸벅 인사하며 침실 안으로 들어왔다.

"붕대를 감아드리라고 하셔서요. 괜찮으시면, 제가 상처를 좀 보겠습니다."

"아, 네. 고맙습니다."

순간, 기묘한 기운이 내의녀의 뒤를 따라 스르륵 스민다.

유연은 막 침실로 기어들어 와 세자의 초상화 앞에 멈춰선 뱀 한 마리를 발견했다.

"잠깐만요."

붕대를 감으려던 내의녀는 의아한 표정으로 고개를 끄덕이며 물러섰다.

쉬익, 쉬익-.

빨간 혀를 내두르며 위협하는 뱀의 형태가 익숙하다. 그래서인지 두렵지도, 무섭지도 않았다.

'너…….'

-주인.

'뭐?'

-주인.

그 뱀이다. 양평 갤러리에서 세자의 손에 소멸하였던, 검은 뱀. 뱀이 말을 하고 있었다. 마치 제 머릿속에 주입하듯 뱀의 목소리가 정확하게 울렸다. 유연은 꿈이면 깨고 싶은 심정으로 고개를 저었다.

'진짜야. 한번 물어볼래? 사슴 도깨비야, 나와 친구가 되어 줄래? 라고 물으면 돼.'

환청처럼 들려온 동화 아저씨의 음성. 유연은 어느덧 세자의 초상화 앞에 섰다. 정확히는 초상화 앞에 똬리를 튼 검은 뱀 앞에 서서 지끈거리는 이마를 짚었다.

-……이 모습은 별로인가.

'너, 누구야.'

-주인은 참으로 약하구나.

헛웃음을 흘린 그녀가 손을 뻗으려 할 때였다.

"저하의 초상화에 손대시면 안 됩니다."

어지러워.

"환자분, 일단 치료를 마무리하는 것이……."

도깨비가 말을 한다고? 말도 안 돼.

"환자분? 조유연 씨……?"

걱정스러운 표정의 내의녀가 다가와 부축하려는 순간, 뱀의 형태가 연기처럼 이지러진다.

유연의 눈이 커다랗게 뜨였다. 이어 검은 뱀이 다른 형태로 환동을 시작했다. 숨 막히는 이취에 몸의 소름이 쭈뼛 서고, 강한 파동에 전신이 떨렸다. 지금껏 느껴 왔던 이취와는 차원이 다른, 강하고 견고한 기운이 피부를 휘감는다.

괜찮냐고 묻는 내의녀의 목소리에 정신이 든 유연은 사라져 버린 뱀을 대신해 다소곳이 앉아 있는 거대한 짐승을 보며 서서히 바닥으로 무너졌다.

-기다렸다, 주인.

두툼한 앞발을 혀로 핥으며 당당히 고개를 든 검은 호랑이가 그녀의 허벅지 위로 머릴 내린다.

-머리, 쓰다듬어라.

> 2권에서 계속

더 캐슬 1

초판 발행 2023년 7월 26일

지은이 진소예
펴낸이 최재호
총괄 전지영
펴낸곳 주식회사 에이템포미디어

편집 디자인 이준규, 김현경 **표지 디자인** UDDC studio
교정 교열 에이템포미디어 출판부 **삽화** DELTA

출판등록 2019년 2월 27일 제 2019-000012호
주소 경기도 부천시 조마루로385번길 92 부천테크노밸리U1센터 726호
대표전화 070-4100-0600 **팩스** 070-4758-0640

전자우편 atempo_media@naver.com
블로그 atempomedia.com
인스타그램 @atempomedia_books
트위터 @atempomedia
카카오톡 @에이템포미디어 출판사

ISBN 979-11-6963-253-9
979-11-6963-252-2(**SET**)